国家重点研发计划"固废资源化"重点专项支持

固废资源化技术丛书

再制造——助力"双碳"目标下的循环经济发展

张 伟 时小军 于鹤龙 等 著

科学出版社

北 京

内 容 简 介

　　再制造产业是循环经济的高级形式，对推动我国产业升级转型、绿色发展意义重大。本书从循环经济、"双碳"目标背景下国家战略出发，分析了国内外再制造产业发展现状与特点、经验与问题，梳理了我国再制造产业相关政策法规和标准。重点介绍了再制造设计、拆解、清洗、损伤评估、损伤修复等关键技术，以及典型再制造产品发展及技术水平。结合实践数据，以案例形式分析测算了再制造产品碳减排贡献。围绕再制造产业现状，从关键因素出发分析了当前面临的主要问题和挑战，提出了对策建议，为未来发展提供了方向和思路。

　　本书可供国家及地方政府循环经济相关部门政策制定及管理人员，以及高等院校相关专业技术研发人员、企业管理者和技术人员参考。

图书在版编目（CIP）数据

　　再制造：助力"双碳"目标下的循环经济发展 / 张伟等著. —北京：科学出版社，2023.2

　　（固废资源化技术丛书）

　　ISBN 978-7-03-074601-6

　　Ⅰ. ①再… Ⅱ. ①张… Ⅲ. ①制造工业－工业发展－研究－中国 Ⅳ. ①F426.4

　　中国版本图书馆 CIP 数据核字（2022）第 255178 号

责任编辑：杨　震　杨新改/责任校对：杜子昂
责任印制：吴兆东/封面设计：东方人华

科学出版社 出版
北京东黄城根北街 16 号
邮政编码：100717
http://www.sciencep.com

北京中科印刷有限公司 印刷
科学出版社发行　各地新华书店经销

*

2023 年 2 月第 一 版　开本：720×1000　1/16
2023 年 2 月第一次印刷　印张：20 1/2
字数：410 000

定价：**128.00 元**

（如有印装质量问题，我社负责调换）

"固废资源化技术丛书" 编委会

顾　　问：左铁镛　张　懿

主　　编：李会泉

副 主 编：何发钰　戴晓虎　吴玉锋

编　　委（按姓氏汉语拼音排序）：

陈庆华	陈运法	程芳琴	戴晓虎	顾晓薇
韩跃新	何发钰	胡华龙	黄朝晖	李会泉
李少鹏	李耀基	梁秀兵	刘　诚	刘会娟
罗旭彪	闵小波	邱廷省	王成彦	王栋民
王海北	王学军	吴玉锋	徐夫元	徐乐昌
张　伟	张利波	张一敏	仲　平	

青年编委（按姓氏汉语拼音排序）：

顾一帆	国佳旭	柯　勇	李　彬	刘　泽
刘家琰	马保中	王晨晔	王耀武	张建波
朱干宇				

丛 书 序 一

深入推进固废资源化、大力发展循环经济已经成为支撑社会经济绿色转型发展、战略资源可持续供给和"双碳"目标实现的重要途径，是解决我国资源环境生态问题的基础之策，也是一项利国利民、功在千秋的伟大事业。党和政府历来高度重视固废循环利用与污染控制工作，习近平总书记多次就发展循环经济、推进固废处置利用做出重要批示；《2030 年前碳达峰行动方案》明确深入开展"循环经济助力降碳行动"，要求加强大宗固废综合利用、健全资源循环利用体系、大力推进生活垃圾减量化资源化；党的二十大报告指出"实施全面节约战略，推进各类资源节约集约利用，加快构建废弃物循环利用体系"。

回顾二十多年来我国循环经济的快速发展，总体水平和产业规模已取得长足进步，如：2020 年主要资源产出率比 2015 年提高了约 26%、大宗固废综合利用率达 56%、农作物秸秆综合利用率达 86%以上；再生资源利用能力显著增强，再生有色金属占国内 10 种有色金属总产量的 23.5%；资源循环利用产业产值达到 3 万亿元/年等，已初步形成以政府引导、市场主导、科技支撑、社会参与为运行机制的特色发展之路。尤其是在科学技术部、国家自然科学基金委员会等长期支持下，我国先后部署了"废物资源化科技工程"、国家重点研发计划"固废资源化"重点专项以及若干基础研究方向任务，有力提升了我国固废资源化领域的基础理论水平与关键技术装备能力，对固废源头减量—智能分选—高效转化—清洁利用—精深加工—精准管控等全链条创新发展发挥了重要支撑作用。

随着全球绿色低碳发展浪潮深入推进，以欧盟、日本为代表的发达国家和地区已开始部署新一轮循环经济行动计划，拟通过数字、生物、能源、材料等前沿技术深度融合以及知识产权与标准体系重构，以保持其全球绿色竞争力。为了更好发挥"固废资源化"重点专项成果的引领和应用效能，持续赋能循环经济高质量发展和高水平创新人才培养等方面工作，科学出版社依托该专项组织策划了"固废资源化技术丛书"，来自中国科学院过程工程研究所、五矿集团、矿冶科技集团有限公司、同济大学、北京工业大学等单位的行业专家、重点专项项目及课题负责人参加了丛书的编撰工作。丛书将深刻把握循环经济领域国内外学术前沿动态，系统提炼"固废资源化"重点专项研发成果，充分展示和深入分析典型无机固废源头减量与综合利用、有机固废高效转化与安全处置、多元复合固废智能拆解与清洁再生等方面的基础理论、关键技术、核心装备的最新进展和示范应用，以期让相关领域广大科研工作者、企业家群体、政府及行业管理部门更好地了解固废资源化科技进步和产业应用情况，为他们开展更高水平的科技创新、工程应用和管理工作提供更多有益的借鉴和参考。

左铁镛

中国工程院院士

2023 年 2 月

丛书序二

我国处于绿色低碳循环发展关键转型时期。化工、冶金、能源等行业仍将长期占据我国工业主体地位，但其生产过程产生数十亿吨级的固体废物，造成的资源、环境、生态问题十分突出，是国家生态文明建设关注的重大问题。同时，社会消费环节每年产生的废旧物质快速增加，这些废旧物质蕴含着宝贵的可回收资源，其循环利用更是国家重大需求。固废资源化通过再次加工处理，将固体废物转变为可以再次利用的二次资源或再生产品，不但可以解决固体废物环境污染问题，而且实现宝贵资源的循环利用，对于保证我国环境安全、资源安全非常重要。

固废资源化的关键是科技创新。"十三五"期间，科学技术部启动了"固废资源化"重点专项，从化工冶金清洁生产、工业固废增值利用、城市矿产高质循环、综合解决集成示范等全链条、多层面、系统化加强了相关研发部署。经过三年攻关，取得了一系列基础理论、关键技术和工程转化的重要成果，生态和经济效益显著，产生了巨大的社会影响。依托"固废资源化"重点专项，科学出版社组织策划了"固废资源化技术丛书"，来自中国科学院过程工程研究所、中国地质大学（北京）、中国矿业大学（北京）、中南大学、东北大学、矿冶科技集团有限公司、军事科学院国防科技创新研究院等很多单位的重点专项项目负责人都参加了丛书的编撰工作，他们都是固废资源化各领域的领军人才。丛书对固废资源化利用的前沿发展以及关键技术进行了阐述，介绍了一系列创新性强、智能化程度高、工程应用广泛的科技成果，反映了当前固废资源化的最新科研成果和生产技术水平，有助于读者了解最新的固废资源化利用相关理论、技术和装备，对学术研究和工程化实施均有指导意义。

我带领团队从 1990 年开始，在国内率先开展了清洁生产与循环经济领域的技术创新工作，到现在已经 30 余年，取得了一定的创新性成果。要特别感谢科学技术部、国家自然科学基金委员会、中国科学院等的国家项目的支持，以及社会、企业等各方面的大力支持。在这个过程中，团队培养、涌现了一批优秀的中青年骨干。丛书的主编李会泉研究员在我团队学习、工作多年，是我们团队的学术带头人，他提出的固废矿相温和重构与高质利用学术思想及关键技术已经得到了重要工程应用，一定会把这套丛书的组织编写工作做好。

固废资源化利国利民，技术创新永无止境。希望参加这套丛书编撰的专家、学者能够潜心治学、不断创新，将理论研究和工程应用紧密结合，奉献出精品工程，为我国固废资源化科技事业做出贡献；更希望在这个过程中培养一批年轻人，让他们多挑重担，在工作中快速成长，早日成为栋梁之材。

感谢大家的长期支持。

中国工程院院士

2022 年 12 月

丛 书 前 言

深入推进固废资源化已成为大力发展循环经济，建立健全绿色低碳循环发展经济体系的重要抓手。党的二十大报告指出"实施全面节约战略，推进各类资源节约集约利用，加快构建废弃物循环利用体系"。我国固体废物增量和存量常年位居世界首位，成分复杂且有害介质多，长期堆存和粗放利用极易造成严重的水-土-气复合污染，经济和环境负担沉重，生态与健康风险显现。而另一方面，固体废物又蕴含着丰富的可回收物质，如不加以合理利用，将直接造成大量有价资源、能源的严重浪费。

通过固废资源化，将各类固体废物中高品位的钢铁与铜、铝、金、银等有色金属，以及橡胶、尼龙、塑料等高分子材料和生物质资源加以合理利用，不仅有利于解决固体废物的污染问题，也可成为有效缓解我国战略资源短缺的重要突破口。与此同时，由于再生资源的替代作用，还能有效降低原生资源开采引发的生态破坏与环境污染问题，具有显著的节能减排效应，成为减污降碳协同增效的重要途径。由此可见，固废资源化对构建覆盖全社会的资源循环利用体系，系统解决我国固废污染问题、破解资源环境约束和推动产业绿色低碳转型具有重大的战略意义和现实价值。随着新时期绿色低碳、高质量发展目标对固废资源化提出更高要求，科技创新越发成为其进一步提质增效的核心驱动力。加快固废资源化科技创新和应用推广，就是要通过科技的力量"化腐朽为神奇"，将"绿水青山就是金山银山"的理念落到实处，协同推进降碳、减污、扩绿、增长。

"十三五"期间，科学技术部启动了国家重点研发计划"固废资源化"重点专项，该专项紧密面向解决固体废物重大环境问题、缓解重大战略资源紧缺、提升循环利用产业装备水平、支撑国家重大工程建设等方面战略需求，聚焦工业固废、生活垃圾、再生资源三大类典型固废，从源头减量、循环利用、协同处置、精准管控、集成示范等方面部署研发任务，通过全链条科技创新与全景式任务布局，引领我国固废资源化科技支撑能力的全面升级。自专项启动以来，已在工业固废建工建材利用与安全处置、生活垃圾收集转运与高效处理、废旧复合器件智能拆解高值利用等方面取得了一批重大关键技术突破，部分成果达到同领域国际先进水平，初步形成了以固废资源化为核心的技术装备创新体系，支撑了近20亿吨工业固废、城市矿产等重点品种固体废物循环利用，再生有色金属占比达到30%，为破解固废污染问题、缓解战略资源紧缺和促进重点区域与行业绿色低碳发展发挥了重要作用。

本丛书将紧密结合"固废资源化"重点专项最新科技成果，集合工业固废、城市矿产、危险废物等领域的前沿基础理论、创新技术、产品案例和工程实践，旨在解决工业固废综合利用、城市矿产高值再生、危险废物安全处置等系列固废处理重大难题，促进固废资源化科技成果的转化应用，支撑固废资源化行业知识普及和人才培养。并以此为契机，期寄固废资源化科技事业能够在各位同仁的共同努力下，持续产出更加丰硕的研发和应用成果，为深入推动循环经济升级发展、协同推进减污降碳和实现"双碳"目标贡献更多的智慧和力量。

李会泉　何发钰　戴晓虎　吴玉锋

2023 年 2 月

序

　　节能降碳是解决生态环境问题的重要途径，日益成为全球的共识。2015 年《巴黎协定》设定了 21 世纪后半叶实现碳净零排放的目标，多国政府相继制定了应对策略。2020 年 9 月，国家主席习近平在联合国大会一般性辩论上宣布："中国将提高国家自主贡献力度，采取更加有力的政策和措施，二氧化碳排放力争于 2030 年前达到峰值，努力争取在 2060 年前实现碳中和。"这充分体现了我国坚定不移走"生态优先、绿色低碳"的高质量发展道路的决心。

　　再制造可实现大量蕴含附加值的废旧产品的再利用，是实现资源高效循环利用的最佳途径之一。与传统制造业相比，再制造可节约成本 50%、节能 60%、节材 70%、减少污染物排放 80% 以上，几乎不产生固体废物，经济效益、社会效益和生态效益显著，是减少碳排放的重要途径。

　　制造科技是一个国家发展实体经济的核心支撑。再制造科技是制造科技的重要组成部分，是一种特殊的制造能力，可以推动制造科技更完善和更有竞争力，是一种可持续创造价值的循环制造，是高附加值产品在多个生命周期保持附加值的有效手段，是存量博弈时代推动经济发展的崭新力量。同时，再制造产业可以创造出可观的高端设计、技术密集型、技能密集型就业岗位。

　　我国高度重视再制造产业的培植和发展。2005 年以来，国家出台了 50 余项相关政策法规，再制造专项政策法规近 30 项，再制造国家标准 40 多个。再制造产业在国家政策引导、扶持、推动下快速蓬勃发展：目前国内已经有上千家再制造企业，涉及汽车零部件、工程机械、能源、冶金、电力装备及电子信息产品等十几个领域；再制造产品种类不断丰富，规模日益壮大，初步形成了"以高新技术为支撑、产学研融合、既循环又经济、自主创新"的中国特色再制造产业模式。

　　进入"十四五"时期，再制造发展面临重大发展机遇。要深入贯彻党的十九届六中全会精神，坚持科技创新，推动低碳与高质量再制造关键技术体系研发；要坚持中国特色新型工业化道路，建立上下游链条相协调、逆向物流顺畅的再制造生态圈；运用信息化、互联网技术，构建新型再制造技术、管理与服务体系；要以产业创新为内涵，开拓再制造新领域，推进高端再制造、智能再制造、低碳再制造，创新再制造产品生产、使用、回收、经营的商业模式；强化政策引导，加大市场准入、进出口、财税、金融、知识产权等方面的支持力度，大力推进再制造产品认证检测制度。

再制造产业的快速发展需要持续研究，结合中国实际及时破解发展中遇到的问题。因此有必要对我国再制造产业现状进行全面深入的分析，总结特点和规律，梳理问题和提出解决方案，并在此基础上进一步探索高端再制造、智能再制造的发展模式。

该书的作者团队在长期开展再制造理论研究、产业创新和实际调研基础上，全面总结梳理了国内外再制造技术成果、再制造关键技术，剖析了多个行业再制造的现状、特点，总结了再制造相关的国家政策，为了解我国再制造产业结构特点及未来发展潜力提供了参考，为下一步产业的持续发展提供了方向和研究思路。

该书是践行我国"创新、协调、绿色、开放、共享"发展理念和努力实现碳中和目标的探索，是对我国再制造产业成长历程的思考、研究和实践成果的总结。该书的出版对于循环经济和固废资源化的创新发展具有很多的借鉴作用，对于深化各行各业对再制造产业的认识、推动绿色再制造技术的持续突破、促进再制造向多个产业的深度发展，尤其是向高端、智能方向持续进化将产生较大的影响。

"中国再制造50人论坛"总召集人

2022年3月

前　言

　　再制造作为循环经济再利用的高级形式和装备制造业升级转型的新模式，是对废旧产品进行专业化修复升级改造、使其质量特性不低于原型新品的绿色制造，符合"科技含量高、经济效益好、资源消耗低、环境污染少"等新型工业化特点，是走高质量发展之路的朝阳产业。

　　2020 年 9 月，国家主席习近平在联合国大会一般性辩论上宣布的碳达峰、碳中和目标，为我国应对气候变化、绿色低碳发展提供了方向指引、擘画了宏伟蓝图。2021 年国务院发布的《2030 年前碳达峰行动方案》指出："促进汽车零部件、工程机械、文办设备等再制造产业高质量发展。加强资源再生产品和再制造产品推广应用。"再制造构建"资源－产品－报废－再制造产品"的循环型产业链条，构筑节能、环保、可持续的工业绿色发展模式，对中国未来经济社会的可持续发展、对生态文明的构建具有重大意义，是我国实现碳达峰、碳中和目标最有利、最直接的重要途径之一。

　　"十三五"以来，在政策支持、技术创新与市场发展的多重推动下，再制造产业获得快速发展。我国再制造关键技术取得重要突破，在再制造旧件回收、生产制造、流通体系建设及监督管理等方面取得了积极成效，再制造企业有 1000 余家，涉及汽车、工程机械、矿采设备、铁路装备、机床、船舶、工业装备和文办设备等多行业。

　　进入"十四五"时期，我国再制造产业面临最佳机遇期，国家先后颁布多项有关再制造产业的产业政策，为推动我国再制造产业健康有序快速发展提供了有力支撑。基于再制造产业未来发展的需求，急需我们对再制造产业现状、问题进行全面深入的分析研究，对已有的再制造技术成果进行梳理和总结，并在此基础上进一步探索高端智能再制造产业发展的新领域、规范化高质量发展的新模式。

　　本书从再制造内涵、循环经济背景下国家战略与重要意义出发，对当前国内外产业发展现状进行了概括，对再制造产业相关政策法规进行了梳理。在此基础上，结合国家"十一五"以来再制造科技投入形成的创新技术成果，介绍了再制造关键技术，典型、高端再制造产品及技术。同时，结合再制造企业的实践数据，对典型再制造产品碳减排进行了核算分析，提出了再制造产业面临挑战和发展建议。为了解我国再制造技术成果及未来发展潜力提供了翔实数据，也为下一步发展重点提供了方向和思路。

本书共 10 章：第 1 章介绍再制造在循环经济、固废资源化、实现双碳目标等国家战略中的作用；第 2 章介绍美国、欧洲等发达国家和地区以及国内再制造产业发展的特点、模式、现状与问题；第 3 章介绍不同发展阶段的产业政策与标准；第 4 章介绍中国再制造关键技术体系与再制造性的设计及评价技术；第 5 章介绍再制造拆解与清洗技术、常用工艺方法以及典型装备零部件的拆解与清洗方法及工艺流程；第 6 章介绍面向再制造质量控制的再制造检测评价、寿命评估、修复成形及加工技术；第 7 章介绍国内典型、高端再制造产品和技术，主要涉及汽车零部件、通用工程机械、盾构机、矿采装备、航空装备、动力装备、工业电机、办公设备等；第 8 章结合"双碳"政策和标准，分析再制造产品对碳减排的贡献；第 9 章从再制造产业发展关键影响因素入手，以内在核心逻辑的七个方面，分析再制造产业面临的主要问题和诸多挑战；第 10 章从决策者、从业者、研究人员和多方利益相关者的角度提出产业发展建议。

本书由京津冀再制造产业技术研究院院长张伟、副院长时小军和史佩京以及装备再制造技术国防科技重点实验室副主任于鹤龙等共同主持撰写。其中，第 1 章由张伟、时小军、刘宏伟撰写；第 2 章由张伟、史佩京、时小军撰写；第 3 章由张伟、史佩京、时小军、张仲撰写；第 4 章由于鹤龙、姚巨坤、吉小超撰写；第 5 章由于鹤龙、王红美、宋占永、尹艳丽撰写；第 6 章由董世运、董丽虹、闫世兴撰写；第 7 章由史佩京、谢建军、易新乾、朱宏军、侯廷红、韩宏升、汪勇、冷欣新撰写；第 8 章由魏敏、郑汉东、李海庆、周新远撰写；第 9 章由张伟、时小军、张仲、许艺撰写；第 10 章由张伟、时小军、李树军撰写。全书由张伟、时小军和张仲统稿。京津冀再制造产业技术研究院的同仁给予了大力支持，其中包括李树军、许艺、汪勇、刘宏伟、王瑞英、张昭、刘博文、杨柯南、张影等所做的审核、校对工作，张仲、姚鹏宇参与了图片绘制工作，武雅迪、李梦兰、崔同欢等提供了大量素材资料。

"固废资源化技术丛书"依托国家重点研发计划，列入科学出版社重大项目库，本书是该丛书分册之一。本书出版得到"佛山科学技术学院学术著作出版资助基金"的资助。在编写过程中，得到了国家发展和改革委员会资源节约和环境保护司、工业和信息化部节能与综合利用司、科学技术部社会发展司、中国国际工程咨询有限公司产业发展处、中国机械工程学会再制造工程分会、中国汽车工业协会汽车零部件再制造分会、全国绿色再制造技术标准化委员会再制造技术分委会、中国循环经济协会绿色制造与再制造专业委员会、北京盾构工程协会、装备再制造技术国防科技重点实验室、清华大学苏州环境创新研究院等单位的支持。"中国再制造 50 人论坛"总召集人、国家发展和改革委员会资源节约和环境保护司原副司长马荣对本书的框架、要点提出了重要指导，并为本书作序。

本书初稿于 2022 年北京冬奥会、残奥会结束之后完成。这得益于众多同行专家和领导的支持与指导，也是全体编写组成员和多学科专家学者共同努力的结果，在此一并表示感谢。

　　未来将是我国依靠科技、体制和管理创新、走绿色智能之路、调整产业结构、转变发展方式、实现再制造产业由大变强的关键时期，我国再制造技术和产业正面临着前所未有的新挑战和难得的发展机遇。希望本书的出版对于循环经济和工业固废资源化的创新发展、对于深化各行业对再制造产业的认识、推动绿色再制造技术的持续突破、促进再制造产业深度发展有所借鉴。

张　伟
2022 年 5 月 20 日于北京

目　录

第1章

再制造与循环经济

1.1 循环经济、固体废物资源化、再制造的内涵与"双碳"目标

1.1.1 循环经济的内涵

循环经济的定义：以资源的高效利用和循环利用为核心，以"减量化、再利用、资源化"为原则，以低消耗、低排放、高效率为基本特征，符合可持续发展理念的一种经济增长模式。是对"大量生产、大量消费、大量废弃"的传统增长模式的根本变革。

以物质运动形式为着眼点进行分析，循环经济可简洁地表述为：是物质循环利用、高效利用的经济发展模式。从资源流程和经济增长对资源、环境影响的角度考虑，经济增长方式存在两种模式：一种是传统增长模式，即"资源－产品－废弃物"的单向式直线过程，这意味着创造的财富越多，消耗的资源就越多，产生的废弃物也就越多，对资源环境的负面影响也就越大；另一种是循环经济模式，即"资源－产品－废弃物－再生资源"的反馈式循环过程，可以更有效地利用资源和保护环境，以尽可能小的资源消耗和低的环境成本，获得尽可能大的经济效益和社会效益，从而使经济系统与自然生态系统的物质循环过程相互和谐，促进资源永续利用。所以，循环经济是一种以资源的高效利用和循环利用为核心，以"减量化、再利用、再制造、再循环"为原则，以"低消耗、低排放、高效率"为基本特征，符合可持续发展理念的经济增长模式，是对"大量生产、大量消费、大量废弃"的传统经济模式的根本变革，产品再制造模式就可以实现产品从使用、到回收、到再制造的循环模式，见图 1-1。

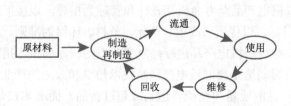

图 1-1 基于再制造的产品－使用－回收－再制造循环经济模式

1.1.2　固体废物资源化的内涵

固体废物经过一定的处理或加工,可使其中所含的有用物质提取出来,继续在工、农业生产过程中发挥作用,也可使有些固体废物改变形式成为新的能源或资源。这种从固体废物中回收或制取有价值的物质和能源的做法被称为固体废物的资源化[1](图 1-2),或被称为固体废物的综合利用。固体废物以资源的形式循环利用是我们追求的目标。

图 1-2　固体废物资源化[2]

1.1.3　维修的内涵

维修是指在产品的使用阶段,为了保持或恢复到良好技术状态及正常运行而采用的技术措施,常具有随机性、原位性、应急性。维修的对象是有故障的产品,多以换件为主,辅以单个或小批量的零(部)件修复,一般难以形成批量生产。维修后的产品多数在质量、性能上难以达到原机新品水平[3]。

1.1.4　再制造的内涵与"双碳"目标

再制造是以旧的机器设备为毛坯(core),采用专门的工艺和技术,对毛坯进行专业化修复或升级改造,使其质量特性不低于原型新品水平的过程(GB/T 28619—2012)。我国再制造奠基人徐滨士院士在《再制造与循环经济》一书中给出如下定义[4]:再制造是以机电产品全寿命周期设计和管理为指导,以废旧机电产品实现性能跨越式提升为目标,以优质、高效、节能、节材、环保为准则,以先进技术和产业化生产为手段,对废旧机电产品进行修复和改造的一系列技术措施或工程活动的总称。简单概括,再制造是废旧机电产品高技术修复和改造的产业化。再制造的重要特征是再制造产品的质量和性能要达到或超过新品,而成本仅是新品的 50%左右,节能 60%、节材 70%、减少 CO_2 排放 80%,对资源环境贡献显著。

再制造产品不是二手产品，属于新品。由于在再制造过程中持续采用最新的技术、材料、工艺，其质量特性则完全可以超过原型新品。

再制造的对象——"产品"是广义的。可以是整体机器或零部件，也可以是设备、系统、设施；既可以是硬件，也可以是软件。从产品核心技术的指标和功能原理两个方面看再制造，可以分为三种形式。

(1)恢复性再制造：通过再制造，完全恢复原有技术系统的指标和功能；再制造后，新产品的质量特性不低于原型新品。目前绝大多数废旧机电产品的再制造，比如多种汽车零部件的再制造(图 1-3)，其模式为恢复性再制造。再制造产品的质保与新品一样，甚至有些产品的质保还高于新品。

(2)升级性再制造：再制造过程中，对核心技术系统进行升级；再制造后，主要技术系统的指标和功能得到升级或强化，新产品的某些质量特性可以高于原型新品。比如服务器再制造(图 1-4)，对于核心组件，包括主板、CPU、内存/缓存模块、存储硬盘等采用修复、更换、并联等方式实施再制造和性能升级，最终整个服务器的质量特性可以超过原型新品。服务器的再制造模式中，一部分为恢复性再制造，另外一部分(多数情况下)为升级性再制造。未来，持续开展升级性再制造可能成为再制造的主要模式。

(a)   (b)

图 1-3 (a)废旧发动机；(b)质量和保修期等同于新品的再制造发动机

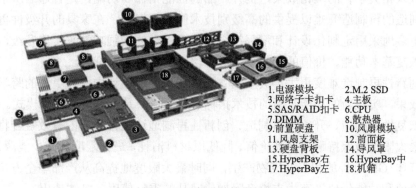

1.电源模块 2.M.2 SSD
3.网络子卡扣卡 4.主板
5.SAS/RAID扣卡 6.CPU
7.DIMM 8.散热器
9.前置硬盘 10.风扇模块
11.风扇支架 12.前面板
13.硬盘背板 14.导风罩
15.HyperBay右 16.HyperBay中
17.HyperBay左 18.机箱

图 1-4 服务器结构爆炸图

(3)创新性再制造：再制造过程中，充分利用现有技术系统核心毛坯，通过创新设计，对于现有技术系统功能进行恢复、提升和创新，最终获得新的技术系统和新的技术指标，其中可以包括新的功能。比如大型民用客机改造为货运飞机(图 1-5)，属于大型复杂机电产品的再制造，完成客机改造货机的工程设计方案后，实施多个子系统的改造，多个专业、多个工种密切配合，最终完成废旧客机技术系统向货运飞机技术系统的全系统改造，飞机的核心功能由客运改造为货运，具备了大批量货物航空运输的功能，该模式为创新性再制造。

再制造前——客机

再制造过程

再制造后——货机

图 1-5　大型客机创新性再制造为货机

升级性再制造是再制造的高级形式，难度比较大，其基本方法是在再制造设计中融入相关学科的理论成果，提升产品的性能指标和功能，是普通的从事恢复性再制造的再制造商难以提供的高级别技术服务。例如，在家具的升级性再制造中，更多地采用定制化设计和增强符合人体工程学的增强功能来实施升级，使旧家具恢复基本功能、价值的同时还能增强功能、增加新的价值。

创新性再制造难度更大，其基本方法是在再制造设计中融入更多的跨学科理论与成果，实现新的功能、新的技术指标与新价值，是再制造的未来模式。

恢复性再制造、升级性再制造、创新性再制造这几种形式的有效融合将可能实现最大限度地保持耐用产品价值、降低原材料消耗，最大限度地减少能源消耗、温室气体(GHG)排放和工业废物产生，同时最大限度地提高从产品中全方位提取资源价值和功能价值，有力支撑高附加值产品的重复使用、多次使用。

　　创新性再制造的案例目前不多，如果我们善于去探寻，就会发现其实有大量案例，其本质上是创新性再制造，只是案例的展示形式不明显。

　　以美国太空探索技术公司（SpaceX）项目为例，火箭是一个典型的高精尖行业，专家荟萃。火箭在升空过程中，依次完成一级火箭、二级火箭的分离脱落，这是一个再正常不过的火箭推进过程。所以，从来没有工程师想过要去回收脱落的火箭，直到马斯克提出回收一级火箭、"制造出比别人更便宜的火箭，还可回收使用多次"的想法。从理论上讲，火箭的发射成本中，燃料的费用非常低。以"猎鹰 9 号"为例，单次发射费用为 5400 万美元，但燃料费只有 20 万美元，所以如果能回收一级火箭，单看表面数据，自然可以大大降低成本，因为火箭绝大部分成本都在一级（"猎鹰 9 号"一级带有 9 个发动机，二级只有 1 个）。并非火箭专家的马斯克，仅用数月时间就掌握了火箭推进的原理。2015 年 12 月 22 日，一个震撼世人的消息传遍了世界各地：太空探索技术公司的"猎鹰 9 号"火箭，在运送轨道通信公司（ORBCOMM）11 颗通信卫星进入轨道后，地面成功回收了返回的一级火箭，创造了人类太空史上当之无愧的第一。2021 年 5 月 10 日，太空探索技术公司再一次成功发射第 27 批次星链 Starlink-27 任务，此次发射任务采用了第 10 次飞行的"猎鹰 9 号"B1051 一级火箭（火箭经历了 9 次再制造），在发射飞行约 9 分钟后 B1051 一级火箭成功完成海上着陆回收，此次一级火箭的成功回收又一次刷新了太空探索技术公司记录，这是目前第一枚成功完成 10 发射与回收的一级火箭。回收脱落的火箭（图 1-6）本质上是火箭技术系统的创新性再制造，其对象是包含核心火箭产品的火箭发射技术系统，也是产品，是一个大型复杂技术系统的再制造。

图 1-6　太空探索技术公司可回收火箭[5]

　　未来发展循环经济，升级性再制造、特别是创新性再制造的案例都是非常具有启发性的，目前虽然数量不多，但是它们代表着未来发展的一个重要方向，现有的存量如何持续处理？如果开展再制造设计和创新设计的融合，创新性再制造将为世界现有产品存量的持续利用、重复利用、循环利用提供令人兴奋的想象力、技术推动力和无限可能。

　　事实上，再制造毛坯内涵非常丰富，不仅可以是废旧零件、废旧产品，包括现有的所有存量、任何存量，一切物理产品、技术系统、工程(公路、铁路、桥梁、机场、楼宇、水库等)、各种物品、各种硬件、物理空间(如小镇、村庄、城市、河流、山脉等)，不仅包含硬件，也包含程序、流程、模式等软件，任何形式的存量都可能成为再制造的毛坯。

　　例如：对于一座城市来说，具体的每一个老旧小区改造项目(图1-7)、每一个改造工程项目(图1-8)，其实就是城市局部的再制造工程，而利用现有的城市硬件功能平台，充分挖掘潜在价值、升级其功能，尤其是通过创新赋予新的价值，就是城市级别的再制造与循环发展。对于一个人来说，不断提高其认识世界、改造世界的能力，不断树立新的奋斗目标，升级观念、认知能力、行为模式，就是人类自身认知思维系统的再制造。

图 1-7　城市老旧小区改造前后对比图

图 1-8　北京园博园锦绣谷——建筑垃圾填埋坑改造为下沉式花谷

在国家可持续发展战略和坚持以人为本，树立全面、协调、可持续的发展观指导下，再制造工程已成为发展循环经济、构建节约型社会的重要组成部分。

实现 2030 年前碳达峰、2060 年前碳中和(简称"双碳"目标)是中国政府经过深思熟虑做出的重大战略部署，也是有世界意义的应对气候变化的庄严承诺。实现碳达峰、碳中和，需要对现行社会经济体系(产业运行模式)进行一场广泛而深刻的系统性变革。传统工业是简单的增量模式，导致碳排放高，而循环经济将工业体系转变为存量循环模式，显著降低了碳排放，而再制造是循环经济中的高级技术系统，在降低碳排放方向独具优势。

"双碳"目标是我国按照《巴黎协定》规定更新的国家自主贡献强化目标以及面向 21 世纪中叶的长期温室气体低排放发展战略，表现为二氧化碳排放(广义的碳排放包括所有温室气体)水平由快到慢、不断攀升，在年增长率为零的拐点处波动后持续下降，直到人为排放源和吸收汇相抵。从碳达峰到碳中和的过程就是经济增长与二氧化碳排放从相对脱钩走向绝对脱钩的过程。未来的再制造产业将有可能成为支撑制造业走向绝对脱钩的标准模式之一。

1.2　国家循环经济发展战略

2008 年 8 月 29 日全国人大常委会通过，2009 年 1 月 1 日起施行《循环经济促进法》。2018 年 10 月 26 日公布施行了最新修订的《循环经济促进法》[6]。

2021 年 2 月，为贯彻落实党的十九大部署，加快建立健全绿色低碳循环发展的经济体系，国务院印发《关于加快建立健全绿色低碳循环发展经济体系的指导意见》，强调：推进工业绿色升级。加快实施钢铁、石化、化工、有色、建材、纺织、造纸、皮革等行业绿色化改造。推行产品绿色设计，建设绿色制造体系。

2021 年 3 月，《中华人民共和国国民经济和社会发展第十四个五年规划和 2035 年远景目标纲要》[7]对外公布。该规划纲要是指导我国今后 5 年及 15 年国民经济和社会发展的纲领性文件，强调：加快发展方式绿色转型。全面推行循环经济理念，构建多层次资源高效循环利用体系。

2021 年 7 月 1 日，国家发展和改革委员会印发《"十四五"循环经济发展规划》[8]，提出：到 2025 年，循环型生产方式全面推行，绿色设计和清洁生产普遍推广，资源综合利用能力显著提升，资源循环型产业体系基本建立。废旧物资回收网络更加完善，再生资源循环利用能力进一步提升，覆盖全社会的资源循环利用体系基本建成。资源利用效率大幅提高，再生资源对原生资源的替代比例进一步提高，循环经济对资源安全的支撑保障作用进一步凸显。

2021 年 10 月 26 日，《国务院关于印发 2030 年前碳达峰行动方案的通知》[9]

中提出：健全资源循环利用体系。完善废旧物资回收网络，推行"互联网+"回收模式，实现再生资源应收尽收。加强再生资源综合利用行业规范管理，促进产业集聚发展。高水平建设现代化"城市矿产"基地，推动再生资源规范化、规模化、清洁化利用。推进退役动力电池、光伏组件、风电机组叶片等新兴产业废物循环利用。促进汽车零部件、工程机械、文办设备等再制造产业高质量发展。加强资源再生产品和再制造产品推广应用。到 2025 年，废钢铁、废铜、废铝、废铅、废锌、废纸、废塑料、废橡胶、废玻璃等 9 种主要再生资源循环利用量达到 4.5 亿吨，到 2030 年达到 5.1 亿吨。

循环经济以资源的高效利用和循环利用为核心，以"减量化、再利用、资源化"为原则，以低消耗、低排放、高效率为基本特征[10]。发展循环经济可以有效减少产品的加工和制造步骤，延长材料和产品生命周期，提升产品的碳封存能力，减少由于开采原材料、原材料初加工、产品废弃处理和重新生产所造成的能源消耗和二氧化碳排放。

1.2.1　循环经济的四个层次

循环经济的层次主要包括企业、产业园区、城市(区域)和全球(国际)循环四个层次。这些层次是由小到大依次递进的，前者是后者的基础，后者是前者的平台[11]。

1.2.1.1　企业内循环

企业层次循环是通过在企业内部交换物流、能流和建立生态产业链，使企业内部的资源利用最大化、环境污染最小化。企业内循环与传统的资源消耗高、环境污染严重、通过外延增长获得效益的模式不同，它在生产过程中要求节约原材料和能源，淘汰有毒原材料，削减所有废物的数量和毒性；并要求减少从原材料提炼到产品最终处置的全寿命周期的不利影响；同时要求将环境因素纳入设计和所提供的服务中。

1.2.1.2　产业园区循环

在产业园区层次，生态工业园是一种新型工业组织形态，通过模拟自然生态系统来设计工业园区的物流和能流。园区内采用废物交换、清洁生产等手段把一个企业产生的副产品或废物作为另一个企业的投入或原材料，实现物质闭路循环和能量多级利用，形成相互依存、类似自然生态系统食物链的工业生态系统，达到物质能量利用最大化和废物排放最小化的目的。生态工业园具有横向耦合性、纵向闭合性、区域整合性、柔性结构等特点，与传统工业园区的主要差别是园区内各企业之间可进行副产物和废物的交换，能量和废水得到梯级利用，共享基础设施，并且有完善的信息交换系统。生态工业园区有别于传统的废料交换项目，在于它不满足于简单的一来一往的资源、能源循环，而旨在系统地使一个园区总体的资源、能源增值。园区内各企业之间的互动与协调可使各企业都获得相应的经济、环境和社会效益。生态工业园作为循环经济的一个重要发展形态，正在成为许多国家工业园区改造的方向。

1.2.1.3　城市(区域)循环

城市(区域)循环是企业循环、产业园区循环进一步扩展的产物，它是通过调整区域产业结构，转变区域生产、消费和管理模式，在一个区域范围和第一、二、三产业各个领域构建各种产业生态链，把区域的生产、消费、废物处理和区域管理统一组织为生态网络系统。它也以污染预防为出发点，以物质循环流动为特征，以社会、经济、环境可持续发展为最终目标，最大限度地高效利用资源和能源，减少污染物排放。

循环型城市和循环型区域有四大要素：产业体系、城市基础设施、人文生态和社会消费。第一，循环型城市和循环型区域必须构建以工业共生和物质循环为特征的循环经济产业体系；第二，循环型城市和循环型区域必须建设包括水循环利用保护体系、清洁能源体系、清洁公共交通运营体系等在内的基础设施；第三，循环型城市和循环型区域必须致力于规划绿色化、景观绿色化和建筑绿色化的人文生态建设；第四，循环型城市和循环型区域必须努力倡导和实施绿色销售、绿色消费。

1.2.1.4　全球(国际)循环

"全球(国际)循环"是全球循环经济协调发展的最高层次，它是企业循环、产业园区循环和城市(区域)循环向更大区域扩展的产物。它根据全球的资源分布和物资分配等情况，以各国家的社会、经济、环境可持续发展为最终目标，最大限度地高效利用资源和能源，减少污染物排放，是循环经济从理论到应用的最终具体体现。全球(国际)循环具有规模大、利用率高、加工成本和环境治理成本低的特点。例如，在全球成立由输出和输入国参加的类似"世贸组织"的国际机构，进行全球范围内的"专业化分工"。如：承担了回收报废汽车义务的汽车生产厂家，把"劳动密集"的拆解、翻新程序放在欠发达国家，可以使报废汽车回收率由 50% 达到 100%。而需要"技术密集"的稀有废金属提纯则可以放在发达国家，同样使回收率由 50% 达到 100%。这一"优化组合"可以降低成本、减少污染、增加就业。否则，发展中国家虽然拥有强大的拆解、分检能力却没有货源。发达国家虽然拥有先进的技术，却无力进行前期的分检和拆解。因此，"资源再生产业"由发达国家向人力资源丰富、又有巨大市场需求的欠发达国家转移，形成全球性的国际大循环是一种必然趋势。

1.2.2 循环经济的循环利用水平

下述以斯太尔汽车发动机为例，分析在材料水平上、零件水平上和整机水平上循环利用的资源、环境效益。

1.2.2.1 在材料水平上的循环利用

在材料水平上循环利用，是指将废旧机电产品先转化为原材料而后利用。以汽车发动机为例，其主要材料为钢铁、铝材和铜材。当发动机达到报废标准，传统的资源化方式是将发动机拆解、分类回炉，冶炼、轧制成型材后进一步加工利用。经过这些工序，原始制造的能源消耗、劳动力消耗和材料消耗等各种附加值绝大部分被浪费，同时又要重新消耗大量能源，造成了严重的二次污染。

据统计，1万台WD615-67型斯太尔发动机中含钢铁5837 t、铝材160 t、铜材19 t。每回炉1 t钢铁耗能1784 kW·h、排放CO_2 0.086 t；每回炉1 t铝材耗能2000 kW·h、排放CO_2 0.17 t；每回炉1 t铜材耗能1726 kW·h，排放CO_2 0.25 t。按照上述数据测算，回炉1万台发动机的钢铁、铝材和铜材共耗能$1.076×10^7$ kW·h，排放CO_2 533.93 t。

1.2.2.2 在零件水平上的循环利用

在零件水平上循环利用包括两个部分，一部分是废旧发动机中有继续使用价值的零部件经过清洗处理，必要时通过喷漆保护即可作为发动机的配件在市场上流通。通过对1万台废旧斯太尔WD 615-67型发动机各零部件损坏情况的检测分析表明，这部分可直接使用的主要零件，数量上占23.7%、价值上占12.3%、重量上占14.4%。对这些零件循环使用，可以完全免除原始制造中金属生产、毛坯生产制造、后续切削加工和材料处理等过程，因而资源环境效益好，可节能$2.23×10^7$ kW·h，减少CO_2排放76.89 t。另一部分是零件的疲劳寿命仍可保证整机使用一个寿命周期，只是表面出现局部磨损、腐蚀、划伤、压坑等缺陷，通过再制造加工，可以使零件在尺寸和性能上达到新品的水平，其中一些易损件，还可以通过表面工程技术使其寿命延长，性能优于新品。这一类零件占WD 615-67型发动机零件总数的62%，零件总重量的80%，零件总价值的77.8%。对这部分零件进行再制造加工也免去了其原始制造中金属材料生产和毛坯生产过程的资源、能源消耗和废弃物的排放，并免去了大部分后续切削加工和材料处理中相应的消耗和排放。零件再制造过程中虽然要使用各种表面技术，进行必要的机械加工和处理，但因所处理的是局部失效表面，相对整个零件原始制造过程来讲，其投入的资源(如焊条、喷涂粉末、化学药品)、能源(电能、热能等)和废弃物排放要少得多，大约比原始制造要低1~2个数量级。

　　由以上分析可以看出，在零件水平上循环利用，其资源、环境效益从理论上分析远远优于在材料水平上的循环利用。但是，当前零件水平上循环利用在操作层面上存在许多障碍和困难，主要是生产的组织与市场的管理问题。一是在零件水平上循环利用的供应商对零件是否进行了严格的鉴定？零件的抗疲劳寿命能否达到整机的一个寿命周期？零件的尺寸和表面性能是否已经恢复到新品的要求？零件供应市场后能否向客户提出质量保证并承担责任？这些问题只有正规的零件再制造厂家才能够做到。当前，流入市场的许多配件多是由有照拆解厂或无照个体进行拆解清洗后直接进入配件市场，不能保证零部件的质量及使用性能。二是市场管理问题。配件市场管理部门如何保证质量合格、有售后服务保障的零件进入市场，而质量不明确、又无售后服务保障的零件不进入市场，这是市场管理工作的难点。

1.2.2.3　在整机水平上的循环利用

　　在整机水平上循环利用，是指以废旧发动机整机为对象，通过再制造加工和技术改造，以再制造后的整机形态供应市场，目前发达国家已竞相采用该模式。整机水平的循环利用是基于新品标准，采用专业化、大批量的流水线加工及生产方式，再制造后的整机性能和质量可达到或超过新品。据测算，再制造 1 万台废旧发动机耗能 1.03×10^7 kW·h，与以材料水平的循环利用相比，其耗能仅为 1/15。与新发动机的制造过程相比，再制造发动机生产周期短，仅占新机制造周期的 46%（见表 1-1），且成本降低了 61%（见表 1-2）。

表 1-1　新机制造与旧机再制造的生产周期对比

（单位：天/台）

	生产周期	拆解时间	清洗时间	加工时间	装配时间
再制造发动机	7	0.5	1	4	1.5
新发动机	15	0	0.5	14	0.5

表 1-2　新机制造与旧机再制造的基本成本对比

（单位：元/台）

	设备费	材料费	能源费	新购零件费	税费	人力费	管理费	合计
再制造发动机	400	300	300	10000	3400	1600	400	16400
新发动机	1000	18000	1500	12000	4700	3000	2000	42200

　　以年再制造 1 万台斯太尔发动机为例，则可以节省金属 7650 t，回收附加值 3.23 亿元，提供就业 500 人，并可节电 1.45×10^8 kW·h，获利税 0.29 亿元，减少

CO_2 排放 600 t，见表 1-3。由此可见，实施整机再制造对促进循环经济发展、节能、节材和保护环境等方面具有重要意义。

表 1-3　年再制造 1 万台 WD615-67 型斯太尔发动机的综合效益分析

	消费者节约投入/亿元	回收附加值/亿元	直接再用金属/万吨	提供就业/人	利税/亿元	节电度/(kW·h)	减少 CO_2 排放/t
再制造	2.9	3.23	0.765(钢铁 0.575，铝 0.15，其他 0.04)	500	0.29	1.45×10^8	600

　　整机水平上循环利用是以零件水平上循环利用为基础的。整机再制造包含了零件的再制造，只有零件的质量合格才能保证整机的性能达到甚至优于原型机的新品要求。整机再制造既有完善的生产质量保证体系，又有完善的售后服务保证体系，这就克服了上述以零件水平循环利用面临的诸多困难。

　　整机水平上循环利用，又不是仅限于零件水平上循环利用，在对整机再制造时实施必要的技术改造是其中的一项重要内容，这种技术改造，可使多年前生产的老机型结构更加合理，产品更加耐用，消耗的燃油、机油更少，排放的有害气体下降。

　　综上所述，整机循环利用是资源效益和环境效益好、再制造产品质量有保证、市场便于管理、客户使用放心的最佳途径。

1.3　再制造与循环经济的联系

1.3.1　再制造与产品生命周期

　　产品像生命体一样，有其生命周期。产品生命周期(product life cycle)定义为：一种产品从原料采集、原料制备、产品制造和加工、包装、运输、分销，消费者使用、回用和维修，最终再循环或作为废物处理等环节组成的整个过程的生命链。产品生命周期是由需求与技术的生产周期所决定的。是产品在市场运动中的经济寿命，也即在市场流通过程中，由于消费者的需求变化以及影响市场的其他因素所造成的产品由盛转衰的周期。主要是由消费者的消费方式、消费水平、消费结构和消费心理的变化所决定的。一般分为导入(进入)期、成长期、成熟期(饱和期)、衰退(衰落)期四个阶段，见图 1-9。

　　过去，产品的生命周期是开环的，产品过程从进入市场开始，到淘汰退市结束。再制造出现以后，将传统的产品生命周期的开环变为闭环。

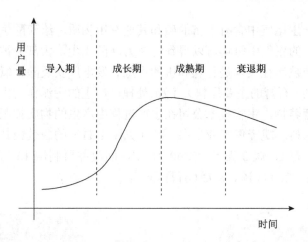

图 1-9　产品生命周期

再制造是一个工业过程，通过这个过程，无法使用的旧产品可以恢复到新的使用寿命周期中。在这一过程中，核心旧件经历了许多制造工艺，例如检查、清洁、拆卸、再加工、重新组装和最终测试，以确保其符合预期的产品标准，最终，旧的产品再制造后创造出全新的使用周期，实现了"资源－产品－报废产品－再制造产品"的循环模式，再制造赋予产品新的生命周期，或更丰富的生命周期内涵，见图 1-10。

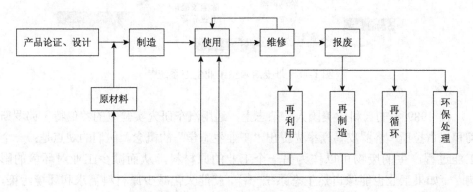

图 1-10　再制造实现产品生命周期的闭环

1.3.2　再制造与工业生态学

工业生态系统[11]的首创者是丹麦的凯隆堡。在那里，企业间互相利用废弃物。炼油厂的废水经过处理后，提供给发电厂作为冷却水。发电厂又为炼油厂和园区内的一家生物技术公司提供生产过程所需的热量，并为小城 4500 户居民供暖。发电厂和炼油厂产生尾气中含有丰富的硫和其他有用物质,给硫酸生产商作为原材料。发电厂产生的尾气中每年可以得到近 3 万吨的飞尘,大部分被水泥厂作为原料,也有一部分被运往英国进行镍和钒的提炼。发电厂安装除二氧化硫的装置,直接生产硫酸钙(石膏的主要原料)。污水处理厂产生的污泥作为生物技术公司在生产过程中的营养物。生物技术公司在生产过程中产生的物质被肥料公司作为生产土壤肥料的原料。凯隆堡工业生态系统(见图 1-11)的成效极其明显:每年能够节约石油 1.9 万 t、煤 3 万 t、水 60 万 m^3,回收并再利用 13 万 t 二氧化碳、3700 t 二氧化硫、2800 t 硫、8 万 t 石膏等[12]。

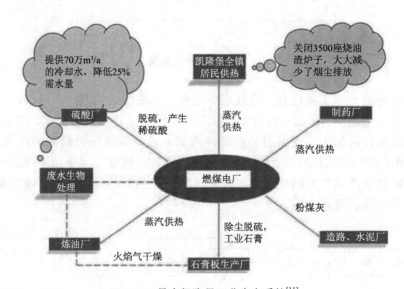

图 1-11　丹麦凯隆堡工业生态系统[11]

在 1989 年的《科学美国人》杂志上,通用汽车研究实验室的罗伯特·弗罗斯彻和尼古拉斯·格罗皮乌斯率先提出"工业生态学"的概念。他们的观点是:一个工业过程产生的废物可以作为另一个工业的原材料,从而减少工业对环境的影响[13]。如果工业也能像自然生态系统一样,就能大幅减少原材料需求和环境污染,并能节约废物垃圾的处理过程。

工业生态学(industrial ecology)是从生态系统可持续发展出发,根据整体、协同、循环、自生的控制原理,分析研究人类的生产与消费活动和自然、经济、社会环境之间关系的学科。作为一门研究人类工业系统和自然环境之间相互作用、相互关系的新兴交叉学科,工业生态学自诞生以来,其理论研究与实践活动已经取得了长足的进展。

传统的经济模式是物质的单向流动,其流程是:"资源-产品-废物",产品在一个周期结束后会"死掉"。循环经济是一种新的经济模式,以再制造产品为例,其产品流程是:"资源—产品—再制造产品",废旧产品成为孕育新产品的物质基础,将传统的物质单向流动转变为闭环形式,产品在一个周期结束后没有"死掉",没有简单地变为废物,而是重获新生,再次开启新的生命周期,使产品的生命得以延续,产品的功能在新生命周期中继续保留,闭环形式使产品物质从单向流动变为循环流动。

再制造模式与自然生态系统非常相似。再制造模式中,废物成为新的工业生产过程的原料,废旧产品成为新产品的原材料,整个循环的目的是,最终将没有浪费、旧的产品总是作为新产品的原材料。

再制造模式使得工业系统获得了类似自然生态系统的运行模式。工业系统也像自然生态系统那样需要在供应者、生产者、销售者和用户以及废物回收或处理之间有密切的联系。工业生态方法寻求的目标是按自然生态系统的方式来构造工业基础。自然生态系统的物质和能量循环是高效率的和可持续的。一个工业生态系统也含有复杂的"食物链",要使用过的产品、废物和副产品能在一个多维的再循环利用系统中,在各工业(和消费者)间流动。工业生态学将废物重新定义为另一工业生产过程的原料。

工业生态学被视为一种支持经济可持续发展的工具,除了对环境的积极影响之外,还有对社会和经济的多方面的潜在积极影响,而再制造产品、再制造产业将有力支撑工业生态学这一新兴学科的发展。

1.3.3　再制造与循环利用

目前,人类面对着巨大的挑战:

(1)大规模人口及其增长,在持续消耗着地球的各种资源。截至 2022 年 3 月 3 日,全球 230 个国家人口总数约 78 亿,巨大的人口存量对各种工业品、生活用品的生产规模有着巨大的需求,大规模生产无疑对应的是巨量的资源需求和消耗!

(2)传统经济模式对于资源消耗的需求日益增长。在市场经济中,最活跃的因素是资本。资本如水,具有水的属性。水往低处流,资本总是从风险高的地方流向风险低的地方。只要有钱可赚,资本就会活跃起来,生产得越多越好。世界各个国家、地区发展经济,追求更大的生产规模(有更大的资源需求),都会出现经常性的商品过剩。而过剩经济[14]的优势是,第一,满足了社会需求,为社会提供了丰富的产品;第二,过剩造成的浪费是资金追逐利润的成本,属于社会生产的平均成本的组成部分。经济在过剩中发展,通过短缺—过剩的反复循环,不断提高经济发展的数量和质量,推动社会经济向前发展。基于当今世界巨大的人口数量，过剩经济模式对于资源消耗的需求更是难以有效降低。在过去 40 年里，全球原料的年度使用量增加了两倍多，从 1970 年的 270 亿 t 增加到 2017 年的 920 亿 t。此外，增长速度一直在加快，联合国的一份报告警告说，到 2050 年，这一数字可能达到 1840 亿 t[15]。

(3) 地球的自然资源存量有限。各种金属和非金属矿物、化石燃料等，经过漫长的地质年代才能形成，是不可更新的资源，会伴随着消耗逐渐走向枯竭，从理性的角度思考地球的未来，对于不可更新资源，需要应尽可能地综合利用，注意节约，避免浪费和破坏，将不可更新资源的消耗降低到尽可能低的水平。

当下，围绕资源需求与消耗，出现了尖锐的物理冲突：如何应对资源的巨大需求和大幅度减少资源消耗的要求？如何同时实现更多和更少的目标？

努力发展基于资源循环的循环经济可能是破解冲突的最有效模式，针对巨大的资源需求，努力实现巨量资源的循环利用，使增量经济变为基于资源循环利用的循环经济。为此，循环经济将成为必要和必然的发展方向和要求。人类所生活的地球是一个资源有限的超级巨系统，系统内各国经济体的运行和发展模式向循环经济方向转型也将成为必然的发展方向，循环经济将是未来人类种族得以留存下去的基本要求。未来的制造业将是基于持续再制造的制造业，唯有再制造模式才可能更好地在更高层级实现资源的循环利用，唯有循环经济才能让人类得以可持续发展。

而真正实现循环经济高级别运行是十分困难的，需要完成大量的系统性、创新性工作。作为各国政府、消费者、产业界、企业界都需要围绕向循环经济转型开展规划和落实具体有效的行动，从基于大规模生产的制造向基于可持续发展的"持续再制造"方向进行探索。企业的商业模式也需要从线性商业模式转变到闭环循环商业模式。以企业为例，企业要有针对性的、明确的战略规划，要有更高的格局、社会责任和技术能力，过去是需要充分考虑产品从构思、制造、交付、使用到退出的一个生命周期，未来则需要考虑多个生命周期中的各个环节和多种问题，制造商和再制造商要有效协同才能真正理解如何调整和加强现有的业务、技术方法、商业模式，以使循环的闭环系统在技术上可行，环境上更有利，经济上有利可图。技术方面需要持续创新以满足不断提高的要求，环境上需要持续受益直到接近实现物质循环，经济上有利可图，确保商业活动得以持续运行。

最终，在面向未来的发展之路上，经济模式的终极方向必然是循环经济，国家、地区、行业、企业，唯有朝着完全整合的循环闭环系统方向发展，未来才能持续生存下去，人类才能持续生存下去。未来的废旧产品、物品回收后通过持续的再制造最终实现循环制造、循环利用，不再大量产生废弃物。因而，再制造科技也将成为回收利用、循环利用的核心科技。

1.3.4　再制造与资源节约

再制造模式具备批量制造产品最少的资源消耗特点。与制造和材料回收相比，再制造使用了更少的材料资源、产生了更少的排放。再制造产品通常可以含有高达 80%～98%的原始材料，如果在新品设计环节就充分考虑到再制造设计，再制造中原始材料的含量还能够得到再提高。与制造新产品相比，再制造所需的材料投入更少，无论使用的是新的初级材料还是次级材料。再制造可以创造出显著的资源效益。

再制造具有较低的温室效应(温室气体排放量可以减少 79%～99%)：避免材料提取、零部件制造等环节的能源消耗，从而减少产生的排放量。

再制造有助于更安全地处理各种产品中存留的多种危险材料：带回废旧产品进行再制造，同时也带回了有毒和危险材料，在再制造流程中有专门的工序来稳妥处理有毒和危险材料，避免这些材料可能最终进入垃圾填埋场、水源、森林、土壤或回收设备。

再制造可以大幅度降低二氧化碳排放、大幅度减少需要处理的有毒有害物质和垃圾埋场与转移工作，因而创造了显著的环境效益。

相对于材料回收的形式，再制造可以创造更多、更大的效益和价值。再制造比材料回收在经济上更可行，能够有效地保留原有产品的材料、结构形式、基本功能和对应的内在价值，而获取、保存和再利用这种价值，不仅可以避免材料重复制造过程，不需要回收原材料，还可以在达到或超过产品预期寿命的前提下，减少所需的生产活动，从而实现新的价值。再制造显著节省了劳动力、设备、能源和机会成本。与新产品制造相比，再制造具备显著的材料和能源节约特点，经济效益和综合效益显著。

研究表明，原材料在产品价值构成中仅占 15%左右，而由设计和铸、锻、削、刨工艺及表面技术固化在产品中的附加值却高达 85%。换言之，再制造的经济学含义是最大化利用旧产品中的附加值。

通过对资源的深度分析，见表 1-4 资源的分类与再制造的收益，我们发现，再制造在资源的回收利用和充分利用方面远远不止在材料层面。

表 1-4　资源的分类与再制造的收益

序号	类型	内涵	再制造的收益
1	自然资源	自然界存在的有用自然物	节省多种自然资源
2	时间资源	系统启动之前、工作之后、两个循环之间时间	缩短供货时间
3	空间资源	位置、次序、系统本身及超系统	节省了传统制造流程零部件的空间资源占用

序号	类型	内涵	再制造的收益
4	系统资源	改变子系统之间的连接、超系统引进新的独立技术时，所获得的有用功能或新技术	利用旧件的系统和子系统资源
5	物质资源	任何用于有用功能的物质	节省多种物质资源
6	能量资源	系统中存在的或能产生的场或能量流	节省能量资源
7	信息资源	系统中任何存在或能产生的信号	利用机电产品、电子产品中信息模块的信息资源
8	功能资源	系统或环境能够实现辅助功能的能力	利用旧件系统和子系统中的功能资源

自然资源以原材料的形式可以转化为可用中间材料(如金属薄板或棒材)。经过制造过程，可将中间材料转化为更高形式的零件和组件，以及零件和组件工具所需的投资。最后，以新产品的形式提供给消费者。因此，再制造回收的价值不仅仅是材料，还可以恢复零件或组件的全部功能。从本质上来说，再制造技术保留了产品独特的技术功能和用于制造零件或组件的资源，还可以回收工程塑料、碳纤维、层压板和合金金属，这些通常不会通过回收来再利用。

再制造最大限度地利用了旧件中多种形式的资源(有 8 类)[16]，而每一类资源都有其内在价值。再制造将旧件中多种形式资源的内在价值充分利用、保留并且支撑着新价值的创造。

产品是什么，产品的本质是功能的实现。技术创新追求的是用更少的资源消耗科学地实现产品的功能。再制造产品最大的价值是充分利用了旧件内在的功能资源，将其功能价值充分保留在再制造产品中。再制造产品，在保留原有旧件核心功能的同时，还节约了多种形式的资源。

使用再制造产品，可以保留零部件及其内含材料的全部价值，实现巨大的环境效益。汽车零部件再制造商协会(APRA)欧洲分会估计，与生产新产品相比，汽车零部件再制造可以节省大约88%的材料，降低56%的能源消耗，并相应减少53%的二氧化碳排放量。此外，再制造有能力在经济中保留先进材料，包括被称为关键原材料的材料(具有高经济价值和供应风险的材料)。它也提供了创造高技能工作和经济增长的机会，是推进人力资源成长的难得机会[17]。

1.3.5　再制造是循环经济的高端模式

在循环经济(CE)模型中，再制造被描述为一个"内部循环"，传达了其保持产品内在价值(能源、材料和劳动力)的高潜力[18]。事实上，再制造通常可以实现能源和碳节约。此外，欧洲再制造网络(ERN)最近在一项市场调查中概述了再制造的潜在经济效益，估计再制造对欧洲经济的价值高达 1000 亿欧元[19]。

循环经济也可以理解为存量的循环，进一步说：让已有存量的核心功能得以持久保持。为使存量的功能得以持续循环使用下去，相应的维修、恢复、改造、再制造、升级都是非常必要的。而通过更具有创新的设计、再利用、再制造，使旧的东西持续保持价值、创造新的价值——所有这些都可以让产品和材料尽可能长时间地保持在经济中，而再制造无疑是循环经济的高级形式。

结合案例进一步分析再制造在循环经济中的重要作用。出于成本的考虑，专事货运的航空公司通常不会直接购买价格不菲的全新飞机，更愿意选择那些用二手客机改装的货运机型。以色列航空工业公司在飞机改装(再制造)领域敢为人先，最先开展将旧客机再制造为货机项目，当时一台旧客机成本为 200 万美元，改造后售价为 8000 万美元，远低于当时原型新货运飞机 1.15 亿美元的售价。

改装波音 747-400 的价格是 3000 多万美元，全新的波音 747 货机的目录价格在 2 亿美元上下，而两者的性能(功能)差不多。

客机改造(再制造)为货机的案例表明：客机的核心功能是空中飞行和空中运输，再制造货机的核心功能也是空中飞行和空中运输，因此，再制造货机将原有旧客机的核心功能资源(和内在的全部价值)完美保留，而且是最大限度地得到保留，见表 1-5。

表 1-5　客机改造的资源利用

序号	类型	再制造收益
1	自然资源	节省多种自然资源
2	时间资源	缩短货机供货时间
3	空间资源	节省整机、零部件生产、储运的空间占用资源
4	系统资源	利用系统资源(利用飞机现有整机机壳和各个子系统的资源)
5	物质资源	节省多种物质资源消耗
6	能量资源	节省能量资源消耗
7	信息资源	保留利用飞机的电子、信息系统的信息资源
8	功能资源	完美保留飞机整体的飞行功能和货物运输功能资源

飞机的正常生命周期是：服役到报废年龄的老龄飞机，通过拆解将飞机化整为零，每架飞机可拆解 5 万个部件，航空材料再重新回到国际航材市场或进入其他行业被循环利用，或改造成主题乐园、餐厅等。

从循环经济的视角,客机改造模式对于我们极具借鉴意义。如果客机的第一个生命周期是客机,服役到接近退役时,实施再制造工程将客机改造为货机(表1-6),开启了第二个生命周期,等货机接近退役,是否可以再次改造?再一次开启货机的一个新的生命周期?例如:美军B52轰炸机在服役期间开展了多次再制造(已经超过了两次)。而将来,货机也要彻底退役了,是否可以通过再制造设计方案,将货机再次改造为某个技术系统?如移动观光系统、运输系统、移动医院、移动工厂、移动宾馆、移动学校、移动会议室等?因为旧客机的核心功能仍然在:仍可能继续飞行、可以移动(空中或陆地)、可以运输货物、有足够的空间可以装载物体,仍具备着多种功能可以利用。

表1-6 大型飞机实施再制造设计的多生命周期构想

序号	内容
第1个生命周期	大型客机
第2个生命周期	大型货机(实施第一次再制造)
第3个生命周期	大型货机(实施第二次再制造),直到不能飞行
第4个生命周期	陆地景区观光车辆(实施第三次再制造)
第5个生命周期	移动工厂(实施第四次再制造)
第6个生命周期	移动学校(实施第五次再制造)
第7个生命周期	移动的飞行技术博物馆(实施第六次再制造)
最终用途	工业历史博物馆(完全避免将飞机化整为零)

如果在飞机设计初期就充分考虑未来飞机的再制造,我们是否可以从最初设计时就考虑飞机的多个生命周期可能,将再制造理念与设计融入原始设计与制造中。

如果飞机可以实施多次的再制造,就可能持续多次的创造价值、让其核心功能保留下去、持续创造就业服务,而消耗的绝对资源维持在比较低的水平。让一个产品(具备核心功能的技术系统,而不是简单的材料)拥有更长的生命周期、更多的生命周期,将是循环经济的高级形式。让产品的功能一直循环下去,基于其功能原理的核心价值就可以一直得到保留、释放。

从循环经济的视角看再制造,再制造将为循环经济的发展提供巨大机会和无限活力。围绕产品设计与制造方向的创新,更高级别的创新设计将是来源于再制造设计的循环设计、循环制造、循环使用,将是多种学科理论的有机融合,再制造产品创新将可能成为未来中高端、高附加值产品持续创新与循环应用的技术支撑。再制造工程将是循环经济的高端模式。

1.4　再制造对于循环经济的贡献

再制造工程对循环经济的贡献具体表现在以下几个方面[20]。

1.4.1　再制造资源潜力巨大

表 1-7 中对我国斯太尔旧发动机剖析的结果表明，占总机质量 94.5%的零件都可以再利用和再制造。据美国 Argonne 国家实验室统计，美国的再制造活动在节约能源方面具有十分明显的作用：新制造 1 台汽车的能耗是再制造的 6 倍，新制造 1 台汽车发动机的能耗是再制造的 11 倍，新制造 1 台汽车发电机的能耗是再制造的 7 倍，新制造 1 台汽车发动机关键零部件的能耗是再制造的 2 倍，再制造 1 台柯达照相机的能源需求不到新制造照相机的 2/3。这些实例充分说明了对废旧机电产品进行再制造可减少原生资源的开采，减轻我国人均资源匮乏的压力，满足经济可持续发展的需要。每年全世界仅再制造业节省的材料就达到 1400 万 t，节省的能量相当于 8 个中等规模核电厂的年发电量。

表 1-7　斯太尔 615-67 型发动机三种资源化形式所占比例

	再利用	再制造	再循环
零件价值	12.3%	77.8%	9.9%
零件重量	14.4%	80.1%	5.5%
零件数量	23.7%	62.0%	14.3%

1.4.2　再制造经济效益显著

与新产品/部件制造相比，再制造的经济效益主要涉及再制造成本的降低。反过来，这也使得向客户提供比新生产的产品和部件更低的再制造产品/部件的价格成为可能。再制造商声称，他们的价格可以比新生产的产品/零件低 10%～90%[19]。

英国诺福克动力转向和液压产品再制造案例介绍：作为英国最大的独立再制造商(1971 年成立)，公司提供卡车和公共汽车动力转向产品的再制造服务。在再制造过程中，旧件通过类型识别、清洁、拆卸、更换部件等处理，所有部件均需测量、分析和检查，部分部件经过重新设计、加工、替换，而后组装、全面测试，接着喷漆，加识别代码和标签，最后包装、发货。

再制造动力转向产品的经济效益分析：再制造产品的价格往往由市场决定。直接经济效益方面，再制造产品比新产品便宜 50%～65%。为客户提供了一种选择，可以选择一种与新制造的产品质量相当、价格较低的产品。间接经济效益方面，大大缩短了将产品返还给客户的时间(维修时间、交货时间)，最大限度地减少了卡车和巴士的停车(非公路)时间，节约了大量的时间成本。与新制造的产品相比，再制造节省了 90%的原材料、85%的能源，综合效益高[21]。

根据再制造产品的技术复杂程度，不同类型的产品具有不同的经济效益。例如，低端产品恢复性再制造，附加值低一些、经济效益比较低；而中高端产品再制造，可以获得明显的经济效益。而开展废旧产品的升级性再制造和创新性再制造，附加值增值，往往能够创造显著的经济效益。美国、欧洲的再制造产业目前以中高端产品为主，我国未来的再制造产业将会覆盖低中高端产品，实现经济效益、环境效益、社会效益等综合效益的最大化。

1.4.3　再制造助力环境保护

废旧机电产品再制造可以减少原始矿藏开采、提炼以及新产品制造过程中造成的环境污染；能够极大地节约能源，减少温室气体排放。美国环境保护署估计，如果美国汽车回收业的成果能被充分利用,对大气污染的水平将比目前降低 85%,水污染处理量将比目前减少 76%，见图 1-12。

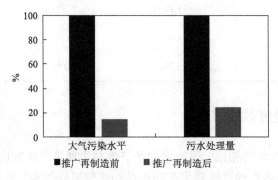

图 1-12　再制造的环保效益预测

1.4.4　再制造释放更多的就业机会

Wijkman 和 Skanberg 在他们 2016 年的研究中指出，在宏观经济层面，循环经济正在大幅减少碳排放量(约 65%)，同时增加国内就业(约 4%)，并改善贸易平衡，在区域化经济中用人力替代能源[22]。

　　再制造是劳动密集型、技能密集型活动,有着巨大的就业潜力。一项欧洲研究得出结论:到 2025 年,仅在家具和纺织品再利用方面就可以创造 265000 多个就业机会,在回收方面可以再创造 480000 个就业机会[23]。主要产业,再利用(其中包含有再制造)方面可以释放的就业机会极其可观。而再制造是循环经济"再利用"的高级形式,甚至可以说是终极形式。

　　荷兰阿姆斯特丹办公桌再制造公司案例分析:公司现有 50 名员工(还需要增加),产品为再制造办公桌。旧桌从客户手里以产品初始价格的 10%购回。首次再制造后,办公桌以大约 50%的价格卖给市场部门。办公桌通常在生命周期内被再制造两次。未来,被再制造的桌椅会以大约 5%的价格买回。二次重新制造后,以原价的 25%再次销售。有三个产品价格点:新制造约为 920 欧元,首次再制造约为 460 欧元,二次再制造约为 230 欧元[24]。

　　家具再制造是家具再利用的高级形式,是家具回收的最高形式,开展家具再制造在促进就业、发展循环经济方面实现了双赢。

　　再制造产品往往批量较小,其过程中的拆解、零部件检测、损伤修复、组装、整机检测等工序难以实现自动化,大多数工序需要人工操作,对于就业人员的技能也有特殊要求,可以创造更多、更高质量的就业机会,显著增加就业岗位。

　　美国的一项研究表明,再制造、再循环产业每 100 个人员就业,采矿业和固体废弃物安全处理业将失去 13 个人员就业。两者相比,可以看出再制造、再循环产业创造的就业机会远大于其减少的就业机会[25]。

1.4.5　再制造提供物美价廉的产品

　　通过开展以再制造为主要形式的废旧机电产品资源化,可为人们提供物美价廉的产品,提高人民的物质生活水平,增加社会福利,让用户有更多选择。由于再制造充分提取了蕴含在产品中的附加值,在产品销售时具有明显的价格优势,再制造产品的价格通常低于新制造产品的价格,如再制造发动机,其质量、使用寿命达到或超过新品,并有完善的售后服务,而价格仅为新机的 50%左右,可供不同收入阶层和关心环保的人士选用。随着再制造产品的深入宣传,未来会有越来越多的人士认可再制造产品。

1.4.6　再制造提升机电产品国际竞争力

　　发达国家相继立法支持废旧机电产品的资源化,强化了对进口机电产品废弃时的资源回收利用评价。例如,北美的工程机械要求全部实现再制造,其市场准入制度是制造商负责对售出使用 5 年或运行 1 万小时的工程机械进行全部回收和再制造，并在回收的同时返还消费者产品价格 50% 的费用。这已成为我国工程机械进入国际市场的门槛，逼迫我国必须开展废旧机电产品的再制造。如果我国企业能积极开展面向资源化回收的产品设计，并承担起对自己产品实施再制造的责任，就可以避开这些国家的贸易壁垒、扩大出口。同时，还可对进入中国市场的外国机电产品实施严格的资源回收利用评估。

发达国家的人均消耗约为我国的 40 倍，每年产生的废旧物资约 40 亿～50 亿吨，其中 20 亿吨需要劳动密集型企业来处理。另外发达国家的许多二手设备，通过再制造升级也能提升其使用价值。在这种背景下，一种新的开放模式应运而生。即进口廉价的再生资源＋进口廉价的二手设备＋廉价劳动力＋高技术＝耗能最少质优价廉的出口或内销产品。这种开放模式在我国东南沿海地区和台湾省已见成效，并迅速被东南亚国家竞相采用。

1.4.7　再制造助力循环经济所需人才培养

再制造对于从业人员的知识面、技能和技能组合要求高，再制造流程中往往少有大批量自动化流程存在，很多复杂的旧件拆解、清洗、检测、分类、问题判断、局部修复、决策工作只能完全靠人工操作、人的经验来完成，因此它有助于在制造业创造更多的就业机会和岗位，而且往往是技能组合要求更高的就业机会。这样，岗位能力技能要求往往很高，比如高技能人才、多技能复合型人才，尤其是面对高端高附加值产品的再制造，需要破解大量的再制造设计问题和技术问题，中高端产品再制造有着更为强烈的人才需求，这为新型人才培养带来了机会。

同理，国家下一步的创新发展、转型升级需要破解无数难题，对于产业界来说，从产品设计、制造到使用、维修与再制造，需要有大批高级别创新人才支撑，尤其是高水平工程师。

吴军博士谈工程师成长有五个等级[26]，见表 1-8，其中，5 级工程师和 4 级工程师是较低级别的两类工程师，可以达到完成有影响力工作的水平。而达到 3 级工程师水平，就能够独立设计和实现产品，并在市场上获得成功；如果达到 2 级工程师水平，就能够设计和实现别人不能做出的产品。我们非常缺乏 2 级工程师，需要培养很多 2 级工程师。如果达到 1 级工程师水平，可以开创一个产业，我们极其渴望培养出 1 级工程师。

未来，中国的经济如何在世界上越走越强，勇攀巅峰，也取决于我们的创新人才培养能力能否满足发展要求。

无论是 2 级工程师、还是更高的 1 级工程师，都是产业的顶级人才，并且一定是高水平的跨学科创新人才，唯有高水平跨学科的创新人才，才能够设计和实现别人不能做出的产品，随着在理论与实践融合中持续成长，才可能开创一个产业。

表 1-8　工程师的 5 个级别

工程师级别	能力
5 级工程师	独立解决问题，完成工程工作
4 级工程师	指导和带领他人一同完成更有影响力的工作
3 级工程师	独立设计和实现产品，并在市场上获得成功，具备对市场的判断和营销能力，好的产品经理
2 级工程师	设计和实现别人不能做出的产品，作用很难取代 （例如王传福发明的比亚迪"中国特色工业制造"产线模式）
1 级工程师	开创一个产业（如爱迪生、福特、贝尔等）

　　一个突出问题值得我们每一个人思考：如何培养高级别的创新人才？如何培养适应国家产业升级与创新发展的高级别工程师？特别是 2 级工程师和 1 级工程师？需要有一个适合培养人才的平台和机制，提供实战机会，对有志者开展系统的培养。而从事复杂产品的再制造就是一个难得的人才培养与训练的平台。

　　结合实际案例分析高技能、高级别创新人才的培养问题，还有再制造与循环经济发展所需要的高级人才的培养问题。

　　一架现代飞机（包括直升机等飞行器）理论上可用上 25～30 年，但往往难以如愿。无论是军用还是民用机型，频繁使用会加速老化，油耗和维护成本上升，加上性能更好的新机型不断出现，以及环保标准提高等因素影响，许多正值壮年的飞机也不得不提前"下岗"。就拿民航来说，许多航空公司机队的平均机龄已经降到 10 年左右。

　　据业内预测，最近 20 年内全球将有 1.5 万架飞机退役。这么多退役飞机将何去何从？如何处理才能更符合循环经济？进一步思考：人类工业化多年，生产了各种各样的工业品，数量极其庞大，达到退役年后何去何从？简单的资源化吗？如何处理海量的工业品和各种旧件存量才能更符合循环经济的要求？

　　以大型飞机为例，目前全球货机机队规模大约是 1200 架。虽然货机在所有民用飞机中占的比例并不高，但它们所承运的货物的总量占到了所有航空货运量的 54%。未来 20 年，全球 GDP 的年均增速是 2.5%，贸易增速是 2.8%，工业生产增速 2.3%，这三者是影响全球货运市场发展的三个主要因素。全球航空货运量在未来 20 年之内平均年增速预测是 4%。其中中国国内航空货运市场以及连接中国航空货运的国外市场的增速都会明显高于全球平均水平。从货机的数量上来讲，2019 年底中国的货机数量在 200 架左右，预计 20 年后将增长到 750 架左右来满足中国快速增长的需求。

　　基于全球货运需求激增，航空公司一边买货机，一边"客改货"。现阶段收购一架二手波音 757 飞机，加上改装费用总计一般不超过 1500 万美元，并且飞机改装通常与大修工作相结合,可以同时对老龄飞机所存在的腐蚀、损伤等结构问题进行有效修理,充分盘活和利用部分不适于客运的老旧飞机资源,延长飞机使用年限,提高飞机使用率,在经济性方面明显占据优势。各国客运航空公司近些年大规模地更新了自己的机队,客改货可用的旧飞机越来越多,选择机型的余地越来越大,改装公司也通常会选择机龄不超过 15 年的飞机进行改装。

对于民用航空维修企业来说,客机改货机项目是一项工程庞大、技术复杂、改装系统非常多的大型改装工作,其改装过程涉及专业面广,各专业交叉配合多,对各类资源保障要求高。

目前,中国在快速发展中,面临产业升级转型的巨大压力,而产业升级转型实质上也是人才知识、能力、技能、创新能力、系统能力、综合能力的升级转型。产业发展现实让我们看到:当下,不管在哪个行业、哪个领域,最需要的就是跨学科、多技能人才的创新人才,而从事客机改造货机这类大型复杂机电产品的再制造工程,将是一个难得的培养跨学科创新人才(包括设计、技术、管理、操作、多学科融合等多方面)的实战机会。

客机改货机,改造前要完成包括大量设计研究的工程方案,这方面离不开飞机原始制造商的支持,离不开产业技术研发的深厚积淀,而飞机原始制造商在飞机研发、制造方面有多年的积淀,从技术到人才,有扎实的底蕴,一般的第三方很难掌握从研发到制造的系统技术。在具体改造中,需要经验丰富的项目经理,在一线工作的人员包括钣金、机械电子(涉及发动机、客舱、飞控)、航电、复合材料等专业人员,他们需要直接在飞机上协作和操作;此外,还需要大量二线人员,包括计划、工程、质量、航材等部门全力配合与密切协作。客机改货机的工程实践,提供了一个难得的复杂存量改造的工程训练机会。

客机改货机工程项目是多学科知识、技术、技能的融合实战,有大量的问题需要规划中解决、现场协调解决。一般来说,客机改装成为货机,首先要安装一个向上开的大货舱门,以便装载大型集装箱或更多的常规货盘,而舱门附近的机体也需要进行结构增强,通常也将舷舱取掉或者挡住。其次是加强地板,客舱的地板通常用复合材料制成,改为货机后需要使用更结实的金属地板梁,保证更大的载荷。另外,拆除飞机客运系统之后,还需在机体中加装货物处理系统、附件以及烟火探测系统。最后,改装工作结束后,飞机空机重心必须保证在原设计范围以内。经历客机再制造的全流程培训,涉及多学科理论的深度融合和实践,无疑将为我们培养一批多技能的项目经理和技术骨干,人才培养上的收获是简单的经济效益难以估量的,参与这一流程,对于设计人员的提高也将是一个难得机会,尤其是培养高级设计人才和高级别的工程师,而再制造设计的能力需要在持续的再制造实践中积累、积淀和提升。

类似飞机改造项目这种再制造实战,为我国产业界创新发展提供了一个难得的多学科、多技能人才合作与训练、培养的机会与平台，可以说，大型再制造项目的实施，都会创造一个难得的机会平台：持续助力培养高端跨学科人才，而循环经济的发展，每一个产业项目，都离不开创新设计、再制造设计、循环设计，离不开跨学科的知识、技术、技能的融合。

1.4.8　再制造设计支撑产品走向循环制造

循环经济的高级形式(终极形式)：产品具有多个生命周期，产品的功能和内在价值可以在多个生命周期循环下去。如何实现循环经济的这一目标，关键在于融合再制造设计的产品设计，产品能够使用更长的时间，便于修理、升级、再制造或最终回收，而不是丢弃和简单的更换，产品可以实现持续的多次再制造，也可以称为循环制造，在循环制造中有效保留了产品的内在价值，让产品可以持续服役下去。

产品 80%的成本由其设计决定。为了实现持续的再制造，在设计产品时就需要全面引入再制造设计的理念和系统方法，产品开发的每一个阶段都要充分依据再制造知识基础，将再制造的特性从根本上融入产品的概念设计、技术设计、详细设计和制造工艺，并贯穿到产品的第一个寿命周期和后期的多个寿命周期。例如：

(1)创建模块化结构，使产品能够通过技术升级跟上用户不断变化的需求。模块化产品在其整个使用寿命内(可能是多个)可能需要经历多次组件升级。设计上，允许替换、升级具有过期功能的整个子系统。模块化结构便于模块、组件的拆卸、分离、升级。

(2)充分考虑到后期的持续"更新"或升级，从而延长产品的使用寿命。

(3)充分考虑到各个子系统和整个产品在一个或多个生命周期内的再制造、再利用、循环使用、到最后的报废回收等问题。

作为负责产品设计和开发的原始设备制造商责任重大，他们拥有采用、禁止或解除再制造的权力，在很多情况下，原始设备制造商往往不愿意从事再制造，尤其担心影响到新品的销售。为此，需要鼓励、激励原始设备制造商来开展再制造，原始设备制造商最有能力和可能将再制造设计融入产品的原始设计与制造。

目前，极少有产品为循环经济而设计、为再制造而设计。而促进再制造设计的一个关键因素是反馈。需要建立从再制造设计与实践到新产品设计的改进反馈，最终在新产品设计中引入面向再制造的设计。如果新产品设计中融入了再制造设计，再制造工作将易于开展。而再制造设计就是一种循环设计。

对于设计人员，需要从设计意识、设计知识、有效激励、足够反馈渠道等方面克服障碍，充分考虑商机、综合设计流程、客户需求、法律法规和标准、新技术等。从再制造设计到新产品设计的改进反馈将逐步建立适合循环制造、循环经济的未来产品设计。

依托持续的再制造，将有效支撑起循环制造，让产品的多个生命周期得以循环下去。不仅能够保留价值，还能够持续创造价值！不仅创造了经济价值，还能够持续培养一批又一批跨学科、多技能融合的技术人才，这种人才的培养对于中国面对经济转型升级、科技创新发展来说，极其需要。

1.5　再制造与固废资源化

1.5.1　国家固废资源化发展战略

2021 年 2 月 2 日，国务院印发《关于加快建立健全绿色低碳循环发展经济体系的指导意见》（国发〔2021〕4 号，以下简称《意见》）[27]。

《意见》提出建立健全绿色低碳循环发展经济体系，确保实现碳中和目标，推动我国绿色发展迈上新台阶。加快构建废旧物资循环利用体系，加强废纸、废塑料、废旧轮胎、废金属、废玻璃等再生资源回收利用，提升资源产出率和回收利用率。

"十四五"时期，我国开启全面建设社会主义现代化国家新征程，围绕推动高质量发展主题，全面提高资源利用效率的任务更加迫切。受资源禀赋、能源结构、发展阶段等因素影响，未来我国大宗固废仍面临产废强度高、利用不充分、综合利用产品附加值低的严峻形势。目前，大宗固废累计堆存量约 600 亿 t，年新增堆存量近 30 亿 t，其中，赤泥、磷石膏、钢渣等固废利用率仍较低，大宗固废综合利用任重道远。

而通过再制造，开发新的解决方案，寻求新方式，减少、重复利用、回收利用和再利用那些以前会直接进入垃圾填埋场的物料，可创造出更具可持续性的产品，实现从源头大幅度减少固废的产生。

1.5.2　再制造——利用固废资源创造新价值

从国家定位可以看出，固废资源化成为建立健全绿色低碳循环发展经济体系的关键支撑，尤其是大宗固废的综合利用。

固体废物的资源化系统一般可分为三部分：前处理系统、后处理系统以及能源转化系统。

前处理系统：前处理系统主要是废弃物质的回收，即处理废弃物并从中回收指定的二次物质，如纸张、玻璃、金属等物质。再制造创新设计可以从废弃物中进一步挖掘潜在的旧件用途。

后处理系统：即为物质的转换，主要是通过一定技术，利用废弃物中的某些组分制取新形态的物质。例如，利用废玻璃和废橡胶生产铺路材料；利用高炉矿渣、粉煤灰等生产水泥和其他建设材料；利用有机垃圾和污泥生产堆肥等。再制造创新设计可以将废弃物中的某些组分创新利用。

能源转化系统：能源转化系统主要进行能量的转换，通过化学或生物的方法从废物的处理过程中回收能量，包括热能和电能。例如，通过有机废弃物的焚烧处理回收热量，还可以进一步发电；利用垃圾或污泥厌氧消化产生沼气，作为能源向企业和居民供热或发电；利用废塑料热解制取燃料油和燃料气等。

对于存量巨大的报废汽车、电子产品，尤其是高附加值高技术产品，开展循环再利用，仅仅利用现有的废品处理技术是不够的。以固体废物的前处理系统为例，对于各种报废的产品、装备、设备、器材等废旧固体，如何从源头最大限度减少固体废物的存量，而不是简单地将固体废物以材料形式进入回收环节？如何充分利用固体废物中的零部件，再制造大有作为，可以提供多种解决方案。

再制造被认为是回收利用的最终形式，因为再制造提供了一个闭环过程，对使用寿命即将结束的产品进行翻新、再制造，从而最大限度地减少其对环境和垃圾填埋场的影响。再制造过程节省了 85% 的能源和材料，用于生产等价的新零部件，减少了 53% 的二氧化碳排放，每年节省 1400 万 t 原材料，减少了 75% 的垃圾填埋场废物[28]。

再制造中的创新性再制造可以成为固废资源回收利用的最高形式，为我们解决问题提供方向性参考，以下通过分析三个案例来了解固废资源回收利用中的创新。

案例 1：旧水塔改造（再制造）为豪华别墅（废物利用中的创新——废物再次焕发青春）。

旧水塔如果不再作为水塔加以利用，最后通过拆除方式解体，只能变为一堆建筑垃圾或是部分可用的砖头材料。而通过再制造成为特色豪华别墅，可以继续利用其功能价值并且获得显著的增值效果，对于环境没有任何不良影响。如果在水塔的设计与建造过程中充分融入再制造设计的理念，充分考虑到未来的拆解、报废，旧水塔的固废资源化将更上一个新水平。

据英国《每日邮报》报道，在英国肯特郡，已退休的 68 岁的雕塑家和艺术家布鲁诺和丹尼斯·德尔·图夫夫妇在 20 世纪 90 年代买下维多利亚时代私人猎场的一个小屋，小屋附近有一个方形水塔。他们邀请了建筑设计师凯文·麦卡罗对旧水塔进行创新设计，将其改建成一个"水塔别墅"（约 152 m²），见图 1-13，内部包含三间卧室和两间浴室，采用了地板式采暖、实心橡木地板、钢梁和瓷砖，这座"水塔别墅"价值 89.5 万英镑，预计成交价格将超过 100 万英镑。旧水塔本身已经没有多少价值了，如果拆除将更加一文不值，而通过创新设计和创新性再制造，旧水塔的材料、结构、功能得以循环和充分利用。

图 1-13　旧水塔与再制造后的"水塔别墅"对比

拓展分析：未来如何从源头减少垃圾，需要在最初的产品设计中就充分考虑到未来产品的维修、拆解、再制造、报废等环节。例如，对于建筑物，未来减少建筑垃圾，应在设计环节就充分考虑并开展可持续设计，使建筑物便于组装建造、拆解、转运、再次组装。应当完全避免建筑物的破坏性拆解(如爆破模式)，图 1-14 为破坏性拆解的案例，大型体育馆采用破坏性拆解，废旧材料完全被浪费，非常可惜。

图 1-14　体育馆的破坏性拆解——废旧材料完全被浪费

大城市的体育馆、宾馆、高层建筑等设施，如果未来能够在原始设计中采用便于组装、拆解的再制造设计与建造工艺施工，在需要移除拆解时，就可以方便地采用非破坏性拆解，将整体建筑变为组件，再将组件从大城市运输到其他城市再次组装，继续延续建筑的生命周期。这样，在设计源头就引入循环经济的系统设计，对于建筑物的整个生命周期，从建筑规划、结构工程和设计，到建筑和材料的选择，到运作、改建和翻新，再到最终处置，开展系统的创新设计可以实现建筑物的循环使用。

　　案例 2：采用废旧器材制造全新育婴箱（废旧零部件成为新产品的核心零部件）。

　　育婴箱创新设计与技术方案：新型育婴箱（见图 1-15）所有组件均来自废旧的汽车零部件。废旧的汽车大灯用于供暖，仪表板用于保持内部空气流通，报警器和信号灯充当报警提醒护理人员。运用创新思维，一个行业的废物产出转化为其他行业的投入，废旧汽车零部件通过创新设计，可以再制造为具备全新功能的育婴箱产品，实现变废为宝。固态废旧机电产品及其零部件表面上没有用了，而利用创新设计和再制造设计，可以继续延续废旧机电产品及其零部件的生命周期并创造出新的价值。

图 1-15　废旧器材再制造全新育婴箱

　　案例 3：废弃轮胎制作橡胶拖鞋（废旧材料成为新产品的核心材料）。

　　废弃轮胎制作橡胶拖鞋、沙发（图 1-16）也是典型的创新性再制造。每年，中国有大量的废旧轮胎出口非洲，对于欠发达的国家来说，这些我们眼中堆积如山的"废品"，将成为重要的生产资料。而经过工匠们的一双双巧手，它们甚至还会游走上非洲大陆时尚的尖端。当地人利用废弃轮胎做原材料，加工成橡胶拖鞋。轮胎拖鞋比普通拖鞋的橡胶材料来源好，因而耐用度非常高，可以达到传统拖鞋耐用度的数倍，一年时间根本穿不坏。废弃轮胎还可以制作成沙发，式样非常别致。以废旧材料为原料，通过创新设计成为新的产品，可以获得比简单材料回收大得多的价值。

无轮胎线　　　　有轮胎线

图 1-16　废弃轮胎制作沙发和橡胶拖鞋

　　在产品源头开展再制造设计（和可回收设计）可以努力挖掘固体废物内在的资源价值和功能价值，通过再制造设计、创新设计、增值设计、规模化处理，可以将更多的报废产品、材料、器材中的零部件融入新产品的生命周期中，最大限度地从源头减少废弃物质的产生，并将各类废弃旧件中内在的资源价值、功能价值最大化利用，充分提取废弃物零部件中潜在的多种资源和价值，从源头减少最终成为真正固体废物的比例，减少待处理固体废物的存量。固体废物创新性利用，其潜在空间无限。

参 考 文 献

[1] 栗兰波. 固体废物的影响与利用[J]. 科技风, 2012, (4):1.

[2] 中国环境新闻网. 固体废物管理与资源化知识问答[Z]. 2022-02-17. http://www.cfej.net/xmt/202202/t20220217_969350.shtml.

[3] 徐滨士. 再制造与循环经济[M]. 北京: 科学出版社, 2007:3.

[4] 徐滨士. 再制造与循环经济[M]. 北京: 科学出版社, 2007:1.

[5] 凤凰新闻. SpaceX 发射 51 年来首颗南向火箭实现陆地回收[Z]. 2020-08-31. http://ishare.ifeng.com/c/s/v002ygfJcVkpuqLzdJMynKc2tpIp1R5aA9XfaApebP9IkgI.

[6] 中华人民共和国中央人民政府. 中华人民共和国循环经济促进法[Z]. 2008-08-29. http://www.gov.cn/flfg/2008-08/29/content_1084355.htm.

[7] 中华人民共和国中央人民政府. 中华人民共和国国民经济和社会发展第十四个五年规划和2035 年远景目标纲要[Z]. 2021-03-13. http://www.gov.cn/xinwen/2021-03/13/content_5592681.htm.

[8] 中华人民共和国国家发展和改革委员会. 国家发展改革委员会印发《"十四五" 循环经济发展规划》[Z]. 2021-07-19. https://www.ndrc.gov.cn/fzggw/jgsj/zys/sjdt/202107/t20210719_1290787.html?code=&state=123.

[9] 中华人民共和国中央人民政府. 关于印发 2030 年前碳达峰行动方案的通知[Z]. 2021-10-24. http://www.gov.cn/zhengce/content/2021-10/26/content_5644984.htm.

[10] 徐滨士. 再制造与循环经济[M]. 北京: 科学出版社, 2007: 9-13.

[11] 王松霖. 工业生态系统[M]. 南昌：江西科学技术出版社, 2012: 10-15.

[12] 钱易. 生态文明建设与可持续发展[R]. 清华大学国情研究院, 2019-01-15.

[13] Frosch R A, Gallopoulos N E. Strategies for manufacturing[J]. Scientific American, 1989, 261(3): 144-152.

[14] 刘大赵. 关于我国目前过剩经济的若干思考[J]. 山西财政税务专科学校学报, 2000,(4): 47-49.

[15] Costea-Duunarintu A. The Circular Economy in the European Union[J]. Knowledge Horizons-Economics, 2016: 8.

[16] 刘训涛, 曹贺, 陈国晶. TRIZ 理论及应用[M]. 北京: 北京大学出版社, 2011:69.

[17] Parker D, Riley K, Robinson S, et al. Remanufacturing Market Study[R]. European Remanufacturing Network-For Horizon 2020. 2015-10.

[18] MacArthur E, Zumwinkel K, Stuchtey M R. Growth Within: A Circular Economy Vision for a competitive europe[Z]. Ellen MacArthur Foundation, 2015.

[19] Sundin E, Sakao T, Lindahl M, et al. Map of Remanufacturing Business Model Landscape[R]. European Remanufacturing Network, 2016-05: 77.

[20] 徐滨士. 再制造与循环经济[M]. 北京: 科学出版社, 2007: 13-16.

[21] Prendeville S, Peck D, Balkenende R, et al. Map of Remanufacturing Product Design Landscape[R]. European Remanufacturing Network, 2016-01: 77-78.

[22] Costea-Duunarintu A. The Circular Economy in the European Union[J]. Knowledge Horizons-Economics, 2016:11.

[23] Costea-Duunarintu A. The Circular Economy in the European Union[J]. Knowledge Horizons-Economics, 2016:111.

[24] Prendeville S, Peck D, Balkenende R, et al. Map of Remanufacturing Product Design Landscape[R]. European Remanufacturing Network, 2016-01: 59.

[25] United States International Trade Commission. Remanufactured Goods: An Overview of the U.S. and Global Industries, Markets, and Trade[R]. USITC Publication, 2012-10: 2-5.

[26] 吴军. 见识: 商业的本质和人生的智慧[M]. 北京: 中信出版集团, 2017-10:126.

[27] 中华人民共和国中央人民政府. 关于加快建立健全绿色低碳循环发展经济体系的指导意见[Z]. 2021-02-22.http://www.gov.cn/zhengce/content/2021/02/22/content_5588274.htm.

[28] United States International Trade Commission. Remanufactured Goods: An Overview of the U.S. and Global Industries, Markets, and Trade[R]. USITC Publication, 2012-10: 206.

第2章

国内外再制造产业发展现状

2.1 国际再制造产业发展现状

国外将再制造纳入朝阳产业，全球再制造产业产值估算超过 2000 亿美元。美国再制造产业规模最大，估算超过 1000 亿美元，其中军用装备、航空、汽车和工程机械等领域占据 2/3 以上。就企业数量而言，全球约 50%的再制造企业在美国，另外 30%在欧洲。美国和欧洲的再制造产品数量约为每年 5 亿件，占世界总量的 80%。据美国 OEM（Original Equipment Manufacture，原始设备制造商）产品服务协会（OEM Product-Service Institute，OPI）研究报告，美国再制造产品的年销售额约为 GDP 的 0.4%，而新制造产品的年销售额为 GDP 的 10%，再制造产业规模约为制造业的 4%。之所以能够形成如此庞大的产业规模，主要是其具有产品→技术→标准→法规→政策等一系列较为完善的服务体系和平台[1]。

欧美国家再制造产业发展基本遵循"技术产业化、产业积聚化、积聚规模化、规模园区化"这一模式发展。这一发展路径对我国再制造产业发展也具有很好的借鉴作用。正因为如此，在全球经济增长乏力的情况下，再制造产业仍有较好的发展势头。

2.1.1 再制造产品种类

根据美国标准工业分类目录显示，再制造产品涉及的领域种类达 114 个。表 2-1 列出一些重点产品种类。再制造产业布局主要围绕船舶、军工、电子、航空工业、机床、铁路设备、工程机械等。美国再制造的航天产品、工程机械设备及汽车零部件合计占美国再制造产品总额的 2/3。中小型企业约占美国再制造产品 1/4。发达国家普遍采用再制造产品作为汽车备件，再制造可提升维修水平、规范备件市场。

表 2-1　主要再制造产品范围

序号	大类	特性描述
1	国防装备	轻型武器弹药、军火装备及配件、坦克及坦克配件、导弹、飞机
2	交通运输机械	工业用卡车、拖拉机、拖车及码垛机、汽车及客车车体、卡车及公交车车体、汽车零部件、货运拖挂车、舰船舰艇建造及修理、铁路设备、海上交通、导航系统及航空、航海设备、摩托车、自行车及其配件、电动机和发电机
3	工程机械	建筑机械及设备、采矿机械及设备、燃油及燃气机械和设备、运输机及输送设备、高架吊车、起重机及铁轨系统
4	内燃机	蒸汽、燃气及水压涡轮机和涡轮机发动机、内置燃气发动机
5	机床	金属切削型机床、金属模压型机床、切削工具、机床配件及精密仪器
6	工业机械设备	辊轧设备及工具、电焊、气焊和锡焊设备、金属加工机械、纺织机械、木材加工机械、包装工业机械、印刷业机械及设备、食品加工机械、抽水机及水泵设备
7	机械传动	变速器、工业用高速驱动器及齿轮、液压动力油缸及制动器
8	工模具	手动动力工具、特殊模具及工具、成套冲模、装卡工具、模塑、模压及车床机械
9	金属制品	金属船运桶、鼓形圆桶、小桶及提桶、金属餐具
10	轴泵阀类	工业阀门、滚球轴承及滚柱轴承、空气及气体压缩机、计量泵及量油泵、汽化器、活塞阀、活塞环及阀门、液压动力泵及马达
11	家用电器	洗衣机、干洗机及压力机、空调及热风供暖设备、冰箱及冰柜、洗衣机、真空吸尘器、家用音频和食品设备、电话和电报设备
12	电子产品	电子计算机、计算机外围设备、继电器及工业控制器、电子工业仪表、无线电、电视广播及交流设备、电子管、半导体和相应设备、电子线圈、变压器及其他电感元件、内燃机用电子设备、磁及光记录介质、蓄电池
13	控制仪表	电力变压器、配电变压器及专用变压器、开关及交换机装置、测量、显示及过程控制用工业测量仪表、累计流体计量器及计数装置、电力电子测量及试验工具、家庭或商场中的自动控制设备
14	分析检测	实验室设备及用具、实验室分析设备、光学设备及透镜
15	航空航天	航行器、航空发动机及发动机零件、航行器零件及辅助装置、航天器及辅助装置
16	医疗器械	整形外科、假肢及手术用设备及给料、牙科设备及给料、X射线及相关的放射设备和显像管、电疗设备
17	娱乐运动	照相器材及配件、手表、钟表、时钟结构的运转部件及配件、乐器、运动器材
18	办公用品	办公家具(木制品除外)、复写纸及墨带、印刷油墨、办公机械、自动售货机

2.1.2　再制造企业类型

再制造企业众多，配套的再制造产业链条相关企业数量庞大、体系完整。从事再制造的企业主要有三种类型：

一类是原始设备制造商进行再制造，而且一般只进行自己产品的回收再制造。例如：世界著名的汽车制造企业大众、奔驰、宝马、通用等公司都有自己的再制造公司，通用再制造公司每年销售大约 250 万件再制造零部件。再制造商通过品牌的售后网络回收旧件，再通过销售网络销售为品牌提供后市场服务。

另一类是独立再制造商，专业从事再制造业务的公司。这类公司具备开展各种型号产品再制造的能力，与原始设备制造商没有直接关系，或为原始设备制造商提供配套服务。独立再制造商从最终用户、旧件供应商购买或收集旧件，进行产品的开发设计，并拥有自己的产品开发知识产权。该类公司以自己的名义(而不是利用 OEM 品牌)或为其他公司的自有品牌进行营销，为后市场提供配件服务。

最后一类是签约再制造商，将再制造作为原始设备制造商的服务来执行。对于签约再制造商，具有供应链优势、较少的营运资本要求和风险，公司可以期望从原始设备制造商处获得更换零件、设计和测试规范方面的帮助。签约再制造商往往从提供服务和维修开始，逐渐过渡到开展再制造业务。

以美国为例，原始设备再制造商大约占再制造企业总数的 5% 以下，大部分是独立再制造商。在美国有数千家企业从事发动机再制造生产，其中中小型企业规模小，数量较多。

2.1.3   再制造企业布局

再制造产业通常是在工业密集区形成了产业集群。以美国为例：在西部太平洋沿岸的加利福尼亚等州，一些与军事有关的工业部门，如造船、飞机、导弹、电子、汽车装配等集聚发展，相应的再制造产业也需求较大，发展迅速。油气工业石油和天然气的生产主要集中在墨西哥湾沿岸的西部油田，相应石化设备再制造在这一地区发展较为成熟。美国的航空工业分布在太平洋沿岸，相关零部件再制造企业也主要分布在这一区域。美国的钢铁机械工业主要集中分布于以芝加哥、底特律、克利夫兰、布法罗等为中心的大湖带南部。这些地区的机床、铁路设备、工程机械等再制造业务十分发达。

2.2   重要国家和地区再制造产业概况

2.2.1   美国

美国再制造产业主要包括航空航天、重载和越野车辆(heavy-duty and off-road，HDOR)、工程机械、汽车零部件、工业装备、电子信息(IT)产品、医疗设备、消费产品、电气设备、机车、办公家具及餐厅设备等。此外，再制造产业链上下游相关的销售、交易、储藏、分发等公司也占了较大比例，这也是美国再制造产品使用和交易中比较重要的一部分。再制造领域中比较活跃的产业包括航空航天、汽车零部件、电子信息产品以及消费产品等。

从 2011 年美国再制造产业市场规模的数据(表 2-2)可以看出，航空航天、重载和越野车辆、汽车、机械、信息技术产品五个产业的再制造体量占到美国当年再制造总体量的 82.57%。事实上，这五个产业是美国最为核心的优势产业。美国掌握着这些产业制造环节的核心技术，而对应的再制造产品是基于高端先进制造能力的另外一种表现形式，以制造业服务的形式再次展示出核心技术能力和核心的优势产业。

表 2-2　2011 年美国再制造活动市场规模数据分析[2]

行业	营业额/百万美元	雇员/千人	强度
航空航天	13046	35.2	2.6%
重载和越野车辆	7771	20.8	3.8%
汽车	6212	30.7	1.1%
机械	5795	26.8	1.0%
信息技术产品	2682	15.4	0.4%
其他	7494	50.5	
合计	43000	179.5	2.0%

2.2.1.1　航空航天与军用装备

航空航天产品再制造是美国第一大再制造行业，美国军方购买了再制造航空航天产品总量的 27%。美国国防部被认为是世界上最大的再制造商，其采购的再制造产品包括飞机、地面车辆和武器系统。美军的再制造产品的购买量估计为美国再制造总量的 13%。据估计，其中的 65% 是再制造的航空航天产品，23% 是再制造的机动车部件[3]。美军是再制造的最大受益者，开展了大量装备健康管理和基于再制造的装备现代化升级技术研究，每年用于装备再制造升级改造经费投入占装备研发费用的 35%[4]。

目前美军的再制造基地包括 5 个陆军基地、3 个空军基地、3 个海军航空基地和 4 个舰船维修与再制造基地，重点开展在役装备、报废装备的维修与再制造。这些基地的建设是与私营合同商共同开展，大量的维修与再制造工作交由私营合同商在基地完成，主要承担装备及零部件大修、再制造和零部件制造等[5]。

1. 陆军再制造核心毛坯——装甲车辆车体平台和车辆子系统

安尼斯顿陆军基地是拥有美国国防资源种类最多的基地，享有"世界坦克再制造中心"的美誉，是陆军唯一能对重型和轻型履带式战车及其部件进行维修、再制造升级等复杂工作的基地。该基地拥有的设施价值 64.1 亿美元，建筑结构 2100 处，整个基地界限长 140 km，公路长 428 km，铁路长 74 km。基地除装备大修外，通过再制造(remanufacture)和改造(conversion)来实现装备现代化升级是其一项重要工作任务。此方法与直接采购新系统相比，可降低运行成本和环境费用，实现了现代化改造和升级成本最小化[5]。

美军现役的 M1 系列主战坦克都是通过阿拉巴马州的安尼斯顿和俄亥俄州的莱马两家工厂实施再制造。其中，位于阿拉巴马州的安尼斯顿陆军基地负责坦克拆解和翻新，现役的坦克基本都要返回这里开展大修，退役之后也要在这里封存。位于俄亥俄州的莱马坦克工厂(Lima Army Tank Plant)，占地 1.5 km^2。工厂有铁路网和两台美国政府所有的机车、3.6 km 的坦克试车道、蒸汽动力厂、深水潜渡池、60%及 40%的试验坡道和先进的装甲技术设施。20 世纪 80 年代，美军开始全面更新 M1 主战坦克。1996 年，莱马坦克工厂承担了所有本土修复、升级、制造工作。不仅是美国，其他购买美式坦克却没能力修理的国家也把坦克送到这里。莱马坦克工厂每月最多可以完成 11 辆坦克的翻新、升级工作。目前莱马坦克工厂已经不生产新坦克，一是因为美军对坦克的需求不大；二是美国目前还有封存着的超过 4000 辆坦克。只要需要，随时可以重启这些旧坦克，然后送往莱马坦克工厂升级，成本远远低于再造一辆新坦克。

M1 主战坦克再制造包括的主要工作如下：

旧装备到达工厂。美国一直在将老旧坦克循环利用，不断进行翻新。原因有二，一是 M1 坦克在 1993 年停产，生产线已经关闭，无法新造；二是老旧车体内部应力释放充分，稳定性比新造的要好。

拆解。在拆解车间，用吊车移走坦克炮塔，而后彻底拆解炮塔和坦克车体上有关的 12000 多个零件。

车体除锈。车体送入喷丸室，采用不锈钢喷丸清洗去除坦克外壳上的锈迹和油漆。

坦克车体后处理。除锈后的坦克车体被外壳打磨、钢板切割、新防护装甲安装，改造后的坦克车体经过又一次的喷丸处理后喷漆，见图 2-1(a)。

发动机再制造。M1 坦克使用的燃气涡轮引擎已经停产，无法更换新发动机，必须全部再制造。发动机被完全拆解，叶片进行修复，所有零件维修好后，再重新组装，得到一个新的发动机。

其他零部件再制造。车体上的其他零部件整修后放入货架，每个零件都有条码，机器人能够根据条码准确地找到所需的坦克零件。机器人找到零件后，由运输车送到对应的车间，整个过程完全自动化。

坦克装配。在装配流水线上，坦克之前拆下的零部件分门别类安装上去，其

中炮塔装配最为重要，见图 2-1(b)。作为 M1 坦克的火力核心，炮塔的再制造需
要 5 个月时间、数千个工时和 3000 个零件。M1 坦克整个翻新改造工作要 10 个
月时间。重型武器的再制造工作中，组装环节几乎全部依靠人工。

(a) 坦克车体翻新　　　　　　　　(b) 炮塔吊装

图 2-1　M1 主战坦克再制造

2. 空军再制造核心毛坯——轰炸机机身平台和各子系统

B-52 轰炸机由美国波音公司(Boeing)研制，用于执行战略轰炸任务，于 1948
年提出设计方案，1952 年第一架原型机首飞，1955 年开始交付使用，1962 年停止
生产，总共生产了 744 架，见图 2-2。B-52 轰炸机于 1980 年、1996 年两次进行再
制造技术改造。到 1997 年，平均自然寿命还有 13000 飞行小时，预计可服役到 2030
年，服役期延长一倍以上。B-52 现役 76 架，仍然是美国空军战略轰炸主力。美
国空军预计让 B-52 服役至 2050 年。这将使得服役时间高达 90 年。

图 2-2　B-52 战略轰炸机

相对于 B-2 隐形轰炸机和 B-1B 超音速轰炸机，B-52 轰炸机便宜且耐用，使
用以及维护成本比其他两款战略轰炸机要低得多。所以在美军的升级改造中，B-52
的这个优点得以保留。B-52 轰炸机耐用的机身是固定的平台，保持不变；耗油量
大的涡扇发动机、老式无线电、座舱仪表以及内置弹舱在升级中被新系统取代。

B-52 轰炸机可以通过持续再制造实现旧貌换新颜。2009 年，波音公司开始为 B-52 轰炸机进行"作战网络通信技术"升级，使其融入先进数字通信网络，与地面指挥中心、地面部队和其他飞行平台实现信息共享。经过数字化升级，B-52 轰炸机信息战实力大幅提升。

美国空军已经多次为 B-52 更换发动机，见图 2-3。最初的构型配备 8 台普惠 J57 系列发动机，由于噪声大，1961 年后服役的 B-52H 型轰炸机安装了推力更大、噪声更低的普惠 TF33 系列发动机，显著提升了性能。而今美国空军正式选定罗·罗公司的 F130 涡扇发动机为 76 架 B-52H 轰炸机换发，总共采购数量 608 台。新发动机可以比 TF33 发动机燃油效率提升 30%，同时增加续航里程 40%，见图 2-4。首批配备新发动机的飞机将在 2028 年底交付作战部队，整个机队将于 2035 年完成改装。这一升级计划将有助于确保这些轰炸机在2050年还继续保持飞行。

图 2-3　B-52 战略轰炸机的发动机

图 2-4　B-52 战略轰炸机新发动机计划

3. 海军再制造核心毛坯——军舰舰体平台

美国海军长期开展对现役舰船的深度改装，以适应海军新技术、新装备和全新作战模式的需求。其中改装规模最大的非航母莫属。

"中途岛"号航空母舰先后进行了多次改造,见图 2-5。如 1980 年,加大了舰岛,彻底更新了雷达、电子战等电子系统。1982 年又换装了"海麻雀"和"密集阵"近防系统。1986 年,"中途岛"号再次进行"扩展选择性增量维修计划",在舰体两侧增加了防雷隔舱以增强稳性,水线宽度增加 3 m 达到 39.9 m,并升级了雷达系统。

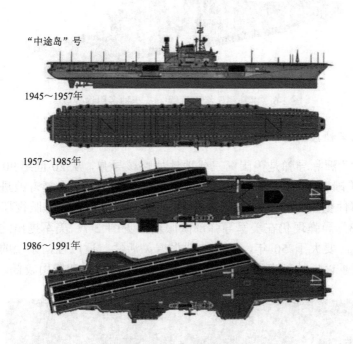

图 2-5　"中途岛"号航空母舰飞行甲板变迁

从 20 世纪 70 年代末开始,造舰技术日臻成熟,主战舰艇的同型舰批量迅速放大,建造时间跨度拉长。为了应对国际环境和战略战术的不断变化,适应新装备、新技术的迅猛发展,美国海军采取了分批次建造、变更整体设计两种策略。同时,每一艘新舰的改进措施也都会在老舰大修时得到应用,以保证长达 50 年的服役全寿命周期内维持先进的作战能力。

"斯普鲁恩斯"级驱逐舰诞生于冷战高峰期,首舰服役 10 年后,从 1986 年开始对"斯普鲁恩斯"级驱逐舰实施了大规模现代化改装,其核心是导弹垂直发射化。"斯普鲁恩斯"级驱逐舰是美国最早采用模块化设计的大型舰船,尽可能把功能体包含在一个模块内,比如舰艏声呐模块容纳了全部声呐设备,可以整体更换升级(模块化设计便于子系统的升级改造),前后的"阿斯洛克"模块和"海麻雀"模块都可以和 Mk-26 导弹发射模块互换,在改装升级时不用变动舰体结构,提高了费效比。因此"斯普鲁恩斯"级优秀的舰体设计可以很便捷地改装为防空型的"基德"级驱逐舰(图2-6)和"提康德罗加"级巡洋舰。

图2-6   "基德"级驱逐舰——一种多用途战舰

4. 其他军种再制造核心毛坯——旧装备平台

"民兵-3"洲际导弹是美国第三代地地战略核导弹,从20世纪90年代末到2000年,美国对服役30年后的"民兵-3"导弹实施了综合延寿改进,用性能先进的新部件更换各分系统老化的部件,大幅度提高了导弹服役期间的可靠性,"民兵-3"导弹现仍在美军导弹部队服役,见图2-7。美军提出陆基战略威慑武器的寿命要大于50年,并且特别强调灵活性、适应性,系统的核心点是模块化,便于以后的延寿和更新,确保系统的全寿命周期费用较低。

图2-7   "民兵-3"洲际弹道导弹

2.2.1.2   重载和越野车辆

卡特彼勒公司(Caterpillar,CAT),成立于1925年,是世界上最大的工程机械和矿山设备生产厂家、燃气发动机和工业用燃气轮机生产厂家之一,也是世界上最大的柴油机厂家之一。卡特彼勒公司旗下拥有卡特彼勒金融服务公司、卡特彼勒再制造服务公司、卡特彼勒物流服务公司以及铁路服务公司(Progress Rail)。卡特彼勒的再制造业务始于20世纪70年代,作为全球领先的再制造企业,每年回收处理75000 t的旧件,通过代理商向客户提供7600种再制造成品,涵盖机器或发动机使用寿命期间磨损的高价值零部件，包括发动机缸体、气缸盖、传动系统、液压系统、电子设备等。卡特彼勒在美国 35 个州和 15 个国家的 68 家工厂拥有数千名员工，每年为其商业实体和外部客户再制造零部件 200 万个[6]。2011 年，卡特彼勒全球营业额超过 600 亿美元，再制造产品销售额约占公司零部件销售额的 15%[7]。2020 年，卡特彼勒全球营业额为 417 亿美元，市场份额占比 16.2%，继续保持全球第一的位置。2021 年，卡特彼勒全球营业额为 510 亿美元，比 2020 年增长 22%[8]。

康明斯公司(Cummins)成立于 1919 年，是全球领先的动力设备制造商。康明斯再制造业务始于 20 世纪 50 年代，经过几十年的运作，康明斯已成为全球最大的再制造生产企业之一。2011 年全年，康明斯公司的销售额为 180 亿美元，再制造业务接近 10 亿美元，约占康明斯当年总销售额的 5.5%。2012 年再制造销售额达 10 亿美元，占到再制造市场份额的 12.9%[9]。2014 年在全球拥有 2800 多名员工，产品涉及 1000 种零件以及 2000 种发动机，有 9 个全球再制造分支，500 多家分销机构和 5000 多个经销商，是康明斯发动机零件业务的重要组成部分。2018 年，康明斯全球新零件与再制造业务销售额达到 15 亿美元，再制造了大约 18700 台发动机、超过 13.4 万台涡轮增压器、14.1 万台泵和 63.7 万支喷油器以及数以万计的其他再制造零部件[10]。2020 年，康明斯收入为 198 亿美元，2021 年，达到 240 亿美元。

2.2.1.3　汽车零部件

汽车零部件再制造是美国第三大再制造行业，再制造汽车零部件占美国汽车零部件公司总销售额的 1%～2%。美国机动车数据分析：对再制造产品的需求受到车辆平均车龄、产品替代品的供应和消费者的价格意识等因素影响。美国机动车平均车龄为 10.8 岁，随着汽车车龄增长，通常需要更多的替换零件，潜在地刺激了对再制造零件的需求[11]。

2.2.1.4　再制造产品的进出口贸易

目前，美国约有 36% 的中小型企业支持再制造商品使用，约 1/4 的企业从事再制造商品的生产，17% 的企业从事再制造产品出口贸易。同时美国是再制造商品进出口的国家，出口量约占美国市场的 1/4[3]。这也得益于美国对再制造产品制定的便利进出口贸易政策。美国旧件和再制造产品进出口关税税则中规定，在每一类机电产品税目最后都有一个相应的旧件税号，进口旧件时按相应的税号归类。美国除对旧车进口按市场价征税外，其他旧零件进口不征税。而再制造产品使用相应的新品税号，没有专门的税号。加拿大、欧盟(EU)和墨西哥是美国出口再制造商品的最大市场。

2.2.1.5　再制造产品的相关法规

美国法规将再制造视为新产品管理，联邦法规要求再制造产品要有标识，标明该产品是再制造产品。其次，美国法规对一些涉及安全的产品，规定其再制造要达到特定的技术规范。此外，在如何让消费者接受再制造产品方面，政府通过政策制度让消费者了解再制造产品能够达到新产品的质量要求。

美国的再制造企业可不经新件生产企业的授权，再制造的产品上也不用去掉原厂商标，只要标识上有该产品由某某厂"再制造"即可。美国法律也没有规定不允许再制造的零件，一切取决于市场。法律上只规定再制造企业有告知消费者其产品属于再制造产品的义务。美国关于再制造产品责任和知识产权相关规定：一旦再制造企业在产品上打了自己的商标，那么产品责任将由原制造商转移到再制造企业。对第三方再制造的产品，由有再制造商产品标识的再制造企业负责产品质量，原制造商没有责任。美国环境保护署在其发布的《修复性材料建议书》中要求联邦政府采购项目中优先选择再制造汽车零部件。北美工程机械的市场准入制度是制造商负责对售出使用 5 年或运行 1 万小时的工程机械进行全部回收和再制造，并在回收的同时返还消费者产品价格 50%的费用。美国商务部在其国际贸易咨询委员会中拥有再制造商席位，以帮助评估和审查再制造的贸易壁垒。州政府甚至更进一步，将再制造商品立法纳入采购和处置要求，惩罚限制再制造的原始设备制造商，并制定税收抵免以使再制造商受益。

2.2.2　欧洲

欧洲再制造有一系列类似于美国再制造的行业。航空航天、汽车配件、重型越野装备以及机械装置都是比较有代表性的再制造行业，其次是医疗设备和家具。再制造企业遍及了整个欧洲，代表性国家有英国、德国。欧洲委员会(Council of Europe, EC)已经发布了一些强制性的法律指令促进再制造产业在欧洲的发展。

据估算，航空航天(42%)、汽车零部件(25%)及重载和越野车辆(HDOR) (14%)部门的生产价值最高，约占欧洲再制造业的 80%。它们通常代表更成熟的再制造部门，主要集中在重金属制造产品上[11]。

据估算，欧洲再制造的价值超过 300 亿欧元，创造了 20 万个就业岗位，数量与美国相当接近，见表 2-3。

据估算，占欧洲再制造价值 70%左右的四个关键地区是德国、英国和爱尔兰、法国和意大利。德国承担了大部分再制造业务，占欧洲市场的近三分之一，在航空航天、汽车、重载和越野车辆(HDOR)领域拥有强大的地位，反映了德国作为

表 2-3　欧洲再制造产业市场规模

行业	营业额/10 亿欧元	公司数量	雇员/千人	毛坯核心/千	强度
航空航天	12.4	1000	71	5160	11.5%
汽车	7.4	2363	43	27286	1.1%
EEE 电子设备工程	3.1	2502	28	87925	1.1%
家具	0.3	147	4	2173	0.4%
HDOR	4.1	581	31	7390	2.9%
机械	1.0	513	6	1010	0.7%
医疗设备	1.0	60	7	1005	2.8%
船舶	0.1	7		83	0.3%
铁路	0.3	30	3	374	1.1%
总计	29.7	7203	193	132406	1.9%

制造业强国的地位，特别是其汽车、重载和越野车辆的再制造能力强大。法国、英国和爱尔兰的再制造规模相似，约为德国的一半。

欧洲有至少上百种汽车配件再制造商，核心供应商位于英国、德国、法国、意大利、荷兰、匈牙利、西班牙以及瑞典。

大型 IT 产品的再制造产业主要在英国。依照欧洲碳粉和喷墨再制造商协会(ETIRA)统计，欧洲有 1400 家再制造喷墨和调色打印机公司，包括一些小公司和大的跨国公司。在欧洲，再制造打印机市场价值约 12 亿英镑，有 27%共享英国市场。仅在硒鼓和喷墨再制造方面，ETIRA 估计欧洲有 2000~3000 家公司在运营，市场价值超过 8 亿英镑。

欧洲也通过了支持再制造的相关法律法规。欧盟于 2002 年立法规定，一辆报废汽车的废弃物不能超过 15%，而到 2015 年这一比例降至 5%，有效地推进了再制造产业的发展。德国拜罗伊特大学欧洲再制造研究中心主要开展了产品的再制造性、再利用率以及再制造全域的信息化物流与仓储管理研究。在德国的西部地区，几乎所有的废旧发动机曲轴都集中在几家专业再制造厂加以修复。国外一般均规定再制造件或总成的使用寿命不低于甚至略高于新件或总成，从而使用户利益得到充分保障。

从产业模式上看，欧洲特别是德国的再制造企业绝大多数为大型企业控制，回收则由企业自身承担，这与美国模式明显不同。大企业控制的再制造体系整体效率和质量保证更加完善，有利于产业结构的优化组合。

欧洲国家中，德国工业以重工业为主，汽车、机械制造、化工、电气等占全部工业产值的 40%以上，食品、纺织与服装、钢铁加工、采矿、精密仪器、光学以及航空与航天工业也很发达，中小企业多，工业机构布局均衡。鲁尔区是德国工业的核心地区，硬煤产量占全国总产量 60%，生铁和钢产量也分别占全国总产量的 70% 和 65%。杜伊斯堡是全区最大的钢铁和重型机械制造业基地，该地区钢铁加工与机械制造业发达，配套的再制造产业发展完善。

宝马、奥迪、保时捷、博世和戴姆勒克莱斯勒造就了慕尼黑和斯图加特经济与汽车的密切联系。在卡塞尔的大众公司为当地吸引了众多供应商，黑森州吕塞尔斯海姆市的欧宝公司、科隆市福特公司都使这两个地区深深地打上了汽车的烙印。福特、博世等国际企业均在萨尔州设厂，汽车及配件制造业已经成为该州经济发展的最重要支柱。

宝马公司(Bayerische Motoren Werke AG)建立了一套完善的旧件回收网络体系。旧发动机经再制造后，成本仅为新机的 50% 到 80%，而发动机再制造过程中，94% 被修复，5.5% 被熔化再生产，只有 0.5% 被填埋处理，产生的经济效益显著。

大众公司每年再制造发动机在 20 万~30 万余台，再制造工艺技术水平、机械化程度非常高。大众公司在某种型号的发动机停止批量生产一定时间后，就不再供应新的配件发动机，用户只能更换再制造发动机。这样，一方面促进再制造产业的发展，另一方面主机厂就不必再为老产品的售后服务保留相对产量有限的配件生产，从而形成新产品与再制造产品之间的相互依存、取长补短、共同发展的良性循环。

电气制造是继汽车业之后销售额第二大行业。电气行业内居支配地位的是包括西门子、阿尔斯通、博世、飞利浦和 ABB 等国际大公司，它们主要集中在德国南部，该地区大部分电气制造企业均有再制造业务。

德国机器及装备制造业企业集中分布在斯图加特周边地区，这个区域集中了德国三分之一的机器制造企业，大量再制造企业也在该地区分布。

微软、IBM(International Business Machines Corporation)、惠普、苹果和富士通及德国本土的西门子、SAP(System Applications and Products，用户/服务器商业应用领域供应商)、Software AG(德国系统软件供应商)等公司分布在斯图加特地区、慕尼黑地区、莱茵内卡地区、卡尔斯鲁厄地区、达姆斯达特/施塔肯伯格地区、科隆/伯恩地区、汉诺威地区及柏林和汉堡。德国再制造产业布局基本上依托各大制造业基地展开，大部分以企业园区的模式出现，这与德国大型跨国企业的区域影响力有直接关系。

2.2.3　其他国家

日本主要通过制定法律引导再制造产业发展。2000 年，日本颁布了《建立循环型社会基本法》，规定汽车用户若将废旧汽车零部件交给再制造企业，则可免除缴纳废弃物处理费。2002 年，日本国会审议通过了《汽车回收利用法》，并于 2005 年 1 月 1 日正式实施。该法规是全球第一部针对汽车业的全面回收立法，对汽车再制造行业加大整治力度，实行严格的资格许可制度，并设立配套基金，对废旧汽车回收处理进行补贴。政府部门通过完善法律规定，统筹和规范再制造企业的生产、销售、回收等各个环节。日本旧汽车再利用零部件的市场规模约有 100 亿元人民币，其中 87% 属于"再利用件"，另有 13% 属于再制造零部件。日本的复印机和一次性相机再制造业相对过去 10～20 年间销售稳步增长，被称为隐藏的巨人，具有重要的市场潜力。

从产业模式上看，日本再制造企业集中，产业集聚现象十分明显。既有大企业控制的再制造模式，也有市场化运作的再制造企业。从区域分布上，则是典型的集中发展配套协作模式。日本再制造产业基本上是园区化发展，依托大型企业的产业园区形成具有很强集聚效应的再制造产业带。整个日本工业分布十分集中，企业协作密切，再制造产业与原有产业基本上是在同一园区由同一类企业主导[12]。

韩国近年来制定了可能会对全球有影响的政策，即将再制造确定为可以促进可持续发展的工业活动，认为再制造可以为经济增长、稳定价格提供强有力的支持，并提供更多就业机会。

2011 年，新加坡启动了先进再制造技术国家研究中心。该中心将大学和波音、劳斯莱斯、西门子以及中小企业再制造商联合起来，共同开发航空航天、电机产品、汽车零部件、船舶和 HDOR 等领域再制造技术。

印度的再制造业发展不足，而修理更为普遍。印度大多数再制造的 IT 产品都是打印机墨盒，尽管"再制造"的定义可能有些变化。据报告，印度有 30000 多家企业从事某种形式的墨盒再灌装或再制造，但据说这一行业基本上不受管制，质量参差不齐，伪造现象很普遍。据认为，只有约 70 家公司以知名品牌重新制造打印机墨盒。在 HDOR 领域，沃尔沃开始在其位于班加罗尔的工厂为国内市场再制造建筑设备。康明斯公司有两个独立的再制造设施，一个用于出口，另一个用于国内市场。印度禁止进口在印度再制造并在国内市场销售的旧货，但允许进口用于再制造和随后出口的货物。禁止为国内市场进口大多数使用过的资本货物(例如经过翻新的零部件)，除非能够证明这些货物保留了原产品剩余价值的 80%。完全禁止进口二手电脑和笔记本电脑。尽管印度的对外贸易政策文件没有定义"再制造"商品，但进口再制造商品需要获得许可证。只有进口许可证上列出的特定再制造零部件才可以进口。这种限制以及获得新许可证所需的漫长审批时间，妨碍了进口商根据不断变化的需求进行更多进口或改变进口货物的产品组合的能力[9]。

巴西的再制造主要集中在航空航天、汽车零部件、重载和越野车辆(HDOR)

设备以及信息技术(IT)产品。修理和再制造业由成千上万的小公司组成,大多数雇用 20 名或更少的工人。然而,该国再制造者也包括重新制造和销售其最初生产的产品的原始设备制造商和在公开市场上购买或从特定客户处接收旧产品并进行再制造的独立公司。

巴西估计有 2000 多家发动机再制造商,其中 60%雇用的工人不到 6 名,其余的是雇用 20~60 名工人的中小企业。然而,一些大型跨国公司占了再制造业务的大部分。汽车零部件生产商采埃孚萨克斯汽车公司、伊顿公司和西门子公司占巴西再制造发动机和零部件总价值的四分之三,三条大鱼级别的企业已经完全控局,其余的企业仅仅是小虾级别的辅助企业。巴西的经济增长以及基础设施开发、建筑、采矿和能源勘探的增加,推动了该国对重型设备和再制造零件的需求。巴西的设备生产商包括卡特彼勒、康明斯、小松和奥德布雷希特等跨国原始设备制造商。这些公司重新制造柴油发动机,并在设备、汽车和工业机械领域提供服务。例如,小松是再制造柴油发动机和零部件以及建筑和工业机械的主要生产商。巴西 IT 行业的再制造主要是打印机墨盒。大约有 18000 家公司生产或维修打印机墨盒。据报道,再制造商约占打印机墨盒行业公司数量的 25%。巴西允许再制造货物进口,但前提是再制造产品由原制造商进行,并与同等新产品具有相同的保修期。位于巴西的再制造商仅限于再制造该国内采购的产品,这些产品需要附加要求。例如,据报道,发动机序列号与车辆注册有关,发动机必须由车主取消注册才能进行再制造。2011 年,巴西提出了一项法规,全面禁止再制造医疗器械的进口,将国内再制造限制在最初在巴西生产或"作为新产品"进口的二手医疗器械[15]。

墨西哥与美国边境地区的加工贸易发达,对进口旧件有较大需求。墨西哥政府为了进一步发展对外贸易,制定了再制造商品进出口管理政策:对进口用于再制造后复出口的旧件设立了一个专用的税号。即不管具体的旧件细分类别,进口报关时都用这一个税号。进口时不同种类的旧件可以混在一起按重量申报,并可以免征关税和增值税。从事出口加工的再制造企业进口旧件时享受免关税和增值税待遇,但再制造后的产品必须出口,如果再制造后要在墨西哥销售,需要把具体产品归在原新产品的税号下向墨西哥政府交税,才能进入墨西哥市场[12]。

2.3 中国再制造产业发展概况

2.3.1 发展历程

再制造产业在我国也被列入朝阳产业,对推动制造业升级转型,提升绿色制造水平,带动中国和全球可持续发展意义重大。作为循环经济"再利用"的高级形式，再制造产业的发展打通了"资源－产品－报废－再制造产品"的循环型产业链条，构筑了节能、环保、可持续的工业绿色发展模式，为工业绿色化发展奠定了基础。发展再制造产业，可缓解大量报废产品带来的环境负荷加重的诸多难题，促进废旧机电产品的反复循环利用，减少制造业的重复制造。

　　我国再制造起步于 20 世纪 90 年代后期。2008 年由国家发展和改革委员会牵头组织再制造企业试点工作。近十年来，在政策支持与市场发展的双重推动下，再制造产业获得了快速发展，再制造关键技术研发取得了重要突破，逐步形成了以寿命评估技术、复合表面工程技术、纳米表面技术和自动化表面技术为核心的再制造关键技术群，自动化纳米复合电刷镀等再制造技术达到了国际先进水平。中国再制造企业近千家，其中国家再制造试点企业 153 家，再制造产业示范基地 8 个，涉及军用装备、汽车零部件、工程机械、矿采机械、机床、船舶、电子信息、办公设备及再制造产业集聚区不同领域，试点工作取得显著成效。我国再制造产品认定实施日趋完善，获得工业和信息化部再制造认定的产品涉及 10 余类 100 多种产品，近万个型号。随着国家对再制造产业支持力度的加大，以及再制造产品"以旧换再"和"再制造产品走进汽配城"、再制造"北京－西藏行"等活动的开展，再制造产品虽然未成为消费的主流趋势，但公众对再制造认识水平不断提升。再制造产业集聚化发展趋势明显，产品种类持续丰富，产业规模迅速壮大，产值约 1000 亿人民币，见图 2-8。

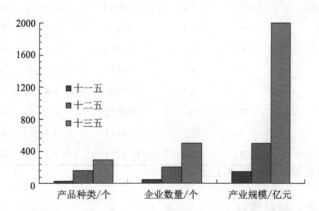

图 2-8　中国再制造产业产品种类、企业数量及规模
注：数量和规模为国家试点企业和产业集聚区内的企业统计结果

2.3.2　结构现状

2.3.2.1　产业结构现状

　　中国再制造工程实践起源于机电产品维修的产业实践探索。自 20 世纪 90 年

代初开始，国内相继出现了一些企业开始探索再制造产业模式，如中国重汽集团济南复强动力有限公司、上海大众汽车有限公司的动力再制造分厂、柏科(常熟)电机有限公司、广州市花都全球自动变速箱有限公司等汽车零部件再制造企业，分别在汽车发动机、变速箱、电机等领域开展再制造业务探索。因此，国家再制造试点也从汽车零部件入手，国家发展和改革委员会先后批复两批汽车零部件再制造试点企业 42 家和再制造基地 4 个，工业和信息化部也先后批复了两批机电产品再制造试点企业 112 家和再制造基地 5 个。再制造产业逐步形成和发展，产品涉及的行业门类逐步增多，主要涉及：军用装备、汽车零部件、机床、工程机械、铁路机车装备、冶金动力装备、高效电机、航空航天、石油化工、办公及电子信息设备等 10 大类。对所有再制造试点申报企业统计分析显示，汽车零部件、冶金动力装备和工程机械是迄今为止最活跃的再制造行业，相应企业数量分别占我国再制造产业的 34.3%、21.6%、15.6%，其他较为活跃的行业包括高效电机、铁路机车装备、机床和办公及电子信息设备，如表 2-4 所示。

表 2-4   中国再制造产业结构

行业类别	再制造企业数量	占比/%	再制造销售收入/百万	占比/%	从业人数	占比/%
工程机械(含矿采、盾构)	32	15.6	118414.5	5.3	2359	7.7
铁路机车装备	13	6.4	456994.1	20.5	10547	34.5
机床	9	4.4	92010	4.1	4095	13.4
冶金动力装备	44	21.6	315296.6	14.1	6823	22.3
高效电机	17	8.3	33674.5	1.5	2498	8.2
航空航天	5	2.5	12680.67	0.6	345	1.1
汽车零部件	70	34.3	1056728.5	47.2	1867	6.1
石油化工	5	2.5	30847.5	1.4	663	2.2
办公及电子信息设备	9	4.4	117873.16	5.3	1371	4.5

注：以上数据是对所有再制造试点申报企业的统计分析

2.3.2.2   产业技术创新现状

国外再制造已形成以"换件和尺寸修理法"为特征的较为完善的技术体系。目前，国外再制造研究内容主要集中在：①全寿命周期内，产品部件老化或物理、机械性能变化分析；②通过有限元分析、失效分析、几何尺寸恢复、结构和材料分析判断和评估产品老化机制；③研究和开发经济性好、环境可靠的再制造表面清洗技术、废物最小化技术；④研究定量测量评估部件、配件健康程度的工具和装备预测产品的剩余寿命；⑤再制造可持续设计。

　　中国再制造技术创新发展方面,自 2010 年以来再制造技术研究论文和专利数量逐年快速增长,论文年均增长率达 14.0%,专利年均增长率达 14.6%。快速增长得益于国家对再制造产业较大的支持,"十二五"期间,科学技术部、国家自然科学基金委针对再制造关键技术研发投入经费 7000 余万元;2012 年,工业和信息化部联合科学技术部发布《机电产品再制造技术及装备目录》,引导再制造企业使用先进的再制造技术与装备;2016 年起,工业和信息化部利用绿色制造专项资金,结合高端智能再制造产业发展的技术瓶颈问题,支持 16 家再制造企业开展系统集成攻关,有力推动了我国再制造产业的技术进步。我国在再制造基础理论和关键技术研发规模方面取得了重要突破,已形成"尺寸修复、性能提升"的中国再制造技术特色,制定了一批再制造技术规范和标准,开发的自动化纳米复合电刷镀工艺技术达到国际先进水平。

　　图 2-9 为再制造技术体系示意图。其中,再制造关键技术研究,可依据各种技术的作用或功能归纳为:再制造无损拆解与绿色清洗、再制造无损检测与寿命评估和修复成形与加工三大类。

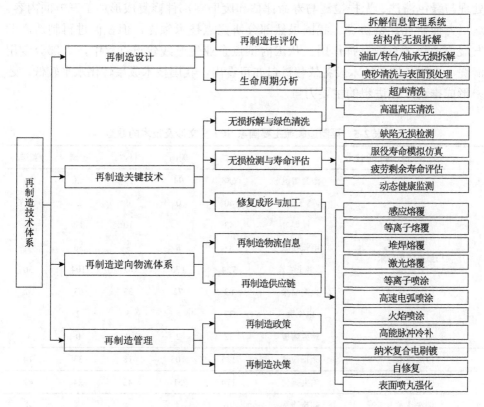

图 2-9　再制造技术体系

结合工业和信息化部与科学技术部联合发布的《机电产品再制造技术及装备目录》,参照国内外的技术分类方法,对 11 项重要再制造技术进行对比分析,包括:激光熔覆、等离子熔覆、堆焊熔覆、高频感应熔覆成形、高速电弧喷涂、高速等离子喷涂成形、高速火焰喷涂、纳米复合电刷镀、表面喷丸强化、超声清洗、无损检测等技术。分析再制造领域主要国家 SCI 发文涉及技术的数量(表 2-5)可以看出,我国在再制造毛坯损伤修复成形技术方面已处于领先地位,也充分体现出"尺寸修复、性能提升"的技术特色。特别是以等离子喷涂、电弧喷涂为代表的热喷涂修复成形技术已在部分再制造试点企业成功应用,显著提升了我国旧件再制造产品的再制造率,取得了良好的经济和社会效益。当前我国热喷涂技术研究成果也受到了国外发达国家规模再制造企业的高度关注,例如国际知名的再制造公司——卡特彼勒也已经开始试验应用热喷涂技术进行关键再制造零部件的修复。同时也可以看出我国各类再制造技术研发比例不均衡,再制造毛坯损伤修复成形技术研究占比达 90%以上,再制造清洗、强化、无损检测与评估方面技术研究相对薄弱。而国外以美国、德国为例,技术研究重点围绕表面处理与绿色清洗、无损检测与寿命评估和废旧零部件修复成形加工三方面内容,这三方面研究比例协调。我国虽然部分研究点技术领先,但在促进再制造产业发展方面还未有效发挥作用。从国内试点企业生产线建设过程中,大部分专用清洗、检测和加工技术设备依赖进口亦可看出,我国技术成果转化水平较低,还未形成推动产业进步的主要力量。

表 2-5　再制造领域主要国家 SCI 发文涉及技术的数量

再制造技术		中国	美国	日本	德国	英国
损伤修复成形技术	激光熔覆	688	94	25	53	36
	等离子熔覆	40	0	0	2	0
	堆焊	43	7	10	12	8
	电弧喷涂	87	8	3	36	1
	等离子喷涂	724	170	82	104	36
	火焰喷涂	83	72	33	63	32
	电刷镀	37	4	5	2	3
	感应熔覆	32	2	0	0	1
检测技术	无损检测	125	105	18	33	14
强化技术	喷丸强化	174	51	42	24	41
清洗技术	超声清洗	10	4	4	3	4

2.3.3　机遇与挑战

2.3.3.1　存在的问题

尽管近年来国家发展和改革委员会、工业和信息化部等有关部门积极开展了再制造试点示范工作，发布了再制造关键技术目录，推进了再制造产品质量认定等，使再制造产业发展取得一些积极进展，然而总体上看，再制造产业仍处于发展阶段，发展水平还落后于发达国家，再制造产业链尚未完全建立，企业尚未形成规模，旧件逆向物流回收体系建设相对滞后，关键生产装备还依赖进口，总体竞争力不强。产业发展尽管潜力很大，但同时面临市场认可、技术、政策等一系列障碍和挑战，发展之路任重道远。

(1) 再制造产品的市场认知度不高。公众和社会对再制造产品的认识不清，存在偏见，对"翻新"、再制造之间的界限分辨不清。其根源在于中国市场上翻新产品鱼龙混杂，缺乏明确的产品、生产工艺标准。事实上，再制造必须采用先进技术恢复原机的性能，并兼有对原机的技术升级改造，再制造后的产品性能要达到或超过新品。不管是整机还是零部件，不论是换件还是修复法，推进再制造企业、行业必须坚持的一条基本原则是"再制造产品的质量和性能不低于原型新品"。

(2) 逆向物流面临巨大障碍。"旧件"是再制造企业的原料，目前，中国尚未建立起有效的废旧零部件回收体系，再制造企业旧件回收十分困难。一方面，旧件回收相关政策亟待修订，很多再制造旧件被等同于"洋垃圾"禁止进口，海关进出口监管缺乏明确的对"旧件"的相关管理规则。另一方面，长期以来旧件回收主体不明确，逆向物流作为全新的模式尚处在探索阶段，尚未形成与再制造能力匹配的旧件回收规模。

(3) 再制造关键技术开发滞后。当前，我国高端智能装备制造水平落后，再制造的核心技术尚未掌握，重要产品的再制造尚未开展或受限于国外企业，这些严重制约了再制造产业的发展，特别是推动制造业升级转型中向高端智能再制造产业的发展。

(4) 政策法规支撑不足。中国已经颁布一系列支持再制造产业发展的法规文件，但具体政策普遍缺乏落地的实施细则，现有政策法规可操作依据不明确。中国对再制造产品流通缺乏相应的市场管理制度。再制造企业旧件采购无法取得增值税发票和成本抵扣，大大压缩了企业的利润空间。

(5) 对发展再制造缺乏足够认识。再制造作为一个新的理念还没有取得广泛共识，对再制造的重大意义没有引起足够的重视。制造企业对发展再制造产业积极性不高，认为再制造产品会影响其新产品的市场。消费者认知度低，对再制造产品持有疑虑，再制造产业发展的社会环境尚未形成。

2.3.3.2 发展机遇

在 2020 年 12 月举行的气候雄心峰会上,习近平主席宣布:到 2030 年,中国单位国内生产总值二氧化碳排放将比 2005 年下降 65% 以上,非化石能源占一次能源消费比重将达到 25% 左右,森林蓄积量将比 2005 年增加 60 亿立方米,风电、太阳能发电总装机容量将达到 12 亿千瓦以上。

目前,国家发展面临着多个综合大背景,"十四五"规划和 2035 年远景目标、"碳中和"目标、第二个百年奋斗目标、中华民族伟大复兴战略全局等一系列重大目标与背景交织在一起。

与发达国家相比,我国实现"双碳"目标时间更紧、幅度更大、困难更多、任务异常艰巨,既要有勇气直面调整,又要有智慧克服困难。我国整体处于工业化中后期阶段,传统"三高一低"(高投入、高能耗、高污染、低效益)产业仍占较高比例。相当规模的制造业在国际产业链中还处于中低端,存在生产管理粗放、高碳燃料用量大、产品能耗物耗高、产品附加值低等问题。新形势下我国产业结构转型升级面临自主创新不足、关键技术"卡脖子"、能源资源利用效率低、各类生产要素成本上升等挑战,亟待转变建立在化石能源基础上的工业体系以及依赖资源、劳动力等要素驱动的传统增长模式。

从科技创新的角度看,低碳、零碳、负碳技术的发展尚不成熟,各类技术系统集成难,环节构成复杂,技术种类多,成本昂贵,亟需系统性的技术创新。再制造产业可以显著降低碳排放,属于低碳技术,再制造设计与废旧产品再制造工程值得在制造业大力推进。新形势给我国再制造产业发展带来机遇的同时也面临新的挑战,从整体上看,再制造面临的机遇远远大于挑战,我国再制造发展在新形势下将进入提质增效期。

1. 新形势为再制造带来的机遇

(1)要素效率的提高为再制造提供了空间。随着经济发展,我国已进入中等收入国家,我国城镇居民受人口老龄化以及生育率下降的影响,劳动力供给增长速度不断放缓,而劳动力成本则加速上升,仅 2006～2016 年间平均工资上涨近 4 倍,同时土地价格持续攀高。随着要素效率的提高,维修与再制造的比价关系在发生变化。同时资源利用效率提高,对土地、能源、设备等的利用效率也在提高,要素效率的提高为再制造发展提供了空间。国家从政策、财政、税收等方面加大了对再制造产业的支持,消费者对再制造产品的认识逐渐提高,再制造在国外的优势将逐渐转入国内,逐步被大众所认可。

(2)企业内生盈利动力不足迫使企业挖掘后市场和服务空间。新常态的一个主要特点是经济增长从高速增长转为中高速增长。加快经济发展方式转变,加大经济结构调整力度，增强内生动力是确保我国经济平稳发展的重要途径。经济增长内生动力一般来源于以扩大内需拉动为主导的发展模式，要加快发展绿色经济、循环经济和节能环保产业，推广应用低碳技术，积极应对气候变化，实现产业升级和结构优化，从制造业转向服务业，从投资转向消费，从出口转向内需。再制造是绿色循环经济科学发展的必然要求，在新常态下，企业内生盈利不足迫使企业挖掘后市场和服务空间。再制造需探索运行新模式，从传统的制造业向制造服务业转变，一方面通过再制造可降低更换维修成本，另一方面再制造可延伸到后市场扩大盈利的空间。

(3)生态文明建设和环保要求提高倒逼绿色产品应用。当前，经济社会高速发展带来的资源、环境和气候变化问题十分突出。如果仍然坚持"大量生产、大量消费、大量废弃"的传统生产方式和消费模式，经济社会发展将难以持续。我国生态文明建设和环保要求的提高倒逼绿色产品的应用，再制造作为绿色制造的重要组成部分，符合我国产业发展方向，生态、环保的"倒逼机制"扩宽了我国再制造产业的发展空间。再制造迎合了传统生产和消费模式的巨大变革需求，是实现废旧机电产品循环利用的重要途径，是资源再生的高级形式，也是发展循环经济、建设资源节约型、环境友好型社会的重要举措，更是推进绿色发展、低碳发展，促进生态文明建设的重要载体。

(4)服务新观念拓展了再制造市场空间。从购买所有权到购买使用权，租赁制将催生再制造新的空间。《中共中央关于制定国民经济和社会发展第十三个五年规划的建议》中提出，拓展网络经济空间，实施"互联网+"行动计划，发展物联网技术和应用，发展分享经济，促进互联网和经济社会融合发展。如今消费者正在放弃传统的、效率低下的企业，转而投入分享型企业获取需要的产品和服务，即购买所有权到购买使用权。我国再制造产业若在运行机制中推陈出新，拓展新空间，采用分享经济，再制造产品探索租赁制经营模式，再制造产业将成为制造业和产品型的最大受益者，我国再制造产业将迎来巨大的盈利模式和发展空间。同时再制造为共享经济模式提供了又一条实现路径。

(5)新经济、新模式促使再制造焕发活力。"互联网+"利用信息通信技术以及互联网平台，让互联网与传统行业进行深度融合，创造新的发展生态，减少了信息不对称，降低了交易成本，提高了资源总体利用效率。"互联网+"行动计划将促进我国再制造产业升级，加速提升产业发展水平，增强创新能力。同时将保险引入再制造的信用管理为我国再制造产业的发展提供了可靠的保障。

新技术为再制造的发展提供支撑。中国特色的再制造主要基于尺寸恢复和性能提升，并以先进的寿命评估技术、纳米表面技术和自动化表面技术等新技术为支撑，对再制造毛坯进行专业化修复或升级改造，使其质量特性不低于原型新品。

纳米电刷镀、激光熔覆、电弧喷涂等先进的再制造技术可用于核电、航空航天、石油化工等制造领域，实现再制造技术对我国制造业的反哺，现有的技术储备有助于在再制造领域实现中国制造业的弯道超车。

2. 新形势对再制造发展的挑战

(1)经济增速下降，内生需求不足，产品型再制造面临困难。目前我国经济面临外部需求疲软、人口红利减少、落后产能淘汰等因素造成的下行压力，经济增长的内生动力不足，经济结构调整任务艰巨。一些企业往往期待刺激性政策带来市场，但对政策的依赖决定了这种增长只能是阶段性的，随着政策效果的稀释，利润增幅必然出现下滑，企业缺乏发展的长远内生动力。例如，近年来我国商用车产销在外需低迷、投资大幅度下滑的作用下，总需求收缩十分明显，经济增长下滑，内生需求不足，部分再制造企业开工不足甚至停产，产品型再制造面临困难。

(2)大宗商品价格的变化对于再制造也会产生巨大影响，例如大宗商品价格下降，再制造比价关系下降。受全球经济下滑影响，铁矿石、煤炭等国际大宗商品价格下降，制造业成本降低，新品制造成本随之下降。由于再制造旧件回收价格的刚性，再制造产品价格下降空间有限，再制造比价关系下降，再制造企业盈利空间进一步压缩。2020年、2021年随着全球新冠疫情的影响，大宗商品价格上扬，又刺激了再制造企业的发展与盈利。

(3)财政收入增收难，使得再制造税收优惠政策难以出台。再制造企业增值税中的销项税额难以抵消，造成再制造产品的成本增加，企业负担较重。在税收和补贴政策上，再制造生产企业需要更为实在的扶持和帮助。伴随经济发展进入新常态，我国财政收入由高速增长转为中低速增长的新常态，在中国现行税制下，随着经济增速放缓，财政收入增速的下滑幅度加大。新常态下财政收入增收难，使得再制造税收优惠政策难以出台，我国再制造产业的发展将面临新的挑战。

参 考 文 献

[1] 京津冀再制造产业技术研究院. 中国再制造产业技术发展(2019)[M]. 北京: 机械工业出版社, 2020: 3-4.

[2] United States International Trade Commission. Remanufactured goods: An overview of the U. S. and global industries, markets, and trade[R]. USITC Publication, 2013: 18.

[3] United States International Trade Commission. Remanufactured goods: An overview of the U. S. and global industries, markets, and trade[R]. USITC Publication, 2013: 2-7.

[4] 京津冀再制造产业技术研究院. 中国再制造产业技术发展(2019)[M]. 北京: 机械工业出版社,

2020: 6-7.

[5]　京津冀再制造产业技术研究院. 中国再制造产业技术发展（2019）[M]. 北京: 机械工业出版社,
　　　2020：35-36.

[6] Caterpillar. Caterpillar Recognizes Global Remanufacturing Day[EB/OL]. 2018-04-12. https://www.
caterpillar.com/en/news/caterpillarNews/customer-dealer-product/caterpillar-recognizing-global-remanu
facturing-day. html.

[7]　陈颐. 再制造推动循环经济发展——访卡特彼勒公司全球副总裁葛瑞格·佛雷[N]. 经济日
　　　报, 2012-08-17.

[8] Caterpillar website. About Caterpillar[EB/OL]. 2022-01-07. https://www.caterpillar.com/en/
company.html.

[9] United States International Trade Commission. Remanufactured goods: An overview of the U. S.
and global industries, markets, and trade[R]. USITC Publication, 2013: D-6.

[10] 卡车网. 世界再制造日!和康明斯一起庆祝"再制造"[EB/OL]. 2019-04-12. https://www.
chinatruck.org/news/201904/15_82797.html.

[11] United States International Trade Commission. Remanufactured Goods: An Overview of the U.
S. and Global Industries, Markets, and Trade[R]. USITC Publication, 2013: 5.

[12] 京津冀再制造产业技术研究院. 中国再制造产业技术发展（2019）[M]. 北京: 机械工业出版社,
　　　2020: 10-11.

[13] Parker D, Riley K, Robinson S, et al. Remanufacturing Market Study[R]. European Remanufacturing
Network, 2020-11.

[14] United States International Trade Commission. Remanufactured Goods: An Overview of the
U. S. and Global Industries, Markets, and Trade[R]. USITC Publication, 2013-4: 10-12.

[15] United States International Trade Commission. Remanufactured Goods: An Overview of the
U. S. and Global Industries, Markets, and Trade[R]. USITC Publication, 2013-10: 5-10.

第3章

中国再制造产业政策与产品质量标准

中国的再制造发展经历了产业萌生、科学论证和政府推进三个阶段，再制造产业的持续稳定发展，离不开国家政策的支撑与法律法规的有效规范。中国再制造政策法规经历了一个从无到有、不断完善的过程，《循环经济促进法》、《战略性新兴产业重点产品和服务指导目录》、《关于加快推进生态文明建设的意见》、《中华人民共和国国民经济和社会发展第十二个五年规划纲要》、《中共中央关于制定国民经济和社会发展第十三个五年规划的建议》和《中华人民共和国国民经济和社会发展第十四个五年规划和 2035 年远景目标纲要》等法律、法规、政策明确提出支持再制造产业的发展[1-6]，我国再制造产业政策环境不断优化，形成了相对完善的、具有中国特色的再制造政策法规体系，已出台了 50 余项相关政策法规，再制造专项政策法规近 30 项，构建再制造标准体系框架并颁布国家标准 40 余项。

3.1　再制造产业相关政策

3.1.1　不同发展阶段的再制造产业政策

中国再制造产业持续稳定发展，离不开政策环境支撑和法律法规的规范。随着再制造产业政策环境不断优化和再制造产业的持续发展，国家加大了对再制造产业的支持力度，再制造政策法规逐步细化、具体化，具体体现在再制造产品标示、再制造产品质量控制以及财税政策等方面的不断优化、完善。以下梳理了2005～2022 年与再制造产业有关的主要政策法规，见表 3-1。

表 3-1　2005～2022 年与再制造产业有关的主要政策法规

部门 年份	国务院	国家部委
2005	《国务院关于做好建设节约型 社会近期重点工作的通知》[7] 《国务院关于加快发展循环 经济的若干意见》[8]	《关于组织开展循环经济试点(第一批)工作的通知》 (国家发展改革委等)[9]

续表

部门 年份	国务院	国家部委
2006	《国家中长期科学和技术发展 规划纲要(2006－2020 年)》[10]	
2007		《关于组织开展循环经济示范试点(第二批)工作的通知》 (国家发展改革委等)[11]
2008	《中华人民共和国循环 经济促进法》[1]	《汽车零部件再制造试点管理办法》(国家发展改革委)[12]
2009	《装备制造业调整和振兴规划》[13]	《关于组织开展机电产品再制造试点工作的通知》 (工信部)[14]
2010	《国务院关于加快培育和发展战略 性新兴产业的决定》[15]	《关于推进再制造产业发展的意见》(国家发展改革委等)[16] 《再制造产品认定管理暂行办法》(工信部)[17] 《再制造产品认定实施指南》(工信部)[18]
2011	《中华人民共和国国民经济和社会 发展第十二个五年规划纲要》[19]	《关于深化再制造试点工作的通知》(国家发展改革委)[20]
2013	《循环经济发展战略及近期 行动计划》[21] 《国务院关于加快发展节能环保 产业的意见》[22]	《关于确定第二批再制造试点的通知》(国家发展改革委)[23] 《再制造产品"以旧换再"试点实施方案》 (国家发展改革委等)[24]
2014		《工业和信息化部办公厅关于进一步做好机电产品再制造试 点示范工作的通知》(工信部)[25]
2016	《关于促进加工贸易创新发展的 若干意见》[26]	
2016	《中华人民共和国国民经济和社会 发展第十三个五年规划纲要》[5]	《工业绿色发展规划(2016－2020 年)》(工信部)[27] 《绿色制造工程实施指南(2016－2020 年)》(工信部)[28] 《关于展开绿色制造体系建设的通知》(工信部)[29] 《关于组织开展绿色制造系统集成工作的通知》 (财政部、工信部)[30] 《2016 年绿色制造系统集成项目指南》(工信部)[31]
2017		《高端智能再制造行动计划(2018－2020 年)》(工信部)[32]
2018		《战略性新兴产业重点产品和服务指导目录》 (国家发展改革委)[33]
2019		《关于推动先进制造业和现代服务业深度融合发展的实施 意见》(国家发展改革委)[34]
2020		《公布通过验收的机电产品再制造试点单位名单(第二批)》 (工信部)[35]
2020		《关于扩大战略性新兴产业投资培育壮大新增长点增长极的 指导意见》(发改高技〔2020〕1409 号)[36]
2020		《中华人民共和国海关对洋浦保税港区监管办法》 (海关总署)[37]

续表

部门 年份	国务院	国家部委
2020	《国务院关于印发北京、湖南、安徽自由贸易试验区总体方案及浙江自由贸易试验区扩展区域方案的通知》[38]	
2021	《关于加快建立健全绿色低碳循环发展经济体系的指导意见》[39]	
2021		《关于鼓励家电生产企业开展回收目标责任制行动的通知》（国家发展改革委等）[40]
2021		《"十四五"循环经济发展规划》（国家发展改革委）[41]
2021		《关于支持浦东新区高水平对外开放打造社会主义现代化建设引领区的实施意见》（海关总署）[42]
2021	《中华人民共和国国民经济和社会发展第十四个五年规划和 2035 年远景目标纲要》[6]	
2021		《汽车零部件再制造规范管理暂行办法》（国家发展改革委等）[43]
2021		《关于汽车产品生产者责任延伸试点实施方案的通知》（工信部联节〔2021〕129 号）[44]
2021		《资源综合利用企业所得税优惠目录》（2021 年版）（财政部、税务总局、发展改革委、生态环境部联合印发）[45]
2021		《电机能效提升计划(2021－2023 年)》（工信厅联节〔2021〕45 号）[46]
2021		《"十四五"工业绿色发展规划》（工信部〔2021〕178 号）[47]
2022		《中华人民共和国海关综合保税区管理办法》（海关总署令〔2022〕256 号）[48]
		《关于加快废旧物资循环利用体系建设的指导意见》（发改环资〔2022〕109 号）[49]

3.1.1.1　试点探索阶段产业政策(2005～2014 年)

改革开放以来，我国在推动资源节约和综合利用、推行清洁生产方面，取得了积极成效。但是，传统的高能耗、高排放、低效率的粗放型增长方式仍未根本转变，资源利用率低，环境污染严重。在此背景下，2005 年 6 月，国务院颁发的《国务院关于做好建设节约型社会近期重点工作的通知》（国发〔2005〕21 号），明确提出了发展循环经济的重点工作和重点环节，并指出再生资源产生环节要大力回收和循环利用各种废旧资源，支持废旧机电产品再制造。对废旧机械装备实施再制造可最大限度地节约资源、降低能耗、保护环境，符合我国循环经济的发展模式。

2005 年 10 月，国务院发布了《国务院关于加快发展循环经济的若干意见》（国发〔2005〕22 号），在重点行业、重点领域、产业园区和省市组织开展循环经济试点工作，并发布《循环经济试点工作方案》和《国家循环经济试点单位(第一批)》。文件中指出把再制造等领域列为循环经济试点工作范围的重要行业。图 3-1 是《国家循环经济试点单位(第一批)》试点单位重点行业的企业数，图 3-2 是《国家循环经济试点单位(第一批)》试点工作范围的重点领域企业分布数，重点领域明确指出了再制造产业。

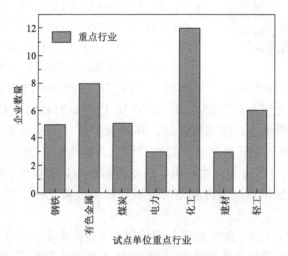

图 3-1　《国家循环经济试点单位(第一批)》试点单位重点行业的企业数

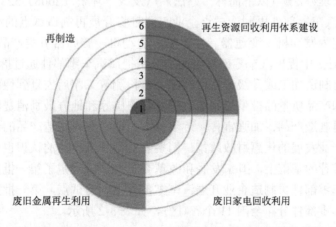

图 3-2　《国家循环经济试点单位(第一批)》试点工作重点领域分布数

2006 年 2 月，国务院颁布了《国家中长期科学和技术发展规划纲要(2006—2020 年)》(国发〔2005〕44 号)，将"机械装备的自修复与再制造"列为关键技术之一，对制造业的要求指出：积极发展绿色制造，加快相关技术在材料与产品开发设计、加工制造、销售服务及回收利用等产品全生命周期中的应用，形成高效、

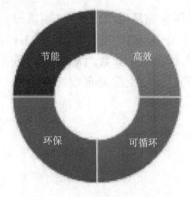

图 3-3　规划对制造业要求

节能、环保和可循环的新型制造工艺，如图 3-3 所示。再制造过程丰富了制造业的生产方式，完全契合了高效、节能、环保和可循环的新型制造工艺，支持了再制造产业的发展。

自 2005 年国家发展和改革委员会发布《关于组织开展循环经济试点(第一批)工作的通知》(发改环资〔2005〕2199 号)以来，在国家循环经济试点工作引导下，全国大部分省市也开展了不同层面的循环经济试点工作，探索了不同类型、不同层次的循环经济实践形式，从整体上带动和推进了全国循环经济发展。2007 年 12 月，财政部、工业和信息化部、国家发展和改革委员会、国家统计局、环境保护部、科学技术部、商务部联合发布《关于组织开展循环经济试点(第二批)工作的通知》(发改环资〔2007〕420 号)，明确提出在废旧金属再生利用、装备再制造等具有典型示范意义的相关企业和地方政府开展试点，为再制造的发展提供了政策支持，试点工作得到相关部门的支持。

此时国家循环经济工作发展进入增长期，支持汽车零部件在再制造行业中的快速发展。国家发展和改革委员会于 2008 年 3 月正式发布了《汽车零部件再制造试点管理办法》(以下简称《办法》)(发改办环资〔2008〕523 号)，确定了首批 14 家汽车零部件再制造试点企业，同时将开展再制造试点的汽车零部件产品范围暂定为发动机、变速器、发电机、启动机、转向器五类产品。

《办法》中提出汽车零部件再制造是指把旧汽车零部件通过拆解、清洗、检测分类、再制造加工或升级改造、装配、再检测等工序后恢复到像原产品一样的技术性能和产品质量的批量化制造过程。指出国家和地方鼓励消费者和公共机构优先使用再制造产品，加强宣传，逐步提高消费者对再制造产品的认识，加快制定再制造产业发展的优惠财政政策。消费者对再制造产品的认识也在不断增强，并在各地推荐的基础上，国家发展和改革委员会选择确定了第一批整车(机)生产企业和汽车零部件再制造企业开展汽车零部件再制造试点，第一批整车(机)生产企业和汽车零部件分布全国 11 个省(区)，如表 3-2 所示。

表 3-2　第一批整车(机)生产企业和汽车零部件再制造企业分布范围

省份	吉林	安徽	上海	山东	湖北	广东	广西	江苏	陕西	浙江	贵州
试点企业数量	1	2	1	2	2	1	1	1	1	1	1

2008 年 8 月，第十一届全国人民代表大会常务委员会第四次会议通过《中华人民共和国循环经济促进法》(以下简称《循环经济促进法》)，该法在第 2 条、第 40 条及第 56 条中共六次阐述再制造术语，指出国家支持企业开展机动车零部件、工程机械、机床等产品的再制造和轮胎翻新，销售的再制造产品和翻新产品的质量必须符合国家规定的标准，并在显著位置标识为再制造产品或者翻新产品。2009 年 1 月《循环经济促进法》实施。法规的实施，将再制造产业纳入法制化轨道，有利于再制造产业规范化发展。

为发展工业循环经济，促进工业转型升级，工业和信息化部于 2009 年 12 月发布《关于组织开展机电产品再制造试点工作的通知》(工信部节〔2009〕663 号)。其中明确提出要推进机电产品再制造试点示范工作，机电产品再制造产业要规模化、规范化、专业化发展，充分发挥试点示范引领作用，并确定了第一批机电产品再制造试点企业和产业集聚区，支持再制造企业产业集聚区的发展。机电产品再制造第一批试点单位设计的行业分类如图 3-4 所示。

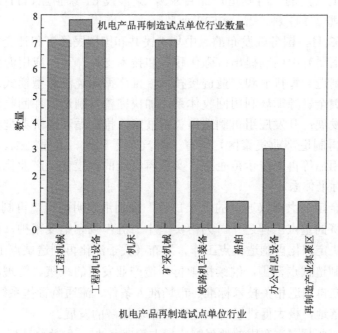

图 3-4　机电产品再制造第一批试点单位行业分类

2010 年 10 月，国家发展和改革委员会、科学技术部、工业和信息化部、公安部、商务部、财政部、环境保护部、海关总署、税务总局、工商总局、质检总局等 11 部委联合发布了《关于推进再制造产业发展的意见》(发改环资〔2010〕991 号)，指导全国加快再制造产业发展，并将再制造产业作为国家新的经济增长点予以培育。《关于推进再制造产业发展的意见》的出台对再制造的积极推动作用主要体现在政策、法规、技术、标准、组织五大方面。该意见的具体内容对再制造发展的相关的问题都有明确的回答，同时也对再制造提出了更高的要求。

同年10月，国务院印发了《国务院关于加快培育和发展战略性新兴产业的决定》（国发〔2010〕32号），指出发展节能环保产业，重点开发推广高效节能技术装备及产品，实现重点领域关键技术突破，带动能效整体水平的提高，加快资源循环利用关键共性技术研发和产业化示范，提高资源综合利用水平和再制造产业化水平。此文件有利于推动我国再制造先进技术的研发，提高再制造旧件利用率，更好地实现循环经济的发展。

2010年工业和信息化部先后发布了关于印发《再制造产品认定管理暂行办法》（工信部节〔2010〕303号）和关于印发《再制造产品认定实施指南》（工信厅节〔2010〕192号），正式启动了再制造产品认定工作。自2011年起，工业和信息化部共分别于2011年、2013年、2014年、2015年、2016年和2017年发布经七批认定的《再制造产品目录》，共涉及61家企业、11大类产品、40个产品类型、147种产品、9528个型号。

2011年3月，国务院发布的《中华人民共和国国民经济和社会发展第十二个五年规划纲要》中明确提出：强化政策和技术支撑，开发应用源头减量、循环利用、再制造、零排放和产业链接技术，推广循环经济典型模式。大力发展循环经济，健全资源循环利用回收体系，加快完善再制造旧件回收体系，推进再制造产业发展；开发应用再制造等关键技术，推广循环经济典型模式；建设若干国家级再制造产业集聚区，培育一批汽车零部件、工程机械、矿山机械、机床、办公用品等再制造示范企业，实现再制造的规模化、产业化发展。完善再制造产品标准体系。

同年，全国人大审议通过的"十二五"规划纲要明确把"再制造产业化"作为循环经济的重点工程之一。为落实"十二五"规划纲要精神，国家发展和改革委员会决定深化再制造试点工作，发布《关于深化再制造试点工作的通知》决定扩大再制造试点范围，继续探索再制造产业发展的政策、管理制度和监管体系，为建立再制造相关技术标准、市场准入条件、流通监管体系等提供经验。以上措施的落地，极大促进了再制造产业市场经济的发展。

2012年，根据《汽车零部件再制造试点管理办法》（发改办环资〔2008〕523号）和《关于深化再制造试点工作的通知》（发改办环资〔2011〕2170号）的要求，国家发展和改革委员会开展了汽车零部件再制造试点单位的验收工作，并将通过验收的试点单位和产品名单予以公布。通过验收的再制造试点单位和产品名单分别为济南复强动力有限公司、潍柴动力(潍坊)再制造有限公司、无锡大豪动力有限公司(一汽集团)、上海幸福瑞贝德动力总成有限公司(上汽集团)、陕西法士特汽车传动集团有限责任公司、浙江万里扬变速器股份有限公司、广州市花都全球自动变速箱有限公司、柏科(常熟)电机有限公司等 8 家单位。

2013 年 1 月,国务院发布了《循环经济发展战略及近期行动计划》(国发〔2013〕5 号)(以下简称《计划》),这是我国首部循环经济发展战略规划,从政策上支持再制造产业示范基地,促进产业集聚发展。《计划》提出发展再制造,建立旧件逆向回收体系,抓好重点产品再制造,推动再制造产业化发展,支持建设再制造产业示范基地,促进产业集聚发展,建立再制造产品质量保障体系和销售体系,促进再制造产品生产与销售服务一体化。

2013 年 8 月,国务院发布了《国务院关于加快发展节能环保产业的意见》(国发〔2013〕30 号)(以下简称《意见》),《意见》提出要发展资源循环利用技术装备,提升再制造技术装备水平,重点支持建立 10～15 个国家级再制造产业聚集区和一批重大示范项目,大幅度提高基于表面工程技术的装备应用率。开展再制造"以旧换再"工作,对交回旧件并购买"以旧换再"再制造推广试点产品的消费者,给予一定比例补贴。同时,提升了消费者对再制造产品的认知和接受度。

2014 年 12 月,工业和信息化部为继续推进机电产品再制造产业规模化、规范化、专业化发展,充分发挥试点示范引领作用,结合再制造产业发展形势,就进一步做好机电产品再制造试点示范工作,发布《工业和信息化部办公厅关于进一步做好机电产品再制造试点示范工作的通知》(工信厅节函〔2014〕825 号)。

3.1.1.2　有序推进阶段产业政策(2015～2020 年)

2016 年 3 月,国务院发布的《中华人民共和国国民经济和社会发展第十三个五年规划纲要》中明确提出:实施循环发展引领计划,推进生产和生活系统循环链接,加快废弃物资源化利用。按照物质流和关联度统筹产业布局,推进园区循环化改造,建设工农复合型循环经济示范区,促进企业间、园区内、产业间耦合共生。推进城市矿山开发利用,做好工业固废等大宗废弃物资源化利用,加快建设城市餐厨废弃物、建筑垃圾和废旧纺织品等资源化利用和无害化处理系统,规范发展再制造。实行生产者责任延伸制度。健全再生资源回收利用网络,加强生活垃圾分类回收与再生资源回收的衔接。

2016 年 6 月,工业和信息化部发布《工业绿色发展规划(2016－2020 年)》(工信部规〔2016〕225 号)文件,明确"绿色体系创建工程",提出绿色产品、绿色工厂、绿色园区、绿色供应链的创建和示范要求。明确加快推动再生资源高效利用及产业规范发展,加强资源综合利用,持续推动循环发展。

2016 年 1 月 4 日,国务院印发《国务院关于促进加工贸易创新发展的若干意见》(国发〔2016〕4 号)。第九条指出:支持发展生产性服务业。推动制造业由生产型向生产服务型转变。促进加工贸易与服务贸易深度融合,鼓励加工贸易企业承接研发设计、检测维修、物流配送、财务结算、分销仓储等服务外包业务。在条件成熟的地区试点开展高技术含量、高附加值项目境内外检测维修和再制造业务。

2016年8月，工业和信息化部发布《绿色制造工程实施指南(2016—2020年)》文件，要求完成传统制造业绿色化改造示范推广、资源循环利用绿色发展示范应用、绿色制造技术创新及产业化示范应用、绿色制造体系构建试点等重点任务。

2016年9月，工业和信息化部发布《关于展开绿色制造体系建设的通知》(工信部节函〔2016〕586号)，提出：利用工业转型升级资金、专项建设基金、绿色信贷等相关政策扶持绿色制造体系建设工作，推动政府优先采购。

2016年11月，财政部和工业和信息化部发布《关于组织开展绿色制造系统集成工作的通知》(财建〔2016〕797号)，提出促进制造业绿色升级，培育制造业竞争新优势。

2016年12月，工业和信息化部和财政部联合发布《两部门关于开展2016年绿色制造系统集成工作的通知》(工信厅联节函〔2016〕755号)，该项目是由工业和信息化部和财政部联合开展的有资金支持的项目。主要目的是深入实施绿色制造工程，促进制造业绿色升级，培育制造业竞争新优势。

2017年1月，工业和信息化部、商务部、科学技术部联合发布《关于加快推进再生资源产业发展的指导意见》(工信部联节〔2016〕440号)，提出：推动报废汽车拆解资源化利用装备制造，积极推进发动机及主要零部件再制造，实施再制造产品认定，发布再制造产品技术目录，制定汽车零部件循环使用标准规范，实现报废机动车零部件高值化利用。此外，落实资源综合利用税收优惠政策，加快再生产品、再制造等绿色产品的推广应用。

2017年5月，国家发展和改革委员会、科学技术部、工业和信息化部、财政部、商务部等14个部委联合下发关于印发《循环发展引领行动》(发改环资〔2017〕751号)的通知，支持再制造产业化规范化规模化发展，推进"军促民"再制造技术转化，提升产业的技术水平与规模。

2017年11月，工业和信息化部发布《高端智能再制造行动计划(2018—2020年)》(工信部节〔2017〕265号)(以下简称《行动计划》)，目标是加快发展高端智能再制造产业，进一步提升机电产品再制造技术管理水平和产业发展质量，推动形成绿色发展方式，实现绿色增长。《行动计划》聚焦盾构机、航空发动机与燃气轮机、医疗影像设备、重型机床及油气田等高端智能装备，通过创新增材制造、特种材料、智能加工、无损检测等高端智能共性技术的产业化应用，实施高端智能再制造示范工程，培育高端智能再制造产业协同体系。《行动计划》提出了八项任务，包括加强高端智能再制造关键技术创新与产业化应用，推动智能化再制造装备研发与产业化应用，实施高端智能再制造示范工程，完善高端智能再制造产业协同体系，加快高端智能再制造标准研制，探索高端智能再制造产品推广应用新机制，建设高端智能再制造产业网络信息平台，构建高端智能再制造金融服务新模式等。标准研制方面，《行动计划》提出，加强高端智能再制造标准化工作，鼓励行业协会、试点单位、科研院所等联合研制高端智能再制造基础通用、技术、管理、检测、评价等共性标准，鼓励机电产品再制造试点企业制定行业标准及团体标准。支持再制造产业集聚区结合自身实际制定管理与评价体系，探索形成地域特征与产品特色鲜明的再制造产业集聚发展模式，建设绿色园区。工业和信息化部下一步将组织有关地方、行业协会、企业、科研院所等，围绕加快高端智能再制造共性技术创新及产业化应用、建立高端智能再制造示范工程、探索建立更好更快推动高端智能再制造产业发展的模式等目标，突出重点、分工协作，加快创新、联合攻关，分类指导、示范引领，促进再制造产业规范发展，不断壮大。到 2020 年，突破一批制约我国高端智能再制造发展的拆解、检测、成形加工等关键共性技术，智能检测、成形加工技术达到国际先进水平。

2018 年 9 月，国家发展和改革委员会发布的新版《战略性新兴产业重点产品和服务指导目录》中多处强调发展再制造，其中涉及机电产品再制造、航空再制造、汽车零部件、工程机械、机床和基础制造装备、办公设备等产品再制造和轮胎翻新。新的再制造技术如文件中提到的旧件无损检测与寿命评估技术、高效环保拆解清洗设备，纳米颗粒复合电刷镀、高速电弧喷涂、等离子熔覆等关键技术和装备的应用，以及微纳米表面工程、高密度能源的先进材料制备与成型一体化装备等再制造产业的提升，必将助力中国再制造产业的发展，实现产业的良好循环。

2019 年 11 月，国家发展和改革委员会发布《关于推动先进制造业和现代服务业深度融合发展的实施意见》（发改产业〔2019〕1762 号）（以下简称《实施意见》）。《实施意见》强调先进制造业和现代服务业融合是顺应新一轮科技革命和产业变革，增强制造业核心竞争力、培育现代产业体系、实现高质量发展的重要途径。加强全生命周期管理。引导企业通过建立监测系统、应答中心、追溯体系等方式，提供远程运维、状态预警、故障诊断等在线服务，发展产品再制造、再利用，实现经济、社会生态价值最大化。

2020 年 9 月，国家发展和改革委员会、科学技术部、工业和信息化部、财政部联合发布《关于扩大战略性新兴产业投资培育壮大新增长点增长极的指导意见》（发改高技〔2020〕1409 号）（以下简称《指导意见》）。《指导意见》强调围绕重点产业链、龙头企业、重大投资项目，加强要素保障，促进上下游、产供销、大中小企业协同，加快推动战略性新兴产业高质量发展，培育壮大经济发展新动能。《指导意见》聚焦重点产业投资领域包括：新一代信息技术产业、高端装备制造产业、新材料产业、智能及新能源汽车产业、节能环保产业等。《指导意见》指出对于我国待攻克的高附加值、高端装备制造产业，再制造往往是国内企业发展中难以逾越的第一阶段——入局阶段，在再制造过程中持续消化吸收国外产品技术并自主创新，逐步实现自主的产品生产和后续创新，并在新产品中融入积累的再制造经验与系统设计。

2020 年 9 月，海关总署发布关于《中华人民共和国海关对洋浦保税港区监管办法》(海关总署 2020 年第 73 号公告)的公告，内容共计三十一条。其中，第十五条强调区内企业可依法开展中转、集拼、存储、加工、制造、交易、展示、研发、再制造、检测维修、分销和配送等业务。

2020 年 9 月，国务院发布《国务院印发关于北京、湖南、安徽自由贸易试验区总体方案及浙江自由贸易试验区扩展区域方案的通知》(国发〔2020〕10 号)。支持区内装备制造企业建设全球售后服务中心。在依法依规、风险可控前提下，在自贸试验区的综合保税区内积极开展"两头在外"的高技术含量、高附加值、符合环保要求的工程机械、通信设备、轨道交通装备、航空等保税维修和进口再制造。

2020 年 12 月，工业和信息化部办公厅公布《通过验收的机电产品再制造试点单位名单(第二批)》(工信厅节〔2019〕51 号)。经试点单位自评估、省级工业和信息化主管部门(或中央企业)现场核查和验收评审、专家复核论证、网上公示，确定中国铁建重工集团有限公司等 36 家企业为第二批通过验收的机电产品再制造试点单位。

3.1.1.3　深度拓展阶段产业政策(2021 年至今)

2021 年 2 月，为贯彻落实党的十九大部署，加快建立健全绿色低碳循环发展的经济体系，国务院发布《关于加快建立健全绿色低碳循环发展经济体系的指导意见》(国发〔2021〕4 号)，其中第四条"推进工业绿色升级"指出：加快实施钢铁、石化、化工、有色、建材、纺织、造纸、皮革等行业绿色化改造；推行产品绿色设计，建设绿色制造体系。大力发展再制造产业，加强再制造产品认证与推广应用。建设资源综合利用基地，促进工业固体废物综合利用。全面推行清洁生产，依法在"双超双有高耗能"行业实施强制性清洁生产审核。完善"散乱污"企业认定办法，分类实施关停取缔、整合搬迁、整改提升等措施。加快实施排污许可制度。加强工业生产过程中危险废物管理。

2021 年 3 月，《中华人民共和国国民经济和社会发展第十四个五年规划和2035 年远景目标纲要》(以下简称《规划纲要》)对外公布。《规划纲要》是指导我国今后 5 年及 15 年国民经济和社会发展的纲领性文件，全文共十九篇，六十五章。在第三十九章中强调加快发展方式绿色转型；全面推行循环经济理念，构建多层次资源高效循环利用体系。深入推进园区循环化改造，补齐和延伸产业链，推进能源资源梯级利用、废物循环利用和污染物集中处置。加强大宗固体废弃物综合利用，规范发展再制造产业。加强废旧物品回收设施规划建设，完善城市废旧物品回收分拣体系。推行生产企业"逆向回收"等模式，建立健全线上、线下融合、流向可控的资源回收体系。拓展生产者责任延伸制度覆盖范围。

2021 年 4 月，国家发展和改革委员会、工业和信息化部、生态环境部、交通运输部、商务部、海关总署、市场监管总局、银保监会联合发布新版《汽车零部件再制造规范管理暂行办法》(发改环资规〔2021〕528 号)(以下简称《暂行办法》)，该办法根据《中华人民共和国循环经济促进法》(2018 年国家主席令第 16 号)、《中华人民共和国报废机动车回收管理办法》(国务院令第 715 号)、《报废机动车回收管理办法实施细则》(商务部令 2020 年第 2 号)而制定，对于规范汽车零部件再制造行为和市场秩序，保障再制造产品质量，推动再制造产业规范化发展起到了关键的引导作用，其具体引导说明见表 3-3。

表 3-3　《汽车零部件再制造规范管理暂行办法》对于产业的引导

序号	产业相关	在新管理办法下的具体作为
1	行业协会	建立行业自律管理制度，加强行业自律管理
2	再制造企业	1. 积极采用国际先进质量管理标准，提升管理水平
		2. 从具备资质的报废机动车回收拆解企业以及其他合法合规的渠道回收旧件用于再制造
		3. 制定旧件回收标准，确保回收旧件具备再制造条件
		4. 列明本企业实际具备的可鉴定旧件清单、可再制造零部件清单
		5. 明确拆解的旧件和更新件的进货检验要求，明确其拆解旧件的检验方法和规程，并具备相应检测手段
		6. 将收购的报废汽车"五大总成"部件用于本企业的再制造；未用于本企业再制造的部分，应作为废材料交售给冶炼或破碎企业
		7. 遵守环境保护法律、法规和强制性标准，建立固体废物管理台账
		8. 对回收旧件进行再制造过程中，应符合相应的国家标准
		9. 编制再制造全过程检验规程或检验作业指导书、制定工艺卡片、明确工艺要求和控制方法
		10. 保证操作人员规范操作并实施全过程监控
		11. 制定完善的再制造质量控制及质量检验规章制度，并配置相应人员和设备
		12. 采用与原型新品同等的标准
		13. 具备适应相关产品再制造的环保设施设备
		14. 保证所生产销售的再制造产品具备与原型新品同样的质量特性，出厂时进行与原型新品同样的检验检测或认证
		15. 对所生产销售的再制造产品提供不低于原型新品的质量保证和售后服务
		16. 采用《汽车零部件的统一编码与标识》建立再制造产品全生命周期追溯系统

续表

序号	产业相关	在新管理办法下的具体作为
3	再制造产品	1. 质量应符合原型新品的质量标准,安全标准应不低于国家对机动车零部件原型新品的要求,环保性能应符合国家相关标准要求 2. 在显要位置标注再制造企业商标和"再制造产品"标识,并做到永久保持 3. 包装和产品说明书上应注明再制造商名称、地址生产日期、产品执行标准、"五大总成"溯源代码等信息 4. 禁止进入汽车整车生产环节
4	产品销售企业、汽车维修企业	在销售和使用再制造产品时向消费者说明产品为再制造产品,并提供再制造产品的质量合格证明、质量保证信息和售后质量保修手册
5	汽车维修企业	在向消费者出具的维修费用结算清单中注明再制造产品使用情况,并上传至交通运输部汽车维修电子健康档案系统

国家发展和改革委员会环资司有关负责同志就《暂行办法》的出台背景、印发目的、主要内容进行了详细解读[50]。《暂行办法》共八章三十六条,对再制造企业的规范条件、旧件回收、再制造生产、再制造产品、市场管理以及监督管理等方面进行了规范与要求。《暂行办法》以第三方质量管理体系认证和产品质量监管相结合,行业自律和企业自我声明相结合的方式,规范再制造企业和产品管理,明确报废汽车"五大总成"交售、再制造产品生产、售后市场流通等环节管理要求。《暂行办法》明确县级以上地方发展改革、工业和信息化、生态环境、交通运输、商务、海关、市场监管、银保监等部门,在各自职责范围内负责本行政区域内汽车零部件再制造相关管理,促进行业健康有序发展。明确县级以上地方市场监管部门对本行政区域内汽车零部件再制造领域的认证活动进行监督管理,对再制造领域认证违法行为依法予以查处。

《暂行办法》重点突出了以下几方面内容:

一是要求再制造产品严格对标原型新品。《暂行办法》明确再制造企业是再制造产品的质量责任主体,对再制造企业的内部质量管理、产品设计、生产工艺、质量检验水平及技术装备、环保设备做出了规范性要求。明确规定再制造产品的性能质量不低于原型新品,其在出厂检验检测、强制性认证、质保标准方面和新品执行同样的标准。要求相关企业销售再制造产品时需向消费者告知为再制造产品、提供再制造产品标识及说明,向社会进行公开承诺并提供合格证明和售后质保证明。

二是规范再制造企业的生产行为。《暂行办法》对再制造企业生产行为的主要环节进行了规范,包括旧件检测鉴定能力,拆解、清洗、制造、装配、产品质量检测等方面技术装备和生产能力,相关废物处理环保要求等,以保证再制造产品质量。

三是提出鼓励再制造产品应用的措施。《暂行办法》在规范再制造产品流通的同时,鼓励将保险与再制造行业深度融合,鼓励报废机动车回收拆解企业、保险公司、汽车维修企业优先与通过认证的再制造企业合作，采用其再制造产品。鼓励政府机关、部队等公共机构优先使用再制造产品。

汽车零部件再制造企业应符合的条件：一是要具备拆解、清洗、制造、装配、产品质量检测等方面的技术装备和能力；二是要具备检测鉴定旧零部件性能指标的技术手段和能力；三是要具有相应的污染防治设施和能力，并满足相关废物处理等环保要求，污染物实现达标排放；四是要建立并执行产品再制造的相关技术质量标准和生产规范；五是要向社会进行公开承诺，包括产品质量性能、售后质保、标识使用等；六是开展再制造的产品类型应符合国家相关法规要求；七是要遵循国家法律法规及有关主管部门规定的其他条件。

国家鼓励现有再制造企业提质升级、集聚发展，提升产业化、规范化水平。鼓励再制造企业开展再制造质量管理体系认证。再制造企业应积极采用国际先进质量管理标准，提升管理水平。

国家发展和改革委员会将会同有关部门从以下几方面持续抓好《暂行办法》的贯彻落实：

一是聚焦再制造行业发展重点，加强投资引导。科学引导地方和企业投资，防止行业投资过度、低水平重复无序建设。加强事中事后监管，规范市场主体投资行为。

二是加大再制造产品推广应用，丰富配件供给。通过政策宣贯、行业培训等形式，提高公众对再制造产品的认知。鼓励政府优先采购再制造产品，发挥消费示范和带动作用。引导再制造企业规范生产经营，确保再制造产品质量，提高售后服务水平，融入多样化配件流通供应体系，满足消费者的不同需求。

三是强化企业创新主体地位，支持再制造技术研发。鼓励再制造企业、研究设计单位加快再制造重点技术研发与应用，解决再制造共性、关键技术问题。深入推进汽车零部件再制造技术及装备研发和产业化，重点发展高附加值零部件再制造技术和工艺，推动零部件旧件回收和再制造产品质量控制等能力建设。对再制造技术研发、示范和推广项目进行支持。

2021 年 6 月，工业和信息化部、科学技术部、财政部、商务部联合印发《关于汽车产品生产者责任延伸试点实施方案的通知》（工信部联节函〔2021〕129 号）。制定汽车产品生产者责任延伸试点实施方案是为了落实生态文明建设和绿色循环低碳发展要求，构建报废汽车回收体系，提高汽车产品的综合竞争力和资源环境效益，促进汽车行业绿色发展。该实施方案强调：扩大再制造产品和二手零部件使用，实现报废汽车拆解产物高值化利用，提高汽车资源综合利用效率。

《关于汽车产品生产者责任延伸试点实施方案的通知》的基本思路是：以生产企业为主体，遵循全生命周期理念。充分发挥汽车生产企业在汽车产品全生命周期的主体作用，围绕工作基础好、覆盖范围广和示范作用大的汽车生产企业及其汽车产品开展试点，探索建立汽车产品生产者责任延伸管理制度；以回收利用为重点，提升资源利用效率。引导汽车生产企业依法自建或合作共建报废汽车逆向回收利用体系，与报废机动车回收拆解企业、资源综合利用企业等加强信息共享，扩大再生材料、再制造产品和二手零部件使用，实现报废汽车拆解产物高值化利用，提高汽车资源综合利用效率；以市场机制为基础，创新激励政策和措施。充分发挥市场在资源配置中的决定性作用，支持汽车生产企业与产业链上下游共同探索建立新型商业运营模式，打造汽车行业绿色供应链；以技术创新为动力，发挥技术支撑作用。鼓励汽车生产企业与研究机构等合作，开展绿色拆解、高附加值利用、再制造等技术研发，突破核心技术，推动大数据、物联网等信息化技术在报废汽车回收、回用件流通等领域的应用。

2021年7月，经国务院同意，国家发展和改革委员会印发《"十四五"循环经济发展规划》（发改环资〔2021〕969号），全面部署了今后一段时期我国循环经济发展的总体思路、主要任务、重点工程行动和保障措施，指明了"十四五"循环经济发展路径，对于推进循环经济发展，构建绿色低碳循环的经济体系，助力实现碳达峰、碳中和目标意义重大。

《"十四五"循环经济发展规划》强调：布局再制造产业高质量发展行动等六大行动。在废旧物资循环利用领域提出了完善废旧物资回收网络、提升再生资源加工利用水平、规范发展二手商品市场、促进再制造产业高质量发展等四大任务，并进一步具体部署了5项重点工程和6项重点行动。

2021年7月，海关总署发布《关于支持浦东新区高水平对外开放打造社会主义现代化建设引领区的实施意见》。强调聚焦创新引擎、聚焦改革集成、聚焦制度型开放、聚焦龙头辐射、聚焦国门安全实施5大方面15项具体举措，支持离岸贸易、保税维修、绿色再制造等业务发展，助力浦东成为更高水平改革开放的开路先锋。

2021年10月26日，《国务院关于印发2030年前碳达峰行动方案的通知》（国发〔2021〕23号)中提出，健全资源循环利用体系。完善废旧物资回收网络，推行"互联网+"回收模式，实现再生资源应收尽收。加强再生资源综合利用行业规范管理，促进产业集聚发展。高水平建设现代化"城市矿产"基地，推动再生资源规范化、规模化、清洁化利用。推进退役动力电池、光伏组件、风电机组叶片等新兴产业废物循环利用。促进汽车零部件、工程机械、文办设备等再制造产业高质量发展。加强资源再生产品和再制造产品推广应用。到2025年，废钢铁、废铜、废铝、废铅、废锌、废纸、废塑料、废橡胶、废玻璃等9种主要再生资源循环利用量达到4.5亿吨，到2030年达到5.1亿吨。

2021年10月29日，工业和信息化部、市场监管总局印发联合制定的《电机能效提升计划(2021—2023年)》（工信厅联节函〔2021〕45号）。该计划强调：以电机系统生产制造、技术创新、推广应用和产业服务为重点方向，积极实施节能改造升级和能量系统优化，不断提升电机系统能效，支撑重点行业和领域节能提效，助力实现碳达峰碳中和目标。主要目标为：到 2023 年，高效节能电机年产量达到 1.7 亿千瓦，在役高效节能电机占比达到 20% 以上，实现年节电量 490 亿千瓦时，相当于年节约标准煤 1500 万吨，减排二氧化碳 2800 万吨。推广应用一批关键核心材料、部件和工艺技术装备，形成一批骨干优势制造企业，促进电机产业高质量发展。重点任务之一是：积极实施电机高效再制造。推动完善废旧电机回收利用体系，鼓励废旧电机回收利用、电机高效再制造与电机使用企业加强合作，创新电机高效再制造运营模式。加强再制造电机与负载匹配技术研究，推进再制造电机质量控制、工艺装备和检测能力建设。组织开展电机高效再制造产品认定，进一步规范再制造电机生产，引导再制造电机产品应用。

2021 年 11 月 15 日，工业和信息化部印发《"十四五"工业绿色发展规划》（工信部规〔2021〕178 号）。该规划以推动碳达峰碳中和目标如期实现作为产业结构调整、促进工业全面绿色低碳转型的总体导向，以全面统领减污降碳和能源资源高效利用为目标，突出九大任务。其中促进资源利用循环化转型任务中，强调积极推广再制造产品，大力发展高端智能再制造，修订再制造产品认定管理办法，建立自愿认证和自我声明相结合的产品合格评定制度，推动在国家自由贸易试验区开展境外高技术含量、高附加值产品的再制造。在构建绿色低碳技术体系任务中，强调加快关键共性技术攻关突破，开展高端智能装备再制造技术研发，强化绿色低碳技术供给。

2022 年 1 月 17 日，国家发展和改革委员会等部门发布了《关于加快废旧物资循环利用体系建设的指导意见》（发改环资〔2022〕109 号），对建立健全废旧物资循环利用体系、提高资源循环利用水平、提升资源安全保障能力、促进绿色低碳循环发展、助力实现碳中和具有重要意义。《关于加快废旧物资循环利用体系建设的指导意见》提出以"政府引导、市场主导，统筹推进、因地制宜，创新驱动、分类指导"为工作原则推进废旧物资循环利用体系建设；明确了完善废旧物资回收网络、提升再生资源加工利用水平、推动二手商品交易和再制造产业高质量发展三大任务，并统筹考虑不同地区、不同阶段、不同品类的实际情况，对废旧物资回收、分拣、再生利用、二手交易和再制造等工作进行了具体部署。以完善废旧物资回收网络建设为支撑，提高前端资源回收水平。回收站点、分拣中心建设是回收网络建设的核心。以推动二手商品交易和再制造产业发展为补充，提高循环利用效率；提出通过推广再制造共性关键技术等方式推进再制造产业高质量发展。

2022 年 1 月 1 日，《中华人民共和国海关综合保税区管理办法》（海关总署令〔2022〕256 号）颁布实施，其中综合保税区内企业可以依法开展的业务第一项即为研发、加工、制造、再制造。

3.1.2　再制造财税政策

　　为有效解决发展循环经济投入不足的问题，引导社会资金投向循环经济，2010 年 4 月，国家发展和改革委员会、人民银行、银监会、证监会联合发布《关于支持循环经济发展的投融资政策措施意见的通知》（发改环资〔2010〕801 号）（以下简称《通知》）。《通知》提出要充分发挥政府规划、投资、产业和价格政策对社会资金投向循环经济领域的引导作用，明确了信贷支持的重点循环经济项目，废旧汽车零部件、工程机械、机床等产品的再制造和轮胎翻新等再利用项目，银行业金融机构要重点给予信贷支持。

　　为支持再制造产品的推广使用，促进再制造旧件回收，扩大再制造产品市场份额，2013 年 7 月，国家发展和改革委员会、财政部、工业和信息化部、商务部、质检总局联合发布《关于印发再制造产业"以旧换再"试点实施方案的通知》（发改环资〔2013〕1303 号），正式启动再制造产品"以旧换再"试点工作。该通知要求，对符合"以旧换再"推广条件的再制造产品，中央财政按照其推广置换价格（再制造产品价格扣除旧件回收价格）的一定比例，通过试点企业对"以旧换再"再制造产品购买者给予一次性补贴，并设补贴上限。

　　为实施好再制造"以旧换再"试点工作，2014 年 9 月，国家发展和改革委员会等部门组织制定了《再制造产品"以旧换再"推广试点企业评审、管理、核查工作办法》和《再制造"以旧换再"产品编码规则》（发改办环资〔2014〕2202 号），确定了再制造"以旧换再"推广试点企业的评审、管理、检查等环节，同时确定了再制造"以旧换再"推广产品编码规则。推广试点企业应该在产品外表面明显部位印刷或打刻编码，需要可识别且不可消除涂改。若产品外表面无法印刷，应当在产品外包装上印刷，编码可以同再制造产品标识或再制造"以旧换再"标识印刷在同一介质上。"以旧换再"再制造推广试点产品，有利于鼓励企业和消费者生产和消费再制造产品，提升消费者对再制造产品的认知和接受度。

　　为贯彻落实《循环经济促进法》和国家"十二五"规划纲要精神，按照《循环经济发展战略及近期行动计划》（国发〔2013〕5 号）的要求，支持再制造产品的推广使用，促进再制造旧件回收，扩大再制造产品市场份额，国家发展和改革委员会、财政部、工业和信息化部、商务部、质检总局组织开展再制造产品"以旧换再"试点工作，并委托中国国际工程咨询公司对 2014～2015 年度再制造产品推广试点企业资格项目（再制造汽车发动机、变速箱）进行公开征集。中国国际工程咨询公司根据《再制造产品"以旧换再"推广试点企业评审、管理、核查工作办法》，组织专家对 10 家申报企业进行了评审，初步确定 10 家申报企业具备再制造产品推广试点企业资格及推广产品的型号、数量等。

　　为发挥社会各界的监督作用，2014 年 12 月 16 日，财政部经济建设司等将具备再制造产品(再制造汽车发动机、变速箱)推广试点企业资格的 10 家企业名单及再制造产品型号、推广价格予以公示。

　　2021 年 12 月，财政部联合国家税务总局、国家发展和改革委员会、生态环境部发布《环境保护、节能节水项目企业所得税优惠目录(2021 年版)》和《资源综合利用企业所得税优惠目录(2021 年版)》(财政部税务总局发展改革委生态环境部公告 2021 年第 36 号)，其中《资源综合利用企业所得税优惠目录(2021 年版)》明确指出通过再制造方式生产的发动机、变速箱、转向器、起动机、发电机、电动机等汽车零部件、办公设备、工业装备、机电设备零部件等再制造产品可享受企业所得税优惠。

3.2 再制造产品质量标准

　　为规范再制造产品生产、保障再制造产品质量，根据工业和信息化部《再制造产品认定管理暂行办法》(工信部节〔2010〕303 号)和国家发展和改革委员会《再制造单位质量技术控制规范(试行)》(发改办环资〔2013〕191 号)要求，相关部门制定了再制造相关标准，用来规范产品质量性能的要求。通过检索，到 2021 年 10 月为止，我国共发布实施再制造相关的再制造国家、行业、地方、团体再制造标准共 228 项(图 3-5)。其中，国家标准 49 项，行业标准 44 项，地方标准 20 项，团体标准 115 项。国家标准以基础通用为主，行业标准以内燃机和通用机械为主，具体涉及机械机床、激光、轮胎、机电产品、内燃机、打印机等，标准要求涵盖拆解到出厂验收的再制造各个生产过程。

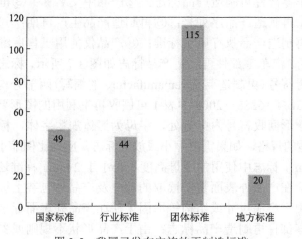

图 3-5　我国已发布实施的再制造标准

2010 年 9 月 30 日，工业和信息化部发布《再制造产品认定实施指南》（工信厅节〔2010〕192 号），所涵盖的再制造产品认定范围包括通用机械设备、专用机械设备、办公设备、交通运输设备及其零部件等。再制造产品认定包括"申报、初审与推荐、认定评价、专家评审、结果发布"等五个阶段。通过认定的再制造产品，应在产品明显位置或包装上使用再制造产品标志，再制造产品标志样式及尺寸如图 3-6 所示。

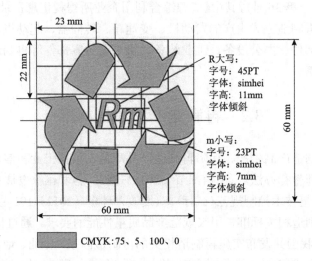

图 3-6   再制造产品标志样式及尺寸(CMYK 指印刷色彩模式)

2021 年 10 月 1 日实施的国家标准 GB/T 39895－2021《汽车零部件再制造产品标识规范》中第 4.1 条款规定：汽车零部件再制造产品标识中应至少包含以下内容：①汽车零部件再制造产品标志；②产品中文名称；③再制造企业名称或注册商标；④再制造产品序列号；⑤再制造产品生产日期；⑥再制造产品规格或型号；⑦再制造产品执行质量标准；⑧产品仅能用于售后维修，不得用于新品装配的说明。汽车零部件再制造产品标志如图 3-7 所示，标志由三角形回收符号和 RM 字母符号(再制造英文 remanufacture 的缩写)两部分构成，三角形回收符号应满足 GB/T 16288－2008 中表 1 可回收再生利用的图形要求。"RM"字母符号应在三角形回收符号内中心处，字母为黑体加粗字体，标志应根据部件的大小选择合适的规格，如果需要缩小或放大标志，应同比例缩小或放大，面积不得小于 25 mm²，标志中使用的字母高度不得小于 2 mm。标准还规定汽车零部件再制造产品应在产品外表面易于读取的部位及产品外包装上标示汽车零部件再制造标识；由于产品尺寸或结构等原因无法在产品外表面标示标识的产品，可只标示汽车零部件再制造产品标志；由于产品形状不规则或受功能限制无法在外表面标示标志，则应在企业公开的产品技术文件中予以说明。

图 3-7　汽车零部件再制造产品标志

　　当前我国再制造标准从数量、覆盖范围方面都还需进一步完善。再制造产业的高质量发展不仅需要政府部门为再制造产品制定更加完善的法律政策体系，积极引导再制造产业良性发展，也需要与再制造相对应的标准化技术委员会积极拓展再制造领域相关标准，为再制造产品的质量保障提供技术基础。

参 考 文 献

[1] 中华人民共和国中央人民政府. 中华人民共和国循环经济促进法[Z]. 2008-08-29. http://www. gov.cn/flfg/2008-08/29/content_1084355.htm.

[2] 中华人民共和国国家发展和改革委员会. 战略性新兴产业重点产品和服务指导目录[Z]. 2017-01-25. https://www.ndrc.gov.cn/xxgk/zcfb/gg/201702/t20170204_961174.html?code=&state=123.

[3] 中华人民共和国中央人民政府. 中共中央　国务院关于加快推进生态文明建设的意见[Z]. 2015-04-25. http://www.gov.cn/gongbao/content/2015/content_2864050.htm.

[4] 中华人民共和国中央人民政府. 国民经济和社会发展第十二个五年规划纲要[Z]. 2011-03-16. http://www.gov.cn/2011lh/content_1825838.htm.

[5] 中华人民共和国中央人民政府. 中共中央关于制定国民经济和社会发展第十三个五年规划的建议[Z]. 2015-11-03. http://www.gov.cn/xinwen/2015-11/03/content_5004093.htm.

[6] 中华人民共和国中央人民政府. 中华人民共和国国民经济和社会发展第十四个五年规划和 2035 年远景目标纲要[Z]. 2021-03-13. http://www.gov.cn/xinwen/2021-03/13/content_5592681.htm.

[7] 中华人民共和国中央人民政府. 国务院关于做好建设节约型社会近期重点工作的通知[Z]. 2005-09-08.http://www.gov.cn/zwgk/2005-09/08/content_30265.htm.

[8] 中华人民共和国中央人民政府. 国务院关于加快发展循环经济的若干意见[Z]. 2005-07-02. http://www.gov.cn/zhengce/content/2008-03/28/content_2047.htm

[9] 国家能源局. 关于组织开展循环经济试点(第一批)工作的通知[Z]. 2011-08-19. http://www. nea.gov.cn/2011-08/19/c_131059315.htm.

[10] 中华人民共和国中央人民政府. 国家中长期科学和技术发展规划纲要(2006－2020 年)[Z]. 2006-02-09. http://www.gov.cn/jrzg/2006-02/09/content_183787.htm.

[11] 中华人民共和国国家发展和改革委员会. 关于组织开展循环经济示范试点(第二批)工作的通

知[Z]. 2007-12-13. https://www.ndrc.gov.cn/fggz/hjyzy/zyzhlyhxhjj/200712/t20071217_1315251.
html?code=&state=123.

[12] 中华人民共和国国家发展和改革委员会. 国家发展改革办公厅关于组织开展汽车零部件再
制造试点工作的通知[Z]. 2008-03-02. https://www.ndrc.gov.cn/fggz/hjyzy/zyzhlyhxhjj/200810/
t20081006_1315252.html?code=&state=123.

[13] 中华人民共和国中央人民政府.装备制造业调整和振兴规划[Z]. 2009-05-12. http://www.gov.cn/
zhengce/content/2009-05/12/content_8108.htm.

[14] 中华人民共和国工业和信息化部. 工业和信息化部办公厅关于组织开展机电产品再制造试点
工作的通知[Z]. 2009-07-07. https://www.miit.gov.cn/jgsj/jns/wjfb/art/2020/art_e9bc98c09dbe461
cbe35b6f398ea3910. Html.

[15] 中华人民共和国中央人民政府. 国务院关于加快培育和发展战略性新兴产业的决定[Z].
2010-10-10. http://www. gov. cn/zhengce/content/2010-10/18/content_1274.htm.

[16] 中华人民共和国中央人民政府. 关于推进再制造产业发展的意见[Z]. 2010-005-13.
http://www.gov.cn/zwgk/2010-05/31/content_1617310.htm.

[17] 中华人民共和国中央人民政府. 关于印发《再制造产品认定管理暂行办法》的通知[Z].
2010-06-29.http://www.gov.cn/zwgk/2010-09/27/content_1710991.htm.

[18] 中华人民共和国中央人民政府. 关于印发《再制造产品认定实施指南》的通知[Z].
2010-09-30.http://www.gov.cn/zwgk/2010-10/15/content_1723390.htm.

[19] 中华人民共和国中央人民政府. 国民经济和社会发展第十二个五年规划纲要[Z]. 2011-03-16.
http://www.gov.cn/2011lh/content_1825838.htm.

[20] 中华人民共和国中央人民政府. 关于深化再制造试点工作的通知[Z]. 2011-09-04.
http://www.gov.cn/zwgk/2011-09/14/content_1947372.htm.

[21] 中华人民共和国中央人民政府. 国务院关于印发循环经济发展战略及近期行动计划的通知
[Z]. 2013-02-05. http://www.gov.cn/zwgk/2013-02/05/content_2327562.htm.

[22] 中华人民共和国中央人民政府. 国务院关于加快发展节能环保产业的意见[Z]. 2013-08-11.
http://www.gov.cn/zwgk/2013-08/11/content_2464241.htm.

[23] 中华人民共和国国家发展和改革委员会. 关于确定第二批再制造试点的通知[Z]. 2013-03-21.
https://www.ndrc.gov.cn/fggz/hjyzy/stwmjs/201303/t20130321_1161117.html? code=&state=123.

[24] 中华人民共和国中央人民政府. 关于印发再制造产品"以旧换再"试点实施方案的通知[Z].
2013-08-27. http://www.gov.cn/zwgk/2013-08/27/content_2474507.htm.

[25] 中华人民共和国工业和信息化部. 工业和信息化部办公厅关于进一步做好机电产品再制造试
点示范工作的通知[Z]. 2014-012-23. https://www.miit.gov.cn/jgsj/jns/zyjy/art/2020/art_3c4483ffe
5a849aa87fda20eb8e9c6b5.html.

[26] 中华人民共和国中央人民政府. 国务院关于促进加工贸易创新发展的若干意见[Z]. 2016-01-18.
http://www.gov.cn/zhengce/content/2016-01/18/content_5033735.htm.

[27] 中华人民共和国工业和信息化部.工业和信息化部关于印发工业绿色发展规划(2016-2020
年)的通知[Z]. 2016-06-30. https://www.miit.gov.cn/jgsj/ghs/wjfb/art/2020/art_ec914ef7739e4d47
8261cb2c4c5559bd. html.

[28] 中华人民共和国工业和信息化部. 绿色制造工程实施指南(2016-2020 年)[Z]. 2016-09-14.
https://www.miit.gov.cn/jgsj/jns/lszz/art/2020/art_54723acbfcbd4b32a8086de4c329a297.html.

[29] 中华人民共和国工业和信息化部. 工业和信息化部办公厅关于开展绿色制造体系建设的通知 [Z]. 2016-09-20. https://www.miit.gov.cn/jgsj/jns/gzdt/art/2020/art_db58aa7e972642948a1be9cb 41280c7b.html.

[30] 中华人民共和国工业和信息化部. 财政部工业和信息化部关于组织开展绿色制造系统集成工作的通知[Z]. 2016-12-24. https://www.miit.gov.cn/jgsj/jns/lszz/art/2020/art_0a7399df6ca74 22f93272f5526dad7dc.html.

[31] 中华人民共和国工业和信息化部. 关于开展 2016 年绿色制造系统集成工作的通知[Z]. 2016-11-24. https://www.miit.gov.cn/jgsj/jns/lszz/art/2020/art_da09f29e67ba489a82da8977087d25bf.html.

[32] 中华人民共和国工业和信息化部. 关于印发《高端智能再制造行动计划(2018－2020 年)》的通知[Z]. 2017-11-09.https://www.miit.gov.cn/jgsj/jns/zyjy/art/2020/art_2ecbb78c0eed4136b7e4bc1 22877ec16.html.

[33] 中华人民共和国国家发展和改革委员会. 关于对《战略性新兴产业重点产品和服务指导目录》(2016 版)征求修订意见的公告[Z]. 2018-09-21. https://www.ndrc.gov.cn/hdjl/yjzq/201809/ t20180921_1166020. html?code=&state=123.

[34] 中华人民共和国国家发展和改革委员会. 关于推动先进制造业和现代服务业深度融合发展的实施意见[Z]. 2019-11-10. https://www.ndrc.gov.cn/xxgk/zcfb/tz/201911/t20191115_1203543. html?code=&state=123.

[35] 中华人民共和国工业和信息化部. 关于公布通过验收的机电产品再制造试点单位名单(第二批)的通知[Z]. 2020-12-31. https://www.miit.gov.cn/jgsj/jns/lszz/art/2020/art_2e1a4d379c5f47 129772e1efc16f86a8. html.

[36] 中华人民共和国国家发展和改革委员会. 关于扩大战略性新兴产业投资培育壮大新增长点增长极的指导意见[Z]. 2020-09-08. https://www.ndrc.gov.cn/xxgk/zcfb/tz/202009/t20200925_1 239582.html?code=&state=123.

[37] 中华人民共和国中央人民政府. 中华人民共和国海关对洋浦保税港区监管办法[Z]. 2020-06-03. http://www.gov.cn/gongbao/content/2020/content_5530372.htm.

[38] 中华人民共和国中央人民政府. 国务院关于印发北京、湖南、安徽自由贸易试验区总体方案及浙江自由贸易试验区扩展区域方案的通知[Z]. 2020-08-30. http://www.gov.cn/zhengce/content/ 2020-09/21/content_5544926. htm.

[39] 中华人民共和国中央人民政府. 关于加快建立健全绿色低碳循环发展经济体系的指导意见 [Z]. 2021-02-22. http://www.gov.cn/zhengce/content/2021/02/22/content_5588274.htm.

[40] 中华人民共和国中央人民政府. 关于鼓励家电生产企业开展回收目标责任制行动的通知 [Z]. 2021-07-21. http://www.gov.cn/zhengce/zhengceku/2021-08/05/content_5629560.htm.

[41] 中华人民共和国国家发展和改革委员会. 国家发展改革委印发《"十四五"循环经济发展规划》 [Z]. 2021-07-19. https://www.ndrc.gov.cn/fzggw/jgsj/zys/sjdt/202107/t20210719_1290787. html? code=&state=123.

[42] 中华人民共和国中央人民政府. 海关总署出台实施意见支持浦东打造社会主义现代化建设引领区[Z]. 2021-07-23. http://www.gov.cn/xinwen/2021-07/23/content_5626713.htm.

[43] 中华人民共和国国家发展和改革委员会. 关于印发《汽车零部件再制造规范管理暂行办法》的通知[Z]. 2021-07-19. https://www.ndrc.gov.cn/xxgk/zcfb/ghxwj/202104/t20210423_1 277190_ext.html.

[44] 中华人民共和国工业和信息化部. 四部委关于印发汽车产品生产者责任延伸试点实施方案的通知[Z]. 2021-06-09. https://www.miit.gov.cn/zwgk/zcwj/wjfb/zbgy/art/2021/art_41ae7b048792416ca167bde07368475f.html.

[45] 中华人民共和国财政部. 关于公布《环境保护、节能节水项目企业所得税优惠目录(2021年版)》以及《资源综合利用企业所得税优惠目录(2021年版)》的公告[Z]. 2021-12-16. http://szs.mof.gov.cn/zhengcefabu/202112/t20211222_3777189.htm.

[46] 中华人民共和国工业和信息化部. 两部门关于印发《电机能效提升计划(2021-2023年)》的通知[Z]. 2021-10-29. https://www.miit.gov.cn/zwgk/zcwj/wjfb/tz/art/2021/art_76228b2294a14e168c94a9a3db77fc40.html.

[47] 中华人民共和国工业和信息化部. 关于印发《"十四五"工业绿色发展规划》的通知[Z]. 2021-11-15. https://www.miit.gov.cn/jgsj/jns/wjfb/art/2021/art_2735a1da5a5347c5bb4e7ac765f62bd7.html.

[48] 中华人民共和国中央人民政府. 中华人民共和国海关综合保税区管理办法(海关总署第256号令)[Z]. 2022-01-01. http://www.gov.cn/zhengce/zhengceku/2022-03/30/content_5682479.htm.

[49] 中华人民共和国国家发展和改革委员会. 关于加快废旧物资循环利用体系建设的指导意见[Z]. 2022-01-17. https://www.ndrc.gov.cn/xxgk/zcfb/tz/202201/t20220121_1312656.html?code=&state=123.

[50] 中华人民共和国国务院新闻办公室. 国家发展和改革委员会就《汽车零部件再制造规范管理暂行办法》答问[Z]. 2021-04-23. http://www.scio.gov.cn/xwfbh/gbwxwfbh/xwfbh/fzggw/Document/1702853/1702853.htm.

第4章

再制造关键技术体系与再制造性设计评价

4.1 再制造关键技术的发展历程

4.1.1 概述

中国自主创新的再制造工程是在维修工程、表面工程以及先进制造技术、现代材料学等学科交叉、综合、优化的基础上建立和发展的新兴学科。按照新兴学科的发展规律，再制造工程以其特定的研究对象、坚实的理论基础、独立的研究内容、具有特色的研究方法与关键技术、不断完善的标准体系、国家级科研创新平台的建设以及广阔的应用前景和潜在的巨大效益，构成了相对完整的学科体系，体现了先进生产力的发展要求，这也是再制造工程形成新兴学科的重要标志。

欧美国家的再制造产业起步较早，发展水平较高，目前已形成了较为成熟的技术体系、市场环境和运作模式。但由于国外的再制造产业是在维修基础上直接发展而成，其再制造模式以"换件修理"和"尺寸修理"为主，存在着再制造件资源利用率低、零件互换性差、表面损伤和体积损伤零件再制造率不高等问题。中国的再制造则是以表面工程技术为基础不断创新，充分发挥了表面工程的技术后发优势，形成了以"尺寸恢复"和"性能提升"为主的中国特色再制造模式，保证了在再制造产品质量特性不低于原型新品的情况下，成本为新品的50%左右，同时实现约节能60%、节材70%、减排80%，并通过损伤件的高性能和高效益恢复或升级，获得更高的资源回收率和再制造产品质量，支持资源节约型和环境友好型社会建设。

再制造关键技术的发展得益于政府部门的大力支持与推动。国家自然科学基金委员会通过国家自然科学基金项目，支持高校和科研院所，围绕再制造设计、无损检测与寿命评估、全流程工艺技术(特别是表面损伤与体积损伤的再制造修复)、再制造管理等方向自由选题，开展再制造基础和应用基础研究。科学技术部通过"固废资源化""绿色制造""循环经济关键技术与装备"等专项，以国家"973"计划、"863"计划、科技支撑计划、重点研发计划等项目形式支持高校、科研院所和企业联合开展再制造基础理论研究、关键技术攻关和产业化应用示范(见表4-1)；

国家发展和改革委员会通过"循环经济专项",支持国家再制造试点企业和示范基地开展再制造技术模式、政策法规、效益评价等研究;工业和信息化部通过"绿色制造系统集成"项目(见表4-2),支持再制造领军企业作为牵头单位,与上下游企业、生产制造单位、中介机构、科研机构等组建联合体,在实施覆盖全部工艺流程和工序环节的绿色化改造升级的同时,进一步集成应用高技术含量、高可靠性要求、高附加值特性或服务支撑多行业、多领域的绿色关键工艺技术、核心共性装备材料。总结起来,我国的再制造关键技术发展经历了科学论证、创新发展与转化应用3个阶段。

表 4-1　科学技术部支持的再制造领域主要的重大项目清单

序号	项目类型	项目名称	主要承担单位	执行年限
1	国家科技支撑计划项目	汽车零部件再制造关键技术与应用	再制造技术国家重点实验室 中国重汽集团	2006~2009 年
2	国家科技支撑计划项目	废旧机电产品典型零部件高值化利用关键技术与设备	再制造技术国家重点实验室 合肥工业大学 广州花都全球自动变速箱有限公司	2008~2010 年
3	国家科技支撑计划项目	汽车零部件再制造关键技术与应用(滚动支持)	再制造技术国家重点实验室 中国重汽集团	2011~2013 年
4	国家科技支撑计划项目	废旧采煤机械设备绿色清洗及关键零部件再制造技术开发及示范	山东能源重型装备制造集团有限责任公司 再制造技术国家重点实验室	2011~2013 年
5	国家"973"计划	机械装备再制造的基础科学问题	大连理工大学再制造技术国家重点实验室	2011~2015 年
6	国家重点研发计划	激光复合增材制造修复与再制造技术与装备	浙江工业大学	2017~2021 年
7	国家重点研发计划	移动式增材修复与再制造技术与装备	再制造技术国家重点实验室 沈阳大陆激光技术有限公司 西北工业大学 西安交通大学	2018~2021 年
8	国家重点研发计划	废旧重型装备损伤检测与再制造形性调控技术	军事科学院创新研究院	2018~2021 年
9	国家重点研发计划	废旧智能装备机电一体化再制造升级技术	京津冀再制造产业技术研究有限公司 再制造技术国家重点实验室 清华大学	2019~2022 年

表 4-2　工业和信息化部支持的再制造领域主要的重大项目清单

序号	项目名称	牵头单位	批准年度
1	机床绿色再制造关键工艺技术及应用示范	沈阳精新再制造有限公司	2016 年
2	发动机再制造关键技术研发及其产业化	湖南法泽尔动力再制造有限公司	2016 年

续表

序号	项目名称	牵头单位	批准年度
3	高性能机械转向系统制造与再制造 绿色设计平台建设项目	全兴精工集团有限公司	2017 年
4	热轧板带装备核心部件绿色再制造 关键技术开发与系统集成项目	上海宝钢工业技术服务有限公司	2017 年
5	冶金设备绿色再制造关键工艺及装备 集成应用项目	包钢集团冶金轧辊制造有限公司	2017 年
6	激光再制造短应力线轧机关键技术开发 及其绿色制造系统集成项目	沈阳大陆激光技术有限公司	2017 年
7	盾构机绿色再制造关键工艺突破与集成示范	中国铁建重工集团	2017 年
8	航空发动机叶片绿色再制造关键技术开发 与系统集成	中国人民解放军第 5719 工厂	2017 年
9	电机永磁化再制造绿色设计平台建设项目	瑞昌市森奥达科技有限公司	2018 年
10	动力机电设备绿色再制造关键工艺装备 系统集成示范项目	河北瑞兆激光再制造技术 股份有限公司	2018 年
11	油气田装备绿色再制造关键工艺系统集成项目	中国石油天然气集团有限公司 长庆油田分公司	2018 年
12	钻井工具和钻头再制造绿色设计平台建设项目	沧州格锐特钻头有限公司	2018 年
13	飞机"客改货"绿色再制造关键工艺突破 与系统集成项目	天津海特飞机工程有限公司	2018 年

4.1.2　再制造科学论证阶段

　　1999 年 6 月，中国工程院院士徐滨士教授在西安召开的"先进制造技术"国际会议上发表了"表面工程与再制造技术"的学术论文，在国内首次提出了"再制造"的概念；同年 12 月，在广州召开的国家自然科学基金委机械学科前沿及优先领域研讨会上，"再制造工程技术及理论研究"被列为国家自然科学基金机械学科发展前沿与优先发展领域[1]。2000 年 3 月，在瑞典哥德堡召开的第 15 届欧洲维修国际会议上，徐滨士院士发表了题为"面向 21 世纪的再制造工程"的会议论文，这是我国学者在国际维修学术会议上首次发表"再制造"论文；同年 12 月，中国工程院咨询项目《绿色再制造工程及其在我国应用的前景》研究报告引起了国务院领导的高度重视，并被批转国家计委、经贸委、科技部、教育部、国防科工委、铁道部、信息产业部、环保总局、民航总局等国务院领导机关参阅[2]。2001 年 5 月，总装备部批准立项建设我国首家再制造领域的国家级重点实验室——装备再制造技术国防科技重点实验室，于 2003 年 6 月正式投入使用。2002 年 9 月，国家自然科学基金委批准了首个国家自然科学基金重点项目"再制造基础理论与关键技术"；2003 年 8 月起，国务院总理温家宝组织了 2000 多位科学家从国家需求、发展趋势、主要科技问题及目标等方面对"国家中长期科学和技术发展规划"进行了论证研究，其中第三专题《制造业发展科学问题研究》将"机械装备的自修复与再制造"列为 19 项关键技术之一。2003 年 12 月，中国工程院咨询报告《废旧机电产品资源化》完成，研究结果表明，废旧机电产品资源化的基本途径是再利用、再制造和再循环，其目标是使再利用、再制造的部分最大化，使再循环的部分最小化，使安全处理的部分趋零化。2004 年 9 月，美国再制造产业网站报道了一条题为"再制造全球竞争——中国正在迎头赶上"的新闻，介绍了再制造在中国的发展状况，并且预言中国将成为美国在再制造领域最强劲的全球竞争对手[3]。2006 年 12 月，中国工程院咨询报告《建设节约型社会战略研究》中把机电产品回收利用与再制造列为建设节约型社会 17 项重点工程之一。通过上述多角度的深入论证，为政府决策提供了科学依据。

4.1.3　再制造关键技术创新发展阶段

2006 年 1 月，科学技术部启动了国家科技支撑计划"汽车零部件再制造关键技术与应用(2006BAF02A19)"项目，由装备再制造技术国防科技重点实验室和国内首家汽车零部件再制造企业——中国重汽集团济南复强动力有限公司联合攻关，围绕汽车零部件再制造拆解、清洗、检测评估、修复加工与装配等全工艺流程开展关键技术攻关与产业化应用示范，项目开发形成了汽车发动机零部件再制造关键技术群，建成了国内首个年产 2.5 万台再制造斯泰尔发动机的示范生产线。自此，在国家政策引导与科研项目推动的双重牵引下，再制造关键技术和工艺装备不断创新突破、转化应用并带动产业的高效快速发展。

2008 年 1 月启动的国家科技支撑计划"废旧机电产品典型零部件高值化利用关键技术与设备(2008BAC46B01)"项目，围绕汽车自动变速箱、大型工业装备等典型废旧机电产品零部件，开展了关键技术与装备研究，建成了国内首家年产 1 万台再制造自动变速箱示范生产线和首个年产值 6000 万的工业装备激光再制造生产基地。2010 年 12 月启动的"十二五"滚动支持国家科技支撑计划"汽车零部件再制造关键技术与应用(2011BAF11B07)"项目，实现了汽车发动机小总成零部件再制造，为发动机升级性再制造提供了关键技术支撑，并开展了产业化应用示范。2011 年 1 月启动的"废旧采煤机械设备绿色清洗及关键零部件再制造技术开发及示范(2011BAC10B05)"项目，围绕煤炭综采成套装备零部件开展了再制造关键技术与成套装备研发，建成了煤矿综采成套装备再制造生产示范线，在国际上首次实现了千万吨采煤工作面成套装备的再制造。2011 年 12 月启动的国家"973"计划"机械装备再制造的基础科学问题"，以具有高附加值的大型机械装备核心部件为研究对象，以我国西气东输工程中使用的大型离心式压缩机为主要研究载体，深入开展再制造对象跨尺度损伤演变规律及可再制造性评价理论、再制造毛坯键合/嵌合的"控形"与"控性"、再制造零件的寿命预测及再制造产品服役安全等机械装备再制造中的基础科学问题研究，突破了制约再制造产业化进程的基础理论瓶颈。

2015 年，国务院提出全面推进实施制造强国战略，明确指出：大力发展高端再制造、智能再制造、在役再制造。

"高端再制造"方面：2017 年 10 月启动的国家重点研发计划"激光复合增材制造修复与再制造技术与装备"项目，提出了超音速激光沉积增材修复、电磁场复合激光增材修复、冲击波复合激光增材修复三种复合能场激光修复与再制造方法，发明了三种复合能场激光修复与再制造技术，研制了模块化可重构、多能量场协同控制、参数在线检测及温度闭环反馈控制的激光复合增材再制造修复系统。研究成果在矿山机械、冶金装备、能源电力、石化钻探等工业领域实现产业化应用，促进了传统制造业的转型升级。2018 年 1 月启动的国家重点研发计划"废旧重型装备损伤检测与再制造形性调控技术"项目，通过开展废旧重型装备关重件再制造材料设计－智能成形－性能评价等跨尺度、多层次研究，建立面向典型失效机制的再制造材料设计方案和再制造成形过程形性调控方法，发展废旧装备绿色表面处理柔性控制、面向性能提升的智能再制造系列成套装备，构建废旧重型装备再制造主动控制理论，揭示严苛环境下再制造部件失效动力学规律，发展再制造装备寿命预测、服役质量评价与全寿命周期质量保障技术体系及规范，开展了冶金、海洋、掘进等典型装备的再制造应用示范。

"在役再制造"方面，2017 年 1 月启动的国家重点研发计划"移动式增材修复与再制造技术与装备"项目综合考虑现场服役环境所引发的能源、气氛、材料、时效、装配特征等多约束条件，基于电弧、激光、等离子载能束增材修复再制造技术，开发了满足陆、海、空等运输条件及现场作业要求的移动式再制造装备，突破了特殊环境或无法拆卸装备关重件现场增材修复与再制造中的关键难点，打通了在役再制造绿色设计、材料、工艺、装备与验证流程，实现了燃气轮机转子、盾构机推进油缸、航空发动机机匣等典型零件的现场再制造工程应用。

"智能再制造"方面：不同于传统再制造更多关注于机械零件跨尺度损伤的尺寸和力学性能恢复，2020 年 1 月启动的国家重点研发计划"废旧智能装备机电一体化再制造升级技术"项目，面向大型服务器、工业机器人、汽车 ECU/TCU/BMS 等控制单元、工业电机等机电复合产品和电子产品的功能劣化和性能退化，构建了废旧智能装备再制造升级理论体系，突破核心技术、工艺和装备，建成了典型产品再制造工程示范，创新了全生命周期综合效益测评方法与再制造服务模式，实现了重大资源节约和节能减排效益，显著提升了智能装备再制造升级技术水平。

4.1.4 再制造关键技术集成应用

为加快实施《绿色制造工程实施指南(2016—2020年)》，促进制造业绿色升级，培育制造业竞争新优势，工业和信息化部于2016年启动了"绿色制造系统集成项目"，再制造作为绿色制造和先进制造，成为绿色系统集成项目支持的重点方向之一。2017年10月，工业和信息化部发布了《高端智能再制造行动计划(2018—2020年)》，提出聚焦盾构机、航空发动机与燃气轮机、医疗影像设备、重型机床及油气田装备等关键件再制造，以及增材制造、特种材料、智能加工、无损检测等绿色基础共性技术在再制造领域的应用，推进高端智能再制造关键工艺技术装备研发应用与产业化推广。到2020年，突破一批制约我国高端智能再制造发展的拆解、检测、成形加工等关键共性技术，智能检测、成形加工技术达到国际先进水平，促进再制造产业不断发展壮大。

在"绿色制造系统集成项目"和《高端智能再制造行动计划(2018—2020年)》的推动下，面向机床、汽车、冶金设备、采油装备、大型工业装备、盾构机、飞机与航空发动机、动力机电设备等典型机电产品再制造领域，开展了一大批绿色再制造关键工艺技术装备的创新突破、集成应用和体系化推广工作，打造形成了引领再制造产业发展、深具推广潜力的绿色生产新模式、新业态。

总体上，我国在再制造基础理论和关键技术研发领域取得了重要突破，形成的"尺寸修复、性能提升"独具技术优势、成本优势和环保优势，开发的自动化纳米复合电刷镀工艺技术达到国际先进水平。如图4-1所示，自2010年以来，中国发表再制造技术研究论文和专利数量逐年快速增长，论文年均增长率达14.0%，专利年均增长率达14.6%。中国在再制造修复成形技术研究领域居于领先地位，无论研究论文数量还是专利数量，优势明显。

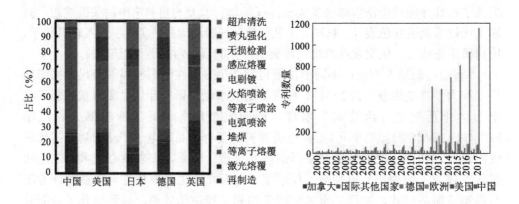

图4-1   主要国家再制造技术发文及专利数量

4.2　中国再制造关键技术体系

4.2.1　概述

　　机电产品的再制造过程是通过实施各类再制造关键技术实现的。中国自主创新的再制造工艺流程如图 4-2 所示，再制造关键技术主要包括再制造拆解与清洗技术、再制造损伤评价与寿命评估技术和再制造成形加工技术等。

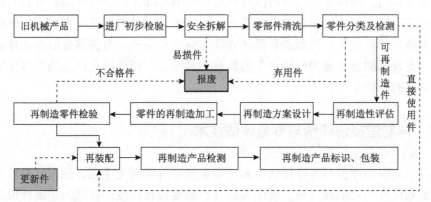

图 4-2　机械产品再制造工艺流程[4]

4.2.2　再制造设计技术

　　再制造设计是指根据再制造产品要求，通过运用科学决策方法和先进技术，对再制造工程中的废旧产品回收、再制造生产及再制造产品市场营销等所有生产环节、技术单元和资源利用进行全面规划，最终形成最优化再制造方案的过程。产品再制造设计主要研究对废旧产品再制造系统(包括技术、设备、人员)的功能、组成、建立及其运行规律的设计；研究产品设计阶段的再制造性等。其主要目的是应用全系统全寿命过程的观点，采用现代科学技术的方法和手段，设计产品具有良好的再制造性，并优化再制造保障的总体设计、宏观管理及工程应用，促进再制造保障各系统之间达到最佳匹配与协调，以实现及时、高效、经济和环保的再制造生产。再制造设计是实现废旧产品优质高效再制造的前提和重要依据。

4.2.3　再制造拆解与清洗技术

　　拆解和清洗是产品再制造过程中的重要工序，是对废旧机电产品及其零部件进行检测和再制造加工的前提，也是影响再制造质量和效率的重要因素。再制造拆解是指将再制造毛坯进行拆卸、解体的活动。再制造拆解技术是对废旧产品的拆解工艺过程中所用到的全部工艺技术与方法的统称。科学的再制造拆解工艺技术能够有效地保证再制造产品质量，提高旧件利用率，减少再制造生产时间和费用，提高再制造的环保效益。再制造清洗是指借助清洗设备或清洗液，采用机械、物理、化学或电化学方法，去除废旧零部件表面附着的油脂、锈蚀、泥垢、积碳和其他污染物，使零部件表面达到检测分析、再制造加工及装配所要求的清洁度的过程。

　　零部件的无损拆解和表面清洗质量直接影响零部件的分析检测、再制造加工及装配等工艺过程，进而影响再制造产品的成本、质量和性能。再制造拆解和清洗技术是进行再利用、再制造和循环处理的前提和基础，对提高废旧零部件的利用率，提升再制造企业的市场竞争力具有重要意义，相关研究已成为当前再制造产业发展的迫切需求。

4.2.4　再制造损伤评价与寿命评估技术

　　再制造损伤评价与寿命评估技术是指定量评价再制造毛坯、涂覆层及界面的具有宏观尺度的缺陷或以应力集中为表征的隐性损伤程度，以此为基础评价再制造毛坯的剩余寿命与再制造涂覆层的服役寿命，给出再制造毛坯能否再制造和再制造涂覆层能否承担下一轮服役周期的评价技术。再制造利用制造业产生的工业废弃物为坯料，即以废旧产品作为毛坯进行生产。通过采用再制造关键技术，形成再制造产品，其质量可以达到甚至超过原型新品性能。再制造生产与制造生产相比具有很大的不确定性，这主要是由再制造生产对象的特殊性所决定。再制造对象服役工况、损伤程度及失效模式具有随机性和个体差异性，非常复杂。因此不同行业领域开展再制造生产时，为保证再制造产品质量，必须采用损伤评价技术，无损地检测和评价再制造产品的宏观缺陷或隐性损伤，评价损伤程度，给出寿命预测结果，据此建立特定再制造产品的质量评价准则。

　　国外再制造模式与中国不同，它采用换件法和尺寸修理法，通过直接更换新件或者将减小配合面的尺寸再配以非标准的对磨件来进行再制造。国外再制造生产直接采用新品的检测评价标准，无需对再制造毛坯进行损伤评价和寿命评估。中国特色的再制造模式采用尺寸恢复、性能提升法，即采用表面工程技术修复零件缺损部位的尺寸并通过形成的强化涂覆层来提升零件的性能。由于引入不同于基体的涂覆层材料和结合界面，我国的再制造产品实现质量控制必须进行再制造毛坯的损伤评估和寿命预测，这是保证再制造产品质量必需的技术途径。

4.2.5　再制造成形加工技术

再制造成形加工技术是在废旧零部件损伤部位沉积成形特定材料，以便恢复零部件的形状和性能、甚至提升其性能的技术。再制造成形加工技术与传统制造技术具有本质区别，传统制造技术的对象是原始资源，而再制造成形的对象是已经加工成形并经过服役的损伤失效零部件，针对这种损伤失效零部件的恢复甚至提高其使用性能，具有很大的难度和特殊的约束条件，因此需要通过各种高新再制造成形加工技术来实现。

近年来，再制造成形加工技术大量吸收了新材料、信息技术、微纳制造技术、先进制造等领域的最新科学技术成果和关键技术，如先进表面技术、微/纳米涂层及微/纳米减摩自修复技术、热处理修复技术、再制造毛坯快速成形技术等，在增材再制造成形加工技术、自动化及智能化再制造成形加工技术、再制造成形材料的集约化以及现场快速再制造成形加工技术等方面取得突破性进展。再制造成形加工技术是再制造技术的主要组成，是保证再制造产品质量、推动再制造生产活动的基础，在再制造产业中发挥着重要作用，已成为再制造领域研究和应用的重点。

4.2.6　面向"双碳"目标的中国再制造关键技术发展趋势

相较于传统的新品制造模式，再制造在成本、节能、节材、减排等方面优势明显，高度契合国家绿色发展战略和制造强国战略，是制造业转型升级的重要方向，也是我国实现"碳达峰""碳中和"目标的最佳技术手段之一。

随着"双碳"目标的提出，我国社会经济发展对制造业资源与能源使用效率提升的要求不断提高，对于再制造关键技术而言，高端机床、航空航天产品大多具有多品种、小批量的定制产品特点，对传统以大批量产品作为生产基础的再制造模式提出了巨大挑战，迫使要在再制造系统规划设计领域提供更多的技术方法，来提高再制造效益并适应未来个性化再制造生产需求。

在技术层面，再制造的发展应重点满足以下几方面的要求：

一是开发、应用高效的表面工程技术，提高废旧产品的再制造率。产品零部件的表面失效是导致其性能下降的重要因素，而采用高效的表面工程技术，实现失效件的表面尺寸恢复与性能提升，是提高废旧产品零部件再制造率、提升再制造产业资源效益的关键所在[5]。

二是开发自动化再制造技术，适应再制造的批量化生产要求。批量化和规模化生产是再制造的重要特征，这要求再制造生产线具备对大批量产品进行规模化生产的能力。开发自动化再制造技术无疑是满足规模化生产、提升再制造生产效率的理想途径。

三是发展柔性化再制造技术，提高对再制造产品多种类变化的适应性。再制造生产对象数量大，种类繁多，个性化差异也较大，这要求再制造技术具备更好的适应性。开发柔性化再制造技术，能够使再制造生产适应产品的多元化要求，减少设备和生产成本[6]。

四是发展绿色化再制造技术，减少再制造生产的污染排放。发展再制造的重要目的是节约资源与能源、减少环境污染，因而在再制造生产环节中，应大力开发、优先使用绿色再制造技术与材料，再制造拆解、清洗及加工过程中采用清洁介质及绿色再制造技术，有效降低环境污染。

五是发展智能化再制造技术，提高再制造生产效率。重点开发再制造设计、再制造成形及再制造监测的智能化再制造技术。针对再制造零部件，基于专家数据库等信息，优化设计再制造成形技术方法，实现再制造过程的智能化设计；再制造成形过程中，实现工艺参数和控制参数自动优化，实现再制造成形过程的智能化控制；发展涡流检测、超声检测、金属磁记忆检测等智能化无损检测技术，实时掌握生产过程中再制造成形工艺稳定性和再制造成形零件状态，实现再制造产品的智能化检测，确保再制造产品的质量[7]。

六是发展多寿命低碳循环再制造技术，显著降低产品碳排放。重点研究多生命周期低碳循环再制造评估、设计、检测与评价等创新技术。结合物联网、大数据等信息技术，研究再制造产品全寿命周期数据溯源与管理，再制造产品质量监控、故障诊断与自我防护技术。针对未来发展新业态，探索再制造供应链、价值链、数据库、标准、商业模式、策略等创新模式。

对于具体的再制造技术，在设计技术方面，需加强基于循环再制造的产品多生命周期创新设计、价值创造/利用/回收设计、升级再制造设计；在再制造无损拆解技术方面，须着重考虑大型机械装备、高端数控机床以及汽车、工程机械等大型化、复杂化和精密化机电产品的快速、无损、自动化深度拆解技术；在再制造绿色清洗方面，须进一步开发新型清洗材料与装备，优化清洗工艺，提高清洗效率，降低清洗成本；在再制造损伤检测和寿命评估方面，须建立再制造毛坯材质、性能、结构及服役条件各异条件下废旧零部件的损伤信息数据库，研发再制造产品在力、磁、电、热等不同能场耦合作用下的寿命评估技术，核心单元数据挖掘、解析与修复重构技术；在再制造质量控制方面，须开发根据再制造毛坯信息工艺参数自动优化技术，进一步开发自动化、智能化再制造成形与加工技术与设备，实现再制造过程的智能控制。

预计到2025年，形成柔性再制造生产系统的规划方法，建立开展再制造升级方案设计与评价的标准化程序与支撑平台，构建完善的无损拆解与绿色清洗、损伤检测与剩余寿命评估、复杂零件增材修复与柔性再制造成形、服役安全评价等再制造全流程技术体系，实现典型机械产品及零部件的高效低碳再制造。预计到

2030 年，提供集约化再制造生产系统规划方法，形成科学的高端装备再制造升级策略体系，开发智能化再制造深度拆解及复合增材修复技术与装备，研发再制造成形集约化系列新材料，开发绿色高效再制造清洗技术，实现机电一体化装备的多生命周期循环再制造。预计到 2035 年，形成智能再制造系统规划方法体系，构建再制造产品服役寿命数据挖掘理论与评估方法，研制超大功率(十万瓦级、百万瓦级)能束能场智能化加工系统，研发再制造产品结构健康与服役安全智能监测技术设备，实现典型高端、智能、在役装备的整机绿色再制造。

4.3　再制造性设计

4.3.1　再制造性设计基础

产品本身的属性除了包括可靠性、维修性、保障性以及安全性、可拆解性、装配性等之外，还包括再制造性。再制造性是与产品再制造最为密切的特性，是直接表征产品再制造价值大小的本质属性。再制造性由产品设计所赋予，可以进行定量和定性描述。产品的再制造性好，再制造的费用就低、所用时间就少，再制造产品的性能就好，对节能、节材、环境保护贡献就大。总的来讲，面向再制造的产品设计是实现可持续发展的产品设计的重要组成部分，并将成为新产品设计的重要内容。

4.3.1.1　再制造性

明确产品的再制造性是实施再制造的前提，是产品再制造基础理论研究的首要问题。再制造性是产品设计赋予的，表征废旧产品能否简便、快捷和经济再制造的一个重要产品特性。再制造性定义为，废旧产品在规定的条件内，按规定程序和方法进行再制造时，恢复或升级到规定性能的能力。再制造性是通过设计赋予产品的一种固有属性。

再制造性是产品本身所具有的一种本质属性，无论是原产品设计制造时是否考虑都客观存在，且随着产品的使用发展而不断变化；再制造性的量度是随机变量，具有统计学意义，可用概率表示，并由概率的性质可知：$0 < R_{(a)} < 1$；再制造性具有不确定性，在不同的工作方式、使用条件、使用时间和再制造条件下，同一类型产品的再制造性是不同的，离开具体再制造条件谈论再制造性是无意义的；随着时间的推移，某些产品的再制造性可能发生变化，以前不可能再制造的产品会随着关键技术的突破而增大其再制造性，某些原来能够再制造的产品可能会随着环保指标的提高而变成不可再制造；评价产品的再制造性包括从废旧产品的回收至再制造产品的销售整个阶段，具有地域性、时间性、环境性。

4.3.1.2   再制造参数

为完整地实现再制造性设计，需要构建系列的再制造参数，主要内容包含以下几个方面。

1. 再制造度

再制造度（$R_{(n)}$）：在规定的条件及时间内使用的产品退役后，综合考虑技术、环境等因素后，通过再制造所能获得纯利润与生成的再制造产品的价值的比率。再制造度是再制造性的定量定义。

$$R_{(n)} = \frac{C_r + C_e - C_c}{C_r + C_e} = 1 - \frac{C_c}{C_r + C_e} \tag{4-1}$$

由式（4-1）可知，如果再制造度是负值，则表示投入资金要大于再制造过程中所获得的全部价值，显然不能进行再制造。如果再制造投资（C_c）大于再制造产品本身的价值（C_r），但再制造的环境效益价值（C_e）较大时，也可以通过政府的资助而进行再制造，这时主要是获得再制造产生的较大环保价值，政府是投资的主体，促进企业在获得一定利润的情况下，进行该类产品的再制造。但对企业来说，其在未能获得政府资助时，主要收益来自于再制造产品本身的价值（C_r）。因此，在企业进行再制造性评定时，可以直接用 $C_r - C_c$ 作为其主要利润来源。

另外，再制造度是一种比率，而产品由于其失效形式不同，比率也会不同，具有统计意义。

2. 再制造经济性参数

再制造费用参数是最重要的再制造性参数。它直接影响废旧产品的再制造经济性，决定生产厂商和消费用户的经济效益，又与再制造时间紧密相关，所以应用得最广。

1）平均再制造费用 $\overline{R}_{mc}$

平均再制造费用是产品再制造性的一种基本参数。度量方法为，在规定的条件下，废旧产品再制造所需总费用与进行再制造的废旧产品总数之比，即废旧产品再制造所需实际消耗费用的平均值。当有 N 个废旧产品完成再制造时，有

$$\overline{R}_{mc} = \frac{\sum_{i=1}^{n} C_i}{N} \tag{4-2}$$

式中，C_i 为第 i 个产品再制造所需的实际费用。

$\overline{R}_{mc}$ 只考虑实际再制造费用，包括拆解、清洗、检测诊断、换件、再制造加

工、安装、检验、包装等费用。对同一种产品，在不同的再制造条件，也会有不同的平均再制造费用。

2) 最大再制造费用 R_{max}

许多场合，尤其是再制造部门更关心绝大多数废旧产品能在多少费用内完成再制造，这时，则可用最大再制造费用参数。最大再制造费用是按给定再制造度函数最大百分位值 $(1-a)$ 所对应的再制造费用值，也即预期完成全部再制造工作的某个规定百分数所需的费用。最大再制造费用与再制造费用的分布规律及规定的百分位有关。通常可定 $(1-a) = 95\%$ 或 90%。

3) 再制造产品价值 V_{rp}

再制造产品价值指根据再制造产品所具有的性能，确定其实际价值，可以以市场价格作为衡量标准。由于新技术的应用，可能使得升级后的再制造产品价值要高于原来新品的价值。

4) 再制造环保价值 V_{re}

再制造环保价值指通过再制造而避免新品制造过程中所造成的环境污染处理费用，以及废旧产品进行环保处理时所需要的费用总和。

3. 再制造时间参数

再制造时间参数反映再制造工时消耗，直接关系到再制造人员设备配置和再制造费用。因而也是重要的再制造性参数。

1) 再制造时间 R_t

再制造时间指退役产品或其零部件自进入再制造程序后通过再制造过程恢复到合格状态的时间。一般来说，再制造时间要小于制造时间。

2) 平均再制造时间 $\overline{R_t}$

平均再制造时间指某类废旧产品每次再制造所需时间的平均值。再制造可以指恢复性、升级性、应急性等方式的再制造。其度量方式为：在规定的条件下某类产品完成再制造的总时间与该类再制造产品总数量之比。

4. 再制造环境性参数

1) 材料质量回收率

材料质量回收率表示退役产品可用于再制造的零件材料质量与原产品总质量的比值。

$$R_W = \frac{W_R}{W_P} \tag{4-3}$$

式中，R_W 表示材料质量回收率，W_R 表示可用于再制造的零件材料质量，W_P 表示产品总质量。

2) 零件价值回收率

产品价值回收率表示退役产品可用于再制造的零件价值与原产品总价值的比值。

$$R_\mathrm{V} = \frac{V_\mathrm{R}}{V_\mathrm{P}} \tag{4-4}$$

式中，R_V 表示产品价值回收率，V_R 表示可用于再制造的零件价值，V_P 表示产品总价值。

5. 零件数量回收率

零件数量回收率表示退役产品可用于再制造的零件数量与原产品零件总数量的比值。

$$R_\mathrm{N} = \frac{N_\mathrm{R}}{N_\mathrm{P}} \tag{4-5}$$

式中，R_N 表示产品零件数量回收率，N_R 表示可用于再制造的零件数量，N_P 表示产品零件总数量。

总之，产品再制造具有巨大的经济、社会和环境效益，虽然再制造是在产品退役后或使用过程中进行的活动，但再制造能否达到及时、有效、经济、环保的要求，首先取决于产品设计中注入的再制造性，并同产品使用、再制造生产等过程密切相关。实现再制造及时、经济、有效，不仅是再制造阶段应当考虑的问题，还必须从产品的全系统、全寿命周期进行考虑，在产品的研制阶段就进行产品的再制造性设计。

4.3.2　再制造性分析

4.3.2.1　概述

再制造性分析的目的可概括为以下几方面：①确立再制造性设计准则。这些准则应是经过分析，结合具体产品所要求的设计特性。②为设计决策创造条件。通过对备选的设计方案分析、评定和权衡研究，做出设计决策。③为保障决策（确定再制造策略和关键性保障资源等）创造条件。显然，为了确定产品如何再制造、需要什么关键性的保障资源，就要求对产品有关再制造性的信息进行分析。④考察并证实产品设计是否符合再制造性设计要求，对产品设计再制造性的定性与定量分析，是在试验验证之前对产品设计进行考察的一种途径。

整个再制造性分析工作的输入是来自订购方、承制方、再制造方三方面的信息，订购方的信息主要是通过各种合同文件、论证报告等提供的再制造性要求和各种使用与再制造、保障方案要求的约束。承制方自己的信息，来自各项研究与工程活动的结果，特别是各项研究报告与工程报告。其中最为重要的是维修性、人素工程、系统安全性、费用分析、前阶段的保障性分析等的分析结果。再制造方主要提供类似的再制造性相关数据以及再制造案例，产品的设计方案，特别是有关再制造性的设计特征，也都是再制造性分析的重要输入。通过各种分析，将能够选择、确定具体产品的设计准则和设计方案，以便获得满足包含再制造性在内各项要求的协调产品设计。再制造性分析的输出，还将为再制造工作分析和制订详细的再制造保障计划提供输入，以便确定关键性(新的或难以获得的)的再制造资源，包括检测诊断硬、软件和技术文件等。图 4-3 是再制造性分析过程示意图。

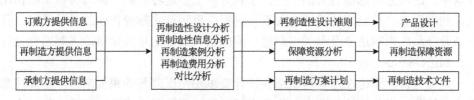

图 4-3 再制造性分析过程示意图

再制造性分析好比整个再制造性工作的"中央处理机"，它把来自各方的信息(订购方、承制方、再制造方，再制造性及其他工程)经过处理转化，提供给各方面(设计、保障)，在整个研制过程中起着关键性作用。

4.3.2.2 再制造性分析内容

再制造性分析的内容相当广泛，概括地说就是对各种再制造性定性与定量要求及其实现措施的分析、权衡。主要是：①再制造性定量要求，特别是再制造费用和再制造时间；②故障分析定量要求，如零件故障模式、故障率、修复率、更换率等；③采用的诊断技术及资源，例如，自动、半自动、人力检测测试的配合，软、硬件及现有检测设备的利用等；④升级性再制造的费用、频率及工作量；⑤战场或特殊情况下损伤的应急性再制造时间；⑥非再制造应用时再制造性问题，例如，产品使用中的再制造与再制造间隔时间及工作量等。

4.3.2.3 再制造性设计分析方法

再制造性设计分析可采用定性与定量分析相结合进行，主要有以下几种分析方法。

故障模式及影响分析(FMEA)——再制造性信息分析。要在一般产品故障或零件失效分析基础上着重进行"再制造性信息分析"和"损坏模式及影响分析（DMEA）"。前者可确定故障检测、再制造措施，为再制造性及保障设计提供依据；后者为意外突发损伤应急再制造措施及产品设计提供依据。

运用再制造性模型。根据再制造性信息输入和分析内容，选取或建立再制造性模型，分析各种设计特征及保障因素对再制造性的影响和对产品完好性的影响，找出关键性因素或薄弱环节，提出最有利的再制造性设计和测试分系统设计。

运用全寿命周期成本(LCC)模型。再制造性分析，特别是分析与明确设计要求，设计与保障的决策中必须把产品寿命周期费用作为主要的考虑因素，运用 LCC 模型，确定某一决策因素对 LCC 的影响，进行有关费用估算，作为决策的依据之一。

比较分析。无论在明确与分配各项设计要求时，还是在选择确定再制造保障要素中，比较分析都是有力的手段。比较分析主要是将新研产品与类似产品相比较，利用现有产品已知的特性或关系，包括在再制造实际操作中的经验教训，分析新研产品的再制造性及有关再制造保障问题，给出定性或定量的再制造性设计或再制造保障要求。

风险分析。无论在考虑再制造性设计要求还是保障与约束要求时，都要注意评价其风险，当分析这些要求与约束不能满足时，采取措施预防和减少其风险。

权衡技术。各种权衡是再制造性分析中的重要内容，分析中要综合运用不同权衡技术，如利用数学模型和综合评分、模糊综合评判等方法都是可行的。

以上各项，属于一般系统分析技术，再制造性分析时要针对分析的目的和内容灵活应用。例如，在 LCC 模型中，可以不计与再制造性无关的费用要素。

4.3.3　再制造性分配

4.3.3.1　概述

再制造性分配是把产品的再制造性指标分配或配置到产品各个功能层次的每个部分，以确定它们应达到的再制造性定量要求，以此作为设计各部分结构的依据。再制造性分配是产品再制造性设计的重要环节，合理的再制造性分配方案，可以使产品经济而有效地达到规定的再制造性目标。

在产品研制设计中，要根据系统总的再制造性分配的指标要求，将它分配到各功能层次的每个部分，以便明确产品各部分的再制造性分配的指标。其具体目的就是为系统或产品的各部分研制者提供再制造性设计指标，使系统或产品最终达到规定的再制造性要求。再制造性分配是产品研制或改进中为保证产品的再制造性所必须进行的一项工作，也只有合理分配再制造性的各项指标，才能避免设计的盲目性，才可以使产品系统达到规定的再制造性指标，满足末端产品易于再制造的要求。同时，再制造性分配的指标分配主要是研制早期的分析、论证性工作，所需要的人力和费用消耗都有限，但却在很大程度上决定着产品设计，决定着产品末端时的再制造能力。合理的指标分配方案，可使产品研制经济而有效地达到规定的再制造性目标。

再制造性分配的指标一般是指关系产品再制造全局的系统再制造性的主要指标，常用的指标有平均再制造费用和平均再制造时间。再制造性分配的指标还可以包括再制造产品的性能及环境指标等内容。

4.3.3.2　再制造性分配的程序

再制造性分配要尽早开始，逐步深入，适时修正。只有尽早开始分配，才能充分地权衡各子部件再制造性分配的指标的科学性，进行更改和向更低层的零部件进行分配。在产品论证中就需要进行指标分配，但这时的分配属于高层次的，比如把系统再制造费用性指标分配到各分系统和重要的设备。在初步设计中，由于产品设计与产品故障情况等信息仍有限，再制造费用性指标仍限于较高层次，例如某些整体更换的设备、部件和零件。随着设计的深入，指标分配也要不断深入，直到分配至各个可拆解单元。各单元的再制造性要求必须在详细设计之前确定下来，以便在设计中确定其结构与连接等影响再制造性的设计特征。再制造性分配的指标分配的结果还要随着研制的深入进行必要的修正。在生产阶段遇有设计更改，或者在产品改进中都需要进行再制造性分配的指标分配(局部分配)。

在进行再制造性分配之前，首先要明确分配的再制造性分配的指标，对产品进行功能分析，明确再制造方案。其主要步骤如下：

(1)进行系统再制造职能分析，确定各再制造级别的再制造职能及再制造工作流程；

(2)进行系统功能层次分析，确定系统各组成部分的再制造措施和要素，并用包含再制造的系统功能层次框图表示；

(3)确定系统各组成部分的再制造频率，包括恢复性、升级性和改造性再制造的频率；

(4)将系统再制造性分配的指标分配到各部分；

(5)研究分配方案的可行性，进行综合权衡，必要时局部调整分配方案。

4.3.3.3　再制造性分配的方法

产品及其零部件的再制造性分配可采用表 4-3 所示的方法。除每次再制造所需平均费用外，必要时还应分配再制造活动的费用，如拆解费用、检测费用、清洗费用和原件再制造费用等。

表 4-3　产品及其零部件再制造性分配方法

方法	适用范围	简要说明
等值分配法	产品各零部件复杂程度、失效率相近的单元,缺少再制造信息时做初步分配	取产品各零部件的再制造性分配的指标相等(例如相同或相近的零部件)
按失效率分配法	产品零部件已有较确定的故障模式及再制造统计	按失效率高的再制造费用应当尽量小的原则分配
按失效率和设计特性的综合加权分配法	已知产品零部件单元的再制造性值及有关设计方案	按失效率及预计的再制造加工难易程度加权分配
利用相似产品再制造数据分配法	有相似产品再制造性数据的情况	利用相似产品数据,通过比例关系分配
价值率分配法	产品失效零部件价值率区分比较明显的情况	按价值率的高低进行相应的再制造性分配

1) 等值分配法

等值分配法是一种最简单的分配方法,适用于产品各零部件的结构相似、失效率和失效模式相似及预测的再制造难易程度大致相同。也可用在缺少相关再制造性信息时,做初步的分配。分配的准则是取产品各零部件单元的费用指标相等,即

$$\overline{R}_{\mathrm{mc1}} = \overline{R}_{\mathrm{mc2}} = \overline{R}_{\mathrm{mc3}} = \cdots = \overline{R}_{\mathrm{mc}n} = \frac{\overline{R}_{\mathrm{mc}}}{n} \tag{4-6}$$

2) 按零部件失效率分配法

为了降低再制造费用,对于再制造失效率高的单元原则上要降低其再制造费用以保证最终再制造费用较低。因此,设计中可取各单元的平均再制造费用 $\overline{C}_{\mathrm{mr}}$ 与其失效率 λ 成反比,即

$$\lambda_1 \overline{R}_{\mathrm{mc1}} = \lambda_2 \overline{R}_{\mathrm{mc2}} = \cdots = \lambda_n \overline{R}_{\mathrm{mc}n} \tag{4-7}$$

$$\overline{R}_{\mathrm{mc}} = \frac{n \lambda_i \overline{R}_{\mathrm{mc}i}}{\displaystyle\sum_{i=1}^{n} \lambda_i} \tag{4-8}$$

由上式可得各零部件的指标为

$$\overline{R}_{\mathrm{mc}i} = \frac{\overline{R}_{\mathrm{mc}} \displaystyle\sum_{i=1}^{n} \lambda_i}{n \lambda_i} \tag{4-9}$$

当各单元失效率已知时,即可求得各零部件的指标 $R_{\mathrm{mc}i}$。零部件的失效率越高,分配的再制造费用则越少;反之则越多。这样,可以比较有效地达到规定的再制造费用指标。

3) 按相对复杂性分配

在分配指标时，要考虑其实现的可能性，通常就要考虑各单元的复杂性。一般产品结构越简单，其失效率越低，再制造也越简便迅速，再制造性好；反之，结构越复杂，再制造性越差。因此，可按相对复杂程度分配各单元的再制造费用。取一个复杂性因子 K_i，定义为预计第 i 单元的组件数与系统(上层次)的组件总数的比值，则第 i 单元的再制造费用指标分配值为

$$A_i = A_S K_i \tag{4-10}$$

式中，A_S 为系统(上层次)的再制造费用值。

4) 按相似零部件分配法

该法是借用已有的相似产品再制造状况提供的信息，作为新研制或改进产品再制造性分配的依据。这种方式适用于有继承性的产品的设计，因此，需要找到适宜的相似产品数据。

已知相似产品零部件的再制造性数据，计算新产品零部件的再制造性分配的指标，可用式(4-11)表示：

$$\overline{R}_{\mathrm{mr}i} = \frac{\overline{R'_{\mathrm{mr}i}}}{\overline{R'_{\mathrm{mr}}}} \overline{R}_{\mathrm{mr}} \tag{4-11}$$

式中，$\overline{R'_{\mathrm{mr}}}$ 和 $\overline{R'_{\mathrm{mr}i}}$ 分别表示相似产品和它的第 i 个单元的平均再制造费用。

5) 按价值率分配法

产品再制造的一个基本条件是要实现核心件的再利用，一般核心件是指产品中价值比较大的零部件。高附加值核心件的应用能够显著地降低再制造总费用，所以在再制造费用指标分配时，可以适当对有故障的高价值率的核心件分配较多的再制造费用。即取一个价值率因子 P_i，定义为第 i 个零部件的价值与产品总价值的比值。则第 i 个零部件的再制造费用指标分配值为

$$C_i = C P_i \tag{4-12}$$

式中，C_i 指第 i 个零部件的再制造费用；C 指再制造的总费用。

4.3.4　再制造性预计

4.3.4.1　概述

再制造性预计是用作再制造性设计评审的一种工具或依据，其目的是预先估计产品的再制造性参数，即根据历史经验和类似产品的再制造数据等估计、测算新产品在给定工作条件下的再制造性参数，再制造的费用效益较好的再制造性工

作，利用它避免频繁的试验摸底，其效益是很大的。可以在试验之前，或产品制造之前，及至详细设计完成之前，对产品可能达到的再制造性水平做出估计，以便早日做出决策，避免设计的盲目性，防止在完成设计、制成样品试验时才发现不能满足再制造要求，无法或难以纠正。

产品研制过程的再制造性预计要尽早开始、逐步深入、适时修正。在方案论证及确认阶段，就要对满足使用要求的系统方案进行再制造性预计，评估这些方案满足再制造性要求的程度，作为选择方案的重要依据。在工程研制阶段，需要针对已做出的设计进行再制造性预计，确定系统的固有再制造性参数值，并做出是否符合要求的估计。在研制过程中，当设计改动时，要做出预计，以评估其是否会对再制造性产生不利影响及影响的程度。

再制造性预计的参数应同规定的指标相一致。最经常预计的是再制造费用及再制造时间指标，包括平均再制造费用、最大再制造费用及平均再制造时间等。再制造性预计的参数通常是系统或设备级的，而要预计出系统或设备的再制造性参数，必须先求得其组成单元的再制造费用及再制造频率。在此基础上，运用累加或加权和等模型，求得系统或设备的再制造费用，所以，根据产品设计特征估计各单元的再制造费用及故障频率是预计工作的基础。

4.3.4.2　再制造性预计的条件及步骤

不同时机、不同再制造性预计方法需要的条件不尽相同。但预计一般应具有以下条件：

(1)现有相似产品的数据，包含产品的结构和再制造性参数值。这些数据用作预计的参照基准。

(2)再制造方案、再制造资源(包括人员、物质资源)等约束条件。只有明确再制造保障条件，才能确定具体产品的再制造费用等参数值。

(3)系统各单元的故障率数据，可以是预计值或实际值。

(4)再制造工作的流程、时间元素及顺序等。

研制过程各阶段的再制造性预计，适宜用不同的预计方法，其工作程序也有所区别。但一般地说，再制造性预计要遵循以下程序：

收集资料。预计是以产品设计或方案设计为依据的。因此，再制造性预计首先要收集并熟悉所预计产品设计或方案设计的资料，包括各种原理、方框图、可更换或可拆装单元清单，乃至线路图、草图直至产品图，以及产品及零部件的可能故障模式等。再制造性预计又要以再制造方案、故障分析为基础。因此，还要收集有关再制造与故障模式及其尽可能细化的资料。这些数据可能是预计值、试验值或参考值。所要收集的第二类资料，是类似产品的再制造性数据，包括相似零部件的故障模式、故障率、再制造度及再制造费用等信息。

再制造职能与功能分析。与再制造性分配相似，在预计前要在分析上述资料基础上，进行系统再制造职能与功能层次分析。

确定设计特征与再制造性参数的关系。再制造性预计归根结底是要由产品设计或方案设计估计其参数。这种估计必须建立在确定出影响再制造性参数的设计特征的基础上。例如，对一个可更换件，其更换费用主要取决于它的固定方式、紧固件的型式与数量等。对一台设备来说，其再制造费用则主要取决于设备的复杂程度（可更换件的多少）、故障检测隔离方式、可更换件拆装难易等。因此，要从现有类似产品中找出设计特征与再制造性参数值的关系，为预计做好准备。

预计再制造性参数量值。预计再制造性参数量值具有不同的方法，主要可应用推断法、单元对比法、累计图表法、专家预计法等来完成。

4.4　再制造性评价技术

4.4.1　废旧产品再制造性影响与评价

4.4.1.1　再制造性影响因素分析

再制造性评价包括新产品的再制造性试验评定与废旧产品再制造前的再制造性评价，后者主要根据技术、经济及环境等因素进行综合评价，以确定其再制造性量值，定量确定退役产品的再制造能力。再制造性评价的对象包括废旧产品及其零部件。

废旧产品是指退出服役阶段的产品。退出服役原因主要包括：产品产生不能进行修复的故障（故障报废）、产品使用中费效比过高（经济报废）、产品性能落后（功能报废）、产品的污染不符合环保标准（环境报废）、产品款式等不符合人们的爱好（偏好报废）。

再制造全周期指产品退出服役后所经历的回收、再制造加工及再制造产品的使用直至再制造产品再次退出服役阶段的时间。再制造加工周期指废旧产品进入再制造工厂至加工成再制造产品进入市场前的时间。

由于再制造属于新兴学科，产品再制造性设计还未能在新品设计中得到充分应用，以往生产的产品大多没有进行专业的再制造性设计。当该类废旧产品送至再制造工厂后，首先要对产品的再制造性进行评价，判断其能否进行再制造。国外已经开展了对产品再制造性评价的研究。影响再制造性的因素错综复杂，可归纳如图 4-4 所示的几个方面[8]。

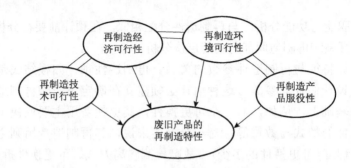

图 4-4　废旧产品的再制造性及其影响因素

由图 4-4 可知，产品再制造的技术可行性、经济可行性、环境可行性、产品服役性等影响因素的综合作用决定了废旧产品的再制造性，而且四者之间也相互产生影响。

再制造性的技术可行性要求废旧产品进行再制造加工技术及工艺上可行，可以通过原产品恢复或者升级，来恢复或提高原产品性能的目的，而不同的技术工艺路线又对再制造的经济性、环境性和产品的服役性产生影响。

再制造性的经济可行性是指进行废旧产品再制造所投入的资金小于其综合产出效益(包括经济效益、社会效益和环保效益)，即确定该类产品进行再制造是否"有利可图"，这是推动某种类废旧产品进行再制造的主要动力。

再制造性的环境可行性是指对废旧产品再制造加工过程本身及生成后的再制造产品在社会上利用后所产生的影响小于原产品生产及使用所造成的环境污染成本。

再制造产品的服役性主要指再制造加工生成的再制造产品其本身具有一定的使用性，能够满足相应市场需要，即再制造产品是具有一定使用效用的产品。

通过以上几方面对废旧零件再制造性的评价后，可为再制造加工提供技术、经济和环境综合考虑后的最优方案，并为在产品设计阶段进行面向再制造的产品设计提供技术及数据参考，指导新产品设计阶段的再制造性设计。正确的再制造性评价还可为进行再制造产品决策、增加投资者信心提供科学的依据。

4.4.1.2　再制造性的定性评价

对已经报废或使用过的旧产品进行再制造，必须符合一定的条件。部分学者从定性的角度进行了分析。德国的 Rolf Steinhilper 教授从评价以下 8 个不同方面的标准来进行对照考虑[9]：

(1)技术标准(废旧产品材料和零件种类以及拆解、清洗、检验和再制造加工的适宜性)；

(2)数量标准(回收废旧产品的数量、及时性和地区的可用性)；

(3) 价值标准(材料、生产和装配所增加的附加值);

(4) 时间标准(最大产品使用寿命、一次性使用循环时间等);

(5) 更新标准(关于新产品比再制造产品的技术进步特征);

(6) 处理标准(采用其他方法进行产品和危险部件的再循环工作和费用);

(7) 与新制造产品关系的标准(与原制造商间的竞争或合作关系);

(8) 其他标准(市场行为、义务、专利、知识产权等)。

美国的 Lund 教授通过对 75 种不同类型的再制造产品进行研究,总结出以下7 条判断产品可再制造性的准则[10]:

(1) 产品功能已丧失;

(2) 有成熟的恢复产品质量特性的技术;

(3) 产品已标准化、零件具有互换性;

(4) 附加值比较高;

(5) 相对于其附加值,获得"原料"的费用比较低;

(6) 产品的技术相对稳定;

(7) 顾客知道在哪里可以购买再制造产品。

以上的定性评价主要针对已经大量生产、已损坏或报废产品的再制造性。这些产品在设计时一般没有考虑再制造的要求,在退役后主要依靠评估者的再制造经验以定性评价的方式进行。

4.4.1.3　再制造性的定量评价

废旧产品的再制造性定量评价是一个综合的系统工程,研究其评价体系及方法,建立再制造性评价模型,是科学开展再制造工程的前提。不同种类的废旧产品其再制造性一般不同,因为服役产品的工作环境、使用方式与服役时间不同,导致了废旧产品的退役方式也多种多样,如部分产品是自然损耗达到了使用寿命而报废,部分产品是因为特殊原因(如火灾、地震及偶然原因)而导致报废,部分产品是因为技术、环境或者拥有者的经济原因而导致报废,不同的报废原因导致了同类产品具有不同的再制造性量值。目前废旧产品再制造性定量评估通常可采用以下几种方法来进行:

(1) 费用-环境-性能评价法:是从费用、环境和再制造产品性能三个方面综合评价各个方案的过程。

(2) 模糊综合评价法:是通过运用模糊集理论对某一废旧产品再制造性进行综合评价的一种方法。模糊综合评价法是用定量的数学方法处理那些对立或有差异、没有绝对界限的定性概念的较好方法。

(3) 层次分析法:是将再制造性的定性和定量分析相结合的系统评价方法。层次分析法是分析多目标、多准则的复杂系统的有力工具。

4.4.1.4　再制造性综合评价方法

产品的再制造性是一个复杂的系统，涉及因素多，而且数据缺乏，许多处于模糊的定性分析，因此，对其进行综合评价可采用模糊层次分析法。模糊层次分析法是在传统层次分析方法的基础上，考虑人们对复杂事物判断的模糊性而引入模糊一致矩阵的决策方法，较好地解决了复杂系统多目标综合评价问题，是当前比较先进的评价方法，具体参考相关材料。

1. 再制造性评估指标体系

评估指标体系的构建是实施科学评估的首要环节。如前所述，再制造性是产品本身的一种重要属性，并在再制造过程中体现出来。再制造性过程受技术、经济、环境、使役四个方面的影响，结合再制造实践分析，首先从技术性、经济性、环境性和服役性四个方面建立一级指标，然后对 4 个一级指标进一步分解，形成 14 个三级指标，构建的产品再制造性评估指标体系如表 4-4 所示。

表 4-4　产品再制造性评价指标

目标层	一级指标	二级指标
		模块化程度(U_{11})
		标准化程度(U_{12})
	技术性(U_1)	可拆解性(U_{13})
		资源保障性(U_{14})
		技术成熟度(U_{16})
		成本(U_{21})
产品的再制造性(U)	经济性(U_2)	利润(U_{22})
		环境效益(U_{23})
		材料再用率(U_{31})
	环境性(U_3)	能源节约率(U_{32})
		三废减排量(U_{33})
		市场需求率(U_{41})
	服役性(U_4)	服役寿命(U_{42})
		用户满意度(U_{43})

2. 模糊层次综合评判在再制造性评估中的应用

某型产品的再制造性可以采用如下的模糊层次综合评判方法。

1）确定再制造性

根据前面分析，该型产品再制造性评估指标因素集可分为一级指标集和二级指标集。

2）确定权重集

使用表 4-5 所示的 1～9 比率标度法，结合表 4-4 建立的评估指标层次结构，确定一级指标相对于目标层、二级指标相对一级指标的判断矩阵如下所述。

表 4-5　准则层判断矩阵

U	U_1	U_2	U_3	U_4
U_1	1	4	8	3
U_2	1/4	1	3	1/2
U_3	1/8	1/3	1	1/8
U_4	1/3	2	8	1

技术性（U_1）判断矩阵						经济性（U_2）判断矩阵			
U_1	U_{11}	U_{12}	U_{13}	U_{14}	U_{15}	U_2	U_{21}	U_{22}	U_{23}
U_{11}	1	2	5	4	4	U_{21}	1	1/4	1/2
U_{12}	1/2	1	3	1	3	U_{22}	4	1	2
U_{13}	1/5	1/3	1	1/2	1/2	U_{23}	2	1/2	1
U_{14}	1/2	1	2	1	1/2				
U_{15}	1/4	1/2	2	1/2	1				

环境性（U_3）判断矩阵				服役性（U_4）判断矩阵			
U_3	U_{31}	U_{32}	U_{33}	U_4	U_{41}	U_{42}	U_{43}
U_{31}	1	3	8	U_{41}	1	2	1/2
U_{32}	1/3	1	3	U_{42}	1/2	1	1/4
U_{33}	1/8	1/3	1	U_{43}	2	4	1

计算各二级指标和一级指标相对评估目标的权重，并进行一致性验证。

例如，对于判断矩阵 $U=\begin{bmatrix} 1 & 4 & 8 & 3 \\ 1/4 & 1 & 3 & 1/2 \\ 1/8 & 1/3 & 1 & 1/8 \\ 1/3 & 2 & 8 & 1 \end{bmatrix}$，其计算结果归一化后，

W=[0.5748　0.1437　0.0630　0.2184]，其最大特征值为 4.0517，CI=0.0172，RI=0.90，CR=0.0194＜0.10

同理，二级指标权重计算及其一致性检验如下：

U_1=[0.4073   0.2112   0.0748   0.1948   0.1119]，λ_{max}=5.0415，CI=0.0104，RI=1.12，
CR=0.0093＜0.10

U_2=[0.1429   0.5714   0.2857]，λ_{max}=3.0000，CI=0.0000，RI=0.58，CR=0.0000＜0.10

U_3=[0.6817   0.2363   0.0819]，λ_{max}=3.0015，CI=0.0008，RI=0.58，CR=0.0015＜0.10

U_4=[0.2857   0.1429   0.5714]，λ_{max}=3.0000，CI=0.0000，RI=0.58，CR=0.0000＜0.10

3）确定评语集

根据经验和现实需求确定评语集为 4 个等级，即

$$V=\{v_1,\ v_2,\ v_3,\ v_4\}=\{优秀，良好，一般，较差\}$$

邀请长期从事该领域再制造的 20 位专家组成评估组，采用投票的方式对该型产品进行再制造性评判，评判结果如表 4-6 所示。

表 4-6　各指标专家评价结果

属性指标	评价结果/人			
	优秀	良好	一般	较差
U_{11}	9	8	2	1
U_{12}	5	11	3	1
U_{13}	6	9	3	2
U_{14}	12	6	2	0
U_{15}	14	4	2	0
U_{21}	9	7	3	1
U_{22}	6	9	4	1
U_{23}	12	5	3	0
U_{31}	4	8	3	5
U_{32}	5	7	4	4
U_{33}	4	9	5	2
U_{41}	12	6	2	0
U_{42}	7	6	5	2
U_{43}	8	5	4	3

4）单因素隶属度矩阵计算

根据相关方法，由表 4-6 可计算出各影响因素的隶属度微量，得到单因素隶属度矩阵。以"技术性"因素为例，得到的隶属度矩阵为

$$U_1 = \begin{bmatrix} 0.45 & 0.40 & 0.10 & 0.05 \\ 0.25 & 0.55 & 0.15 & 0.05 \\ 0.30 & 0.45 & 0.15 & 0.10 \\ 0.60 & 0.30 & 0.10 & 0 \\ 0.70 & 0.20 & 0.10 & 0 \end{bmatrix}$$

可得

$$U_1 = w_1 \cdot R_1 = \begin{bmatrix} 0.4073 \\ 0.2112 \\ 0.0748 \\ 0.1948 \\ 0.1119 \end{bmatrix}^{\mathrm{T}} \cdot \begin{bmatrix} 0.45 & 0.40 & 0.10 & 0.05 \\ 0.25 & 0.55 & 0.15 & 0.05 \\ 0.30 & 0.45 & 0.15 & 0.10 \\ 0.60 & 0.30 & 0.10 & 0 \\ 0.70 & 0.20 & 0.10 & 0 \end{bmatrix} = [0.4537 \quad 0.3936 \quad 0.1143 \quad 0.0384]$$

同理可得

$$U_2 = w_2 \cdot R_2 = [0.4071 \quad 0.3786 \quad 0.1786 \quad 0.0357]$$

$$U_3 = w_3 \cdot R_3 = [0.2118 \quad 0.3922 \quad 0.1700 \quad 0.2259]$$

$$U_4 = w_4 \cdot R_4 = [0.4500 \quad 0.2714 \quad 0.1786 \quad 0.1000]$$

5）综合评判

U 的模糊评价的隶属度矩阵 $U = [U_1 \quad U_2 \quad U_3 \quad U_4]$，则总的评价结果为

$$U = w \cdot R = \begin{bmatrix} 0.5748 \\ 0.1437 \\ 0.0630 \\ 0.2184 \end{bmatrix}^{\mathrm{T}} \cdot \begin{bmatrix} 0.4537 & 0.3936 & 0.1143 & 0.0384 \\ 0.4017 & 0.3786 & 0.1786 & 0.0357 \\ 0.2118 & 0.3922 & 0.1700 & 0.2259 \\ 0.4500 & 0.2714 & 0.1786 & 0.1000 \end{bmatrix}$$

$$= [0.4301 \quad 0.3646 \quad 0.1411 \quad 0.0633]$$

为将最后得到的总评语集中的四个等级的权重分配转化为一个总分值，将评判的等级进行量化处理，以百分制为 4 个等级分别赋值，其中：优秀（90～100 分，取 95 分），良好（80～89 分，取 85 分），一般（65～79 分，取 72 分），较差（50～64 分，取 57 分）。则该型产品的再制造性综合评价值 R_{au} 为

$$R_{\mathrm{au}} = 95 \times 0.4301 + 85 \times 0.3646 + 72 \times 0.1411 + 57 \times 0.0633 = 85.6178$$

根据再制造性评判标准表，可得知该型产品的再制造性处于良好水平，需要根据各评价指标的权重按序改进设计方案，提高易于再制造的能力。

4.4.1.5　再制造性评价关键技术

再制造性评价是实现产品再制造决策及再制造生产方案控制的重要手段，是提升再制造效益的有效措施。产品的再制造性评估主要有两种方式，一是对已经使用报废和损坏的产品在再制造前对其进行再制造合理性评估，这些产品一般在设计时没有按再制造要求进行设计；二是当进行新产品的设计时对其进行再制造性试验评定，并用评估结果来改进设计，增加产品再制造性。

本领域的发展，将以下述内容作为发展目标：

(1)研究再制造性试验与评定方法，开展虚拟再制造性试验、加速再制造性试验以及与可靠性、维修性兼容的再制造性试验方法。

(2)研究面向再制造的可拆解性、材料恢复性、装配性等具体再制造性的评价方法，建立可再制造性具体量化模块的评价方法，提供可执行的分项再制造性评价手段。

(3)研究废旧产品的再制造性具有不确定性，并根据再制造技术、生产设备及废旧产品本身服役性能特征来建立多因素的废旧产品再制造性评价技术方法与手段，建立基于层次分析法、模糊评价法、专家评估法等具体的再制造性评价手段，可以为废旧产品的再制造生产决策提供直接依据，提高再制造效益。

本领域发展所涉及的关键技术有再制造性试验、再制造性评价，以及拆解性、材料恢复性等技术方法内容。

4.4.2　新品再制造性试验与评定

4.4.2.1　概述

再制造性试验是产品研制、生产乃至使用阶段再制造性工程的重要活动。其总的目的是：考核产品的再制造性，确定其是否满足规定要求；发现和鉴别有关再制造性的设计缺陷，以便采取纠正措施，实现再制造性增长。此外，在再制造性试验与评定的同时，还可对有关再制造的各种保障要素(如再制造计划、备件、工具、设备、技术资料等资源)进行评价。

产品研制过程中，进行了再制造性设计与分析，采取了各种监控措施，以保证把再制造性设计到产品中去。同时，还用再制造性预计、评审等手段来了解设计中的产品的再制造性状况。但产品的再制造性到底怎样，是否满足使用要求，只有通过再制造实践才能真正检验。试验与评定，正是用较短时间、较少费用及时检验产品再制造性的良好途径。

4.4.2.2　试验与评定的时机与区分

为了提高试验费用效益，再制造性试验与评定一般应与功能试验、可靠性试验及维修性试验结合进行。必要时，也可单独进行。根据试验与评定的时机、目的，再制造性试验与评定可区分为核查、验证与评价。

1. 再制造性核查

再制造性核查是指制造方为实现产品的再制造性要求，贯穿于从零部件、元器件直到分系统、系统的整个产品设计研制过程中，不断进行的再制造性试验与评定工作。

核查的目的是通过试验与评定，检查修正再制造性分析与验证所用的模型和数据；发现并鉴别设计缺陷，以便采取纠正措施，改进设计保障条件使再制造性得到增长，保证达到规定的再制造性。可见，核查主要是承制方的一种研制活动与手段。

核查的方法灵活多样，可以采取在产品实体模型、样机上进行再制造作业演示，排除模拟（人为制造）的末端产品及其零部件的故障或实际故障，按预计再制造方案测定再制造费用等试验方法。其试验样本量可以少一些，置信度低一些，着重于发现缺陷，探寻改进再制造性的途径。若要求将正式的再制造性验证与后期的核查结合进行，则应按再制造性验证的要求实施。

2. 再制造性验证

再制造性验证是指为确定产品是否达到规定的再制造性要求，由指定的试验机构进行或由再制造方与承制方联合进行的试验与评定工作。再制造性验证通常在产品定型阶段进行。

验证的目的是全面考核产品是否达到规定要求，其结果作为批准定型的依据之一。因此，再制造性验证试验的各种条件应当与实际使用再制造的条件相一致，包括试验中进行再制造作业的人员、所用的工具、设备、备件、技术文件等均应符合再制造与保障计划的规定。试验要有足够的样本量，在严格的监控下进行实际再制造作业，按规定方法进行数据处理和判决，并应有详细记录。

3. 再制造性评定

再制造性评定是指订购方在承制方配合下，为确定产品在实际再制造条件下的再制造性所进行的试验与评定工作。评价通常在试用或使用阶段进行。

再制造性评定的对象是已退役或需要升级的产品，需要评价的再制造作业重点是在实际使用中经常遇到的再制造工作。主要依靠收集使用再制造中的数据，必要时可补充一些再制造作业试验，以便对实际条件下的再制造性做出估价。

4. 一般程序

再制造性试验与评定的一般程序可分为准备阶段和实施阶段。目前尚未对其实施的要求、方法、管理做出详细规定。此处仅根据其他的方法做简单介绍。

1) 试验与评定的准备

准备阶段的工作，通常包括制订试验计划；选择试验方法；确定受试品；培训试验再制造人员；准备试验环境、设备等条件，试验之前，要根据相关的规定，结合产品的实际情况、试验时机及目的等，制订详细的计划。

选择试验方法与制订试验计划必须同时进行。应根据合同中规定要验证的再制造性分配的指标、再制造率、再制造经费、时间及试验经费、进度等约束，综合考虑选择适当的方法。

再制造性试验的受试品，对核查来说可取研制中的样机，而对验证来说，应直接利用定型样机或在提交的等效产品中随机制取。

参试再制造人员要经过训练，达到相应再制造生产时再制造技术人员的中等技术水平。试验的环境条件、工具、设备、资料、备件等保障资源，都要按实际使用再制造情况准备。

2) 试验与评定的实施

a. 确定再制造作业样本量

因再制造性定量要求是通过参试再制造人员完成再制造作业来考核的，所以为了保证其结果有一定的置信度，减少决策风险，必须进行足够数量的再制造作业，即要达到一定的样本量。但样本量过大，会使试验工作量、费用及时间消耗过大。可以结合维修性验证来进行，一般地说，再制造性一次性抽样检验的样本要求在 30 以上。

b. 选择与分配再制造作业样本

为保证试验具有代表性，所选择的再制造作业样本最好与实际使用中进行的再制造作业一致。所以，对恢复性再制造来说，优先选用对物理寿命退役产品进行的再制造作业。试验中把对产品在功能试验、可靠性试验、环境试验或其他试验所使用的样本量，作为再制造性试验的作业样本。当达到自然寿命时间太长时，或者再制造条件不充分时，可用专门的模拟系统来加速寿命试验，快速达到其物理寿命，供再制造人员试验使用。为缩短试验延续时间，也可全部采用虚拟再制造方法。

在虚拟再制造中，再制造作业样本量还要合理地分配到产品各部分、各种故障模式。其原则是按与故障率成正比分配，即用样本量乘某部分、某模式故障率与故障率总和之比作为该部分、该模式故障数。

c. 虚拟与现实再制造

对于虚拟或现实的试验中末端产品，可由参试再制造人员进行虚拟再制造或现实再制造，按照技术文件规定程序和方法，使用规定设备器材等进行再制造试验，同时记录其相关费用、时间等信息。

d. 收集、分析与处理试验数据

试验过程要详细记录各种原始数据；对各种数据要加以分析，区分有效与无效数据，特别是要分清哪些费用应计入再制造费用中。然后，按照规定方法计算再制造性参数或统计量。

e. 评定

根据试验过程及其产生的数据，对产品的再制造性做出定性与定量评定。

定性评定，主要是针对试验、演示中再制造操作情况，着重检查再制造的要求等，并评价各项再制造保障资源是否满足要求。

定量评定，是按试验方法中规定的判决规则，计算确定所测定的再制造作业时间或工时等是否满足规定指标要求。

f. 编写试验与评定报告

再制造性试验与评定报告的内容与格式要求应制定详细的规定。

4.4.2.3　面向再制造的产品材料设计评价方法

面向再制造的产品材料设计是指在产品设计中对材料的设计及选择以利于末端产品再制造为目标，综合考虑质量、功能、经济及环保等综合因素，使产品零部件在老旧时便于实现零部件材料的性能提升或高品质恢复。进行充分的材料设计，可以保证在产品的性能恢复中实现材料的强化，并提高再制造过程中的故障零件恢复率或性能恢复能力，提升再制造效益，这是再制造性设计中的重要环节和内容。

1. 材料再制造设计影响因素

一般来讲，产品材料的再制造设计可选择的方案较多，但通过对不同材料选择方案的科学评价，来进行材料的恢复优化选择，可以保证获取最大化的产品再制造效益，提升产品性能。而影响或制约产品材料再制造设计的因素很多，但主要可以从以下 5 个因素作为材料设计选择评价的重要影响因素。

1) 材料服役寿命

材料服役寿命是指材料在产品使用过程中能够使其原有性能保持在某一合格水平上所达到的最长时间。产品再制造的基础是产品核心零部件能够实现重用，因此，材料服役寿命是面向再制造的产品设计中对材料设计的最根本要求。面向再制造的产品材料要求具有长寿命，即能够保持产品零部件(尤其是核心件)具备足够长的服役性能，又可以经过多次再制造周期使用。由于产品及其零部件的失效机理各不相同，因此应根据具体的失效形式，选择不同的材料来适当延长产品零部件的服役寿命，尤其对于附加值比较高的再制造核心件，必须采用长寿命设计使其可以直接或通过再制造后实现重用，以降低再制造费用。例如：在面向再制造的材料设计中，减少核心件中易老化材料(塑料、橡胶等)的使用；避免相互影响的材料组合，避免零件的污损及减寿；加强材料的强度设计，用多寿命周期的费效比来考虑材料的选用等。

2) 材料可恢复性

材料可恢复性是指产品材料性能降低后可以采取有效技术手段来提升其性能的能力。材料性能可恢复性的好坏，直接关系着零件使用寿命长短以及其他资源消耗，影响乃至决定着产品再制造后的寿命、性能和费用。为了通过再制造来延长产品的使用寿命和提升性能，就必须对产品核心零部件的材料进行易恢复性设计。例如：核心零部件的材料设计应在满足功能和性能要求的前提下，选用易于再制造时的结构或材料成分；同时，产品零部件材料设计要实现标准化、通用化、可重置化、可恢复化，对于磨损后的零部件，有助于在表面采用电刷镀、热喷涂等技术进行表面几何和理化性能的恢复。

3) 材料经济性

材料经济性是指选用产品材料时所投入成本的多少。经济性好就是指选用该材料时投入成本低，获得更高的经济效益。在面向再制造的产品材料设计中不能单纯以一次寿命周期来考虑材料的经济性，由于再制造实现了产品的多寿命周期使用，应该以多寿命周期的模式来全面分析材料的经济效益。例如：即使在原设计中投入的资金相对一次生命周期为高，但如果以再制造产品的多寿命周期来计算，其经济性还是比较合理的。

4) 材料环保性

材料环保性是指材料使用所带来的环境影响的大小。在面向再制造的材料设计中，要求设计人员改变传统的选材程序和步骤，不仅要考虑产品的使用要求和性能，同时要考虑再制造绿色产业的标准。例如：在面向再制造的材料选择中，要少用短缺或稀有的原材料，尽量使用代用材料；减少所用材料种类，尽量采用相容性好的材料，以利于废弃后材料的分类回收；尽量少用或不用有毒害的原材料；优先采用可再利用、再循环或易于降解、具有良好环境协调性的绿色材料；尽量减少产品再制造过程中材料使用的能量消耗。

5) 材料可分离性

材料可分离性是指对组成零部件的不同材料可进行物理分离的难易程度。在产品再制造过程中，要求产品的材料易于分解、易于清洗、易于分类、易于检测等，因此，在材料设计中，对材料的选用提倡简约的模块化可分离设计原则。材料的模块化可分离设计包括：材料模块的独立性、材料模块的兼容性和材料模块的可置换性。模块化设计还包括材料的开放性，指材料在功能和性能上应具有可扩展性和恢复性，也就是说在再制造过程中，通过对模块材料的强化和表面处理可实现材料性能的恢复，并保证新材料系统和旧材料系统的协调工作。

在面向再制造的产品设计中，材料的选择和产品的再制造性是一种互动关系。当材料性能难以满足产品再制造要求时，必须参照面向再制造的材料影响因素进行优化。产品再制造设计中材料的选择往往是各向异性的，因此结合产品使用材料时的功能性和产品再制造时材料的重用性分析，使材料性能得以最优发挥，应是产品再制造设计选材的重要考虑因素。

2. 材料的再制造性设计方案的专家评分评价法

专家评分法是一种以专家主观判断为主、定量分析为辅的一种评价方法。它主要是指通过征询有关专家的意见，对专家意见进行统计、处理、分析和归纳，客观地综合多数专家经验与主观判断，对大量难以采用技术方法进行定量分析的因素做出合理估算，经过多轮意见征询、反馈和调整后，对评价方案进行分析的方法。

针对产品设计初期面向再制造的材料不同设计选择方案的特点，可以采用专家分析法来进行评估，以确定不同方案的重要程度。产品再制造材料设计方案的专家评分法是采用匿名方式征求专家对材料的再制造性设计方案中的材料选择意见，经反复信息交流和反馈修正，使专家的评价意见趋于一致，根据专家的综合意见，得到再制造产品材料制造恢复性设计方案的评价结果。实施专家评分法首先要成立评价小组、编制专家评价表。某材料的再制造性设计方案评价表可设如表4-7所示，具体指标还可以进一步细化。

表4-7 材料设计方案评价表[11]

序号	材料评价项目	评分等级					得分
		优	良	中	差	劣	
1	服役寿命						
2	材料恢复性						
3	经济性						
4	环保性						
5	可分离性						

具体评价步骤如下：

(1)选择专家。选择专家的基本原则是必须突出广泛性、代表性和权威性，重点选择再制造设计及材料领域的专家,兼顾系统分析评价等领域;既要考虑有丰富理论基础的专家,还要考虑工程实践经验丰富的专家。专家人数的确定要根据再制造材料选择方案的细化程度和评价要求的精度而定。一般情况下,评价精度越高,需要的专家人数越多。通常来说,选择 5～50 名专家为宜。

(2)实施第 1 轮调研。向专家分发评价表。要求专家"背对背"填写。

(3)分析第 1 轮调查资料。第 1 轮问卷回收后,由评价组织小组对专家填写后寄回的问卷进行汇总和整理,分析数据的集中趋势、离散趋势和分布特征。统计分析每项评价内容得分,将分析结果形成统计分析报告,应包括评价项目、评价内容、均值、标准差、偏态系数、峰态系数等。

(4)实施第 2 轮调查。将第 1 轮统计分析报告附在评分表上寄给第 1 轮征询的专家,并将各专家上轮回答的复印件作为参考。专家在回答第 2 轮问卷时仍应该"背对背"。

(5)统计整理第 2 轮调查资料。回收第 2 轮问卷并整理结果。包括新评价结果及部分专家不同意第 1 轮问卷结果的意见。

(6)实施第 3 轮调查。将第 2 轮各位专家回答问卷的统计分析报告,以及第 3 轮评分表分发各位评审专家。

(7)综合分析前 3 轮调查结果。回收、整理第 3 轮调查材料。若经过 3 轮调查后,绝大多数评价已经满足分布、偏态系数和峰态系数要求时,则无需再做下一轮调查,若评价的离差程度很大,则有必要做第 4 轮甚至第 5 轮问卷调查。计算各材料设计方案评价项目的综合得分:

$$T_{\mathrm{M}} = \sum_{i=1}^{n} W_i P_i \tag{4-13}$$

式中,T_{M} 为各评价材料方案的综合得分总计;P_i 为第 i 个指标的得分;W_i 为第 i 个指标的权重,由评价小组根据评价的目的确定;n 为评价指标数。

另外还可以建立面向再制造的材料设计方案重要度评估的专家分析结果的指数加权求和模型:

$$T'_{\mathrm{M}} = \sum_{i=1}^{n} P_i^{W_i}$$

式中,P_i 为第 i 个指标的得分;n 为评价指标数。

3. 评价应用

某一产品面向再制造设计时某一核心件材料的设计有 3 种可选方案,分别为材料 1、材料 2、材料 3，通过对多名专家打分的结果进行综合分析，可得到各个方案的不同因素得分，如表 4-8 所示。又经过调研和分析，可以确定各个因素指标的权重分别是：材料服役寿命系数 0.30，材料恢复性系数 0.22，材料经济性系数 0.29，材料环保性系数 0.07，材料可分离性系数 0.12。试计算 3 种材料选择方案的不同重要度。

表 4-8　专家评价得分数据表

	服役寿命	材料恢复性	经济性	环保性	可分离性
材料 1	0.65	0.78	0.69	0.58	0.76
材料 2	0.59	0.85	0.92	0.76	0.55
材料 3	1.00	0.66	0.63	0.92	0.96

（1）采用线性加权求和法计算各材料的重要度，则有

$$T_{M_1}=\sum_{i=1}^{5}W_iP_i=0.65\times0.30+0.78\times0.22+0.69\times0.29+0.58\times0.07+0.76\times0.12=0.6985$$

$$T_{M_2}=\sum_{i=1}^{5}W_iP_i=0.59\times0.30+0.85\times0.22+0.92\times0.29+0.76\times0.07+0.55\times0.12=0.7500$$

$$T_{M_3}=\sum_{i=1}^{5}W_iP_i=1.00\times0.30+0.66\times0.22+0.63\times0.29+0.92\times0.07+0.96\times0.12=0.8075$$

（2）采用指数加权求和法计算各材料方案的重要度，则有

$$T'_{M_1}=\sum_{i=1}^{5}P_i^{W_i}=0.65^{0.30}+0.78^{0.22}+0.69^{0.29}+0.58^{0.07}+0.76^{0.12}=4.6536$$

$$T'_{M_2}=\sum_{i=1}^{5}P_i^{W_i}=0.59^{0.30}+0.85^{0.22}+0.92^{0.29}+0.76^{0.07}+0.55^{0.12}=4.7064$$

$$T'_{M_3}=\sum_{i=1}^{5}P_i^{W_i}=1.00^{0.30}+0.66^{0.22}+0.63^{0.29}+0.92^{0.07}+0.96^{0.12}=4.7765$$

根据（1）、（2）计算结果可知，$T_{M_3}>T_{M_2}>T_{M_1}$ 或 $T'_{M_3}>T'_{M_2}>T'_{M_1}$，因此，可根据材料方案的重要度进行面向再制造的材料设计，3 种材料的选择顺序是：材料 3、材料 2、材料 1。

参 考 文 献

[1] 徐滨士，马世宁，刘世参，等. 绿色再制造工程设计基础及其关键技术[J]. 中国表面工程，2001, 14（2）: 12-15.

[2] 徐滨士. 绿色再制造工程及其在我国应用的前景[R]. 中国工程院咨询报告，2000.

[3] 国家自然科学基金委员会工程与材料科学部. 机械与制造科学[M]. 北京: 科学出版社，2006: 373-398.

[4] GB/T 28618—2012. 机械产品再制造　通用技术要求[S]. 北京: 中国标准出版社，2012.

[5] 徐滨士，梁秀兵，史佩京，等. 我国再制造工程及其产业发展[J]. 表面工程与再制造，2015, 15（2）: 6-10.

[6] 朱胜. 柔性增材再制造技术[J]. 机械工程学报，2013, 49（23）: 1-5.

[7] Yin Z, Zhang G, Gao H, et al. A Framework of Intelligent Remanufacturing System Based on Robotic Arc Welding[M]. Robotic Welding, Intelligence and Automation. Berlin: Springer, 2011: 49-55.

[8] 徐滨士，等. 装备再制造工程[M]. 北京: 国防工业出版社，2013: 12.

[9] Steinhilper R. Remanufacturing: The Ultimate form of Recycling[M]. Fraunhofer IRB Verlag, 1999.

[10] Lund R. The Remanufacturing Industry-Hidden Giant[R]. Boston: Boston University, 1996, 01.

[11] 姚巨坤，朱胜，崔培枝，时小军. 装备研制中面向再制造的材料设计及评价[J]. 装甲兵工程学院学报，2010, 24（5）: 82-85.

第5章

再制造拆解与清洗技术

5.1 概　述

拆解和清洗是产品再制造过程中的重要工序，是对废旧机电产品及其零部件进行检测和再制造加工的前提，也是影响再制造质量和效率的重要因素。再制造拆解和清洗技术是进行再利用、再制造和循环处理的前提，对提高废旧零部件的利用率，提升再制造企业的市场竞争力具有重要意义，相关研究已成为当前再制造产业发展的迫切需求。

再制造拆解技术由传统的拆解工具开发逐步向产品可拆解性设计、拆解路径规划技术、虚拟拆解技术、自动化深度高效拆解技术与装备研发等方面转变。清洗技术发展趋势目前已由环境污染较严重的化学清洗方法向更加多元、环保的物理清洗方法转变。目前，尽管不断有新型清洗技术开发应用到再制造过程，但是再制造清洗领域仍然面临着粗放型操作、工序多、难以集成自动化、清洗介质浪费严重和环境污染等问题。德国拜罗伊特大学研究指出，清洗是产品再制造工艺流程中环境污染最为严重的一个环节，因为它涉及有危害性清洗介质的使用，而且生产企业中的再制造清洗目前还只是停留在经验水平而非知识水平，应该通过优化研究、综合考虑清洗力、化学性质、温度和时间等因素，获得耗时短、成本低、清洗效果好的最佳工艺，实现多工序清洗集中进行，避免多级操作，从而节省清洗时间、降低清洗成本。而在再制造拆解技术方面，可拆解性设计尚处于起步阶段，拆解规划仅限于研究单位开展建模、拆解序列生成与优化等研究，缺少有效的自动化深度、无损拆解技术与装备，导致企业再制造过程中拆解效率低、拆解劳动强度大、无损拆解率低，制约了产业的快速发展。

随着再制造研究与应用领域由传统的机械产品逐步向机电复合产品和信息电子产品扩展，产业发展由传统优势的汽车、矿山、工程机械、机床等领域逐步向医疗设备、IT装备、航空航天装备等高端装备领域拓展，再制造模式由基地再制造向现场再制造发展，再制造拆解和清洗技术面临新的要求和挑战，未来拆解与清洗技术将逐渐向高效、绿色和智能化方向发展。

5.2　再制造拆解技术基础

5.2.1　再制造拆解的内涵

再制造拆解(remanufacturing disassembly)是指将再制造毛坯进行拆卸、解体的活动[1]。再制造拆解技术是对废旧产品的拆解工艺过程中所用到的全部工艺技术与方法的统称。科学的再制造拆解工艺技术能够有效地保证再制造产品质量,提高旧件利用率,减少再制造生产时间和费用,提高再制造的环保效益。再制造拆解工艺技术的基本要求是指将废旧产品及其部件有规律地按顺序分解成零部件并保证其性能不受到进一步损坏的过程。

拆解过程主要包括解除约束和从某方向拆下两个内容,要实现产品拆解,须尽可能多地掌握待拆解产品的拆解信息。首先确定待拆零部件的阻碍或约束关系,及阻碍或约束关系采用何种的连接方式;其次需要了解待拆零部件在产品整体中的空间位置信息,以及需要的拆解工具、拆解时间等;最后还要衡量待拆零部件的拆解难易程度及经济性等相关的信息。

拆解序列指组成产品的零部件从产品上拆解分离出的先后顺序。一般产品由多个零部件构成,所以存在多个可行的拆解序列,且随着零部件数目的增多,产品的拆解序列数目呈指数级增长。由于不同的拆解序列对应的拆解时间和拆解成本不同,在进行产品拆解时需要优选出最佳的产品拆解序列,即针对不同的优化目标,挑选出最接近优化目标的拆解序列。

拆解经济性,拆解产生的收益与拆解过程产生的成本支出之间的差值。在计算拆解成本的情况下,拆解的目的在于获取收益,当拆解进行到一定程度,支出大于收益时,就没有必要再进行拆解作业。影响拆解的经济性有很多因素,包括拆解程度、废物的处理、零部件拆解的难易程度等。因此,拆解过程中要权衡拆解收益与拆解成本之间的关系,进行拆解经济性分析,若拆解到一定程度时拆解的经济性开始降低,那么就停止对产品的拆解[2]。

拆解不确定性,产品在报废后其结构特性与其初始状态相比会发生改变,拆解之前难以掌握,拆解过程中会遇到无法预料的难题,这便是拆解的不确定性问题[3]。产品在工作周期过程中会发生零部件的磨损、腐蚀,在维修过程中可能有零部件的更换或者连接结构的改变,另外产品中的部分零部件采用焊接、锻造以及其他的连接方式在解除这些连接关系时,不可避免地要破坏某些零件等,这些情况都增加了产品拆解的不确定性。

导致产品拆解过程不确定性问题产生的因素主要有以下几个方面[4]:

(1)连接件的老化。如螺纹连接处生锈了，拆解复杂性比以前大大增加，这样拆解人员在评估各拆解步骤的拆解时间时便会有一些误差，可能会影响拆解序列规划。

(2)零部件的更换。如产品在维修期间，对失效零件进行更换，且与原来的型号不同。

(3)连接结构的改变。如维修过程中将原来的螺纹连接改变为焊接，这样在拆解中便不能做到无损拆解。

(4)零部件发生损坏或变形。若是连接件发生损坏或变形，有可能影响非破坏性拆解；若为非连接件发生损坏或变形，则可能影响零件间的运动阻碍关系。

再制造拆解工具，指在进行产品拆解作业时需要借助的工具或设备。常用的拆解工具为螺钉旋具、扳手等，除了这些常用的拆解工具外，针对不同的再制造产品还需满足零件特点的专用拆解设备。以发动机再制造拆解为例，通常采用台式液压机来快速拆解缸体里的销子，特别是过盈配合活塞销；采用连杆加热器对连杆拆解；采用专用支座固定被拆解发动机。

5.2.2　再制造拆解的分类

再制造拆解按照拆解目的、方式、程度及顺序等有多种分类方法。

1)破坏性拆解和非破坏性拆解

根据在产品的拆解过程是否会对构成该产品的总成、零部件等造成损伤或损坏，可以把拆解分成破坏性拆解和非破坏性拆解两类。

破坏性拆解。当再制造产品拆解时，使得相关零件受到损伤或损坏，使得零件的形状或功能发生改变且不能恢复，就是破坏性拆解。破坏性拆解过程是不可逆的，所以要根据零部件的实际情况判断是否该采用破坏性拆解方式。例如，螺母腐蚀产生锈死且不能正常拆解时可采用破坏性拆解的方式。

非破坏性拆解。当再制造产品拆解时，采用某种拆解方式能够进行拆解且零件无破坏损伤，则为非破坏性拆解。一般情况下，非破坏性拆解具有可逆性。与破坏性拆解相比，非破坏性拆解具有更高的资源回收利用率，所以进行再制造拆解时应尽量采用非破坏性拆解。

2)完全拆解和选择拆解

拆解并不是将产品完全分解成单个零件的过程，而是根据再制造的需求将旧品拆解成它的可能形态，如总成、部件、零件或材料等。因此，根据构成该产品再制造需要，判定产品的零件是否需要都被拆解，可将拆解化分完全拆解和选择性拆解。

完全拆解。完全拆解是指对构成产品的所有零件都必须进行拆解的拆解方式。这种拆解方式一般耗时较长，拆解成本高，因此，完全拆解适用于拆解具有高附加值的零部件。

选择拆解。基于拆解的实际情况，有时对构成产品的某个或某些高附加值的零件进行拆解的方式，这种拆解方式称为选择拆解。在再制造拆解的实际应用中，通常采用选择拆解。例如，仅将受损零件进行拆解，保留未损伤零件的情况属于选择性拆解。

3) 并行拆解和顺序拆解

拆解并不要求将构成产品的各个总成或零部件等逐个从废旧产品上拆解。因此，根据装配体中的每个零部件是否需要同时进行拆解，将拆解分为并行拆解和顺序性拆解。

并行拆解。当对某个废旧产品进行拆解时，对构成产品的两个或多个零部件同时进行拆解的方式，称之为并行拆解。并行拆解可提高拆解效率，与顺序拆解相比，所需的拆解时间较短。

顺序拆解。当对某个废旧产品进行拆解时，对构成产品的零件逐个拆解的方式，称之为顺序拆解。顺序拆解适用于空间可达性较差或拆解优先约束等条件限制零件的拆解，约束条件限定了顺序拆解的方式，进而实现设定的拆解顺序。

在产品拆解的实际过程中，为了提高产品的拆解效率，应尽量采用并行拆解的方式，或并行及串行混用的拆解方式。具体拆解顺序，应根据拆解产品的实际状况及拆解需要。

4) 多维拆解和一维拆解

拆解并不完全要求将构成产品的各个总成或零部件等沿着某个特定的方向将它们拆解下来。因此，基于装配体中的某个或某些零件或部件是否沿某个特定的方向拆解，可以将拆解分为多维拆解和一维拆解。

多维拆解。在产品拆解过程中，可以对构成该产品的单个或多个零件沿多个方向进行拆解的方式，称之为多维拆解。实际过程中，零件拆解方向取决于产品的结构特性和设计特性。对于有些产品的拆解，由于其结构特性，为提高拆解效率，可以沿多方向对零部件同时拆解。而对于不能沿多个方向拆解的产品，则只能采用一维拆解方式。

一维拆解。在产品拆解过程中，对构成产品的某个零件只能沿某一个方向进行拆解的方式，称之为一维拆解。该拆解方式主要适用于由于受到结构特性序列约束的特定零部件的拆解。

对于实际的产品拆解过程中，根据产品的结构特性及序列优先约束顺序，为提高产品的拆解效率，可以根据需要采用多维或一维拆解方式。

5.2.3　拆解信息及其表达

　　产品进行拆解分析时，产生的信息主要包括产品零件信息等拆解基本信息，以及拆解实现信息、装配关系信息和约束信息等拆解过程信息。零件信息包括材质、尺寸结构、配合状态等体现零件特征的信息[5]。

　　1) 拆解实现信息

　　拆解实现信息主要包括拆解时间、拆解能量和拆解的可达性。拆解时间指完成产品某一连接的拆解过程所消耗的时间，由基本拆解时间和辅助拆解时间组成，拆除产品中全部连接所花费的总时间称为产品总拆解时间。拆解能指拆解某个连接所消耗的能量，完成产品整体拆解所消耗的能量总和称为产品总拆解能。拆解的可达性指对某个连接部位进行拆卸、切断、切割等操作时，拆解对象易于观察、接近及拆解的程度。由于零件的几何可达性和零件拆解方向范围密切相关，因此可采用拆解方向范围来对可达性进行定量描述。拆解时间和拆解能量反映了产品的可拆解性，产品拆解时间和拆解能量增加，其拆解性降低。

　　2) 产品装配关系信息

　　构成产品的各个零部件之间相互配合的关系称为产品装配关系，可分为定位关系、运动关系和连接关系。装配关系信息能反映产品的结构、体现产品的功能。不同装配关系中零件间相互关系不同，如两个零件直接接触，称为直接关联；如果零件沿某一方向移动受另一零件的干涉，称为间接关联；如果两零件不接触，也无移动干涉，称为自由关系。在再制造拆解过程中，直接关联和间接关联的零件影响其拆解过程和拆解序列。

　　3) 产品关联约束信息

　　拆解分析所需要的约束信息包括反映产品零件之间约束关系的信息及零件与工具夹具之间约束关系的信息。拆解信息的输入和输出可通过人机交互方式进行，也可从产品 CAD 模型中获取。拆解设计技术与 CAD 集成会使产品拆解分析具有较高的自动化程度。

5.3　再制造拆解技术与工艺

5.3.1　常用再制造拆解方法

　　再制造拆解工艺方法可分为击卸法、拉卸法、压卸法、温差法及破坏性拆解法。根据实际情况在拆解中具体选用。各拆解方法的优缺点比较见表 5-1。

表 5-1　拆解方法的优缺点比较

拆解方法	优点	缺点
击卸法	使用工具简单，操作灵活多变，不需要特殊工具与设备，适用范围广	容易造成零件的损伤或破坏
拉卸法	不受冲击力，拆解较为安全，零件小易损坏，拆解精度较高	需要制作专用工具
压卸法	不受冲击力，拆解较为安全，零件小易损坏	适用于复杂结构的零部件拆解
温差法	对有过盈配合的零部件能做到非破坏性拆解	消耗能源较多，拆解环境恶劣
破坏法	核心组件能得到完好保留	拆解过程中部分零件遭到破坏

1）击卸法

击卸法是指利用锤子或其他重物敲击或撞击使零件拆解分离。该方法具有工具简单、操作方便、适用范围广等优点，但击卸法易造成零件损伤。击卸法按操作方式分为三类：一是用锤子击卸，对拆解件种类繁多，运输分类不便，一般就地拆解，锤子击卸操作方便；二是利用零件自重冲击能量来进行拆解，如锻压设备常利用锤头的自重冲击能量对锤头与锤杆进行拆解分离；三是利用重物冲击拆解，如采用重型撞锤拆解结合牢固的大、中型轴类零件。

2）拉卸法

拉卸法是使用专用工具，如顶拔器等把待拆零件拆解下来的一种静力拆解方法。它具有拆解件不受冲击力、安全性高、不易损坏零件等优点，但需要专用工具。该方法适用于拆解精度要求较高、不许敲击或无法敲击的零件。

3）压卸法

压卸法是利用压力机进行的一种静力拆解方法，适用于拆解形状简单的过盈配合件。这种方法可比较顺利地将零件拆解下来。只要加压的方向、着力点位置选择合适，再加以必要的润滑就可以完成。

4）温差法

温差法是利用材料热胀冷缩的物理性能，加热包容件，使配合件在温差条件下失去过盈量，实现拆解，此法适用于拆解尺寸较大的零件和热装的零件。对于如液压压力机或千斤顶等设备中尺寸大、配合过盈量大、精度要求高的配合件或无法用击卸、顶压等其他方法拆解时，可采用温差法拆解。在工程实际中，加热或冷却温差一般控制在 $100 \sim 120\,℃$，防止零件变形或影响精度。必要时利用加热和拉卸两种组合的方法进行拆解。

5）破坏法

对焊接、铆接等固定连接件拆解时，或轴与套已互相咬死无法拆卸时，为保存核心价值件而必须破坏低价值件，通常采用车、锯、钻、錾、割等方法进行破坏性拆解，这种拆解需要注意保证核心价值件或主体部位不受损坏，而对其他附件采用破坏方法拆离。

在拆解实施过程，会对资源和环境都会产生影响。如击卸法是利用重物的冲击作用实现拆解，实施过程中会产生很大的噪声污染；温差法需要加热某一零部件或是零部件的某一部位，由于温度升高，在特定的工作环境可能会对人体产生热辐射影响；破坏法是通过破坏零部件的外形实现拆解，拆解过程难免产生废铁屑，操作不当可能引发安全事故。除此之外，半自动化拆解方法采用了电气化设备辅助，还需消耗电能。

表 5-2 为上述 5 种拆解工艺方法的资源环境属性。

表 5-2　拆解工艺方法的资源环境属性

拆卸方法	资源/能源消耗			环境影响				
	原材料	辅助材料	能源	空气	水	废物	其他	安全
击卸法	无	工具损耗	无	少量粉尘	无	无	噪声	避免砸伤
拉卸法	无	工具损耗	无	微弱气体	油污	无	无	较安全
压卸法	无	压力机损耗	消耗大	无	油污	无	无	较安全
温差法	无	无	消耗大	无	无	无	热辐射	避免烫伤
破坏法	无	工具损耗	有消耗	粉尘或挥发性气体	无	铁屑	噪声	注意操作安全

5.3.2　典型连接件的再制造拆解

1) 螺纹连接件的拆解

螺纹连接是应用最广的连接形式之一，具有操作简单、可调节和可多次拆解装配等优点。虽然拆解容易，但有时因重视不够或工具选用不当、拆解方法不正确而造成损坏，应特别引起注意。拆解时首先要认清螺纹旋向，选用合适的扳手或螺钉旋具、双头螺栓专用扳手等，少用活动扳手。拆解时用力均匀，受力大的特殊螺纹才允许用加长杆。在特殊情况下，可采用下述的拆解方法。

(1) 断头螺钉的拆解。机械设备中的螺钉头有时会被打断，断头螺钉在机体表面以上时，可在螺钉上钻孔，打入多角淬火钢杆，再把螺钉拧出；断头螺钉在机体表面以下时，可在断头端的中心钻孔，攻反向螺纹，拧入反向螺钉旋出；也可在断头上锯出沟槽，用一字形螺钉旋具拧出；或用工具在断头上加工出扁头或方头，用扳手拧出；或在断头上加焊弯杆拧出；也可在断头上加焊螺母拧出；当螺钉较粗时，可用扁錾沿圆周剔出。

(2) 打滑内六角螺钉的拆解。当内六角磨圆后出现打滑现象时，可用孔径比螺钉头外径稍小的六方螺母，放在内六角螺钉头上，将螺母和螺钉焊接成一体，用扳手拧螺母即可将螺钉拧出。

(3)锈死螺纹的拆解。用煤油浸润，或者用布头浸上煤油包在螺钉或螺母上，浸泡 20 min 左右，使煤油渗入连接处。可以浸润铁锈，起润滑作用，便于拆解；或用锤子敲击螺钉头或螺母，使连接受到振动而自动松开，以便于拆解；或试着把螺钉向拧紧方向拧动一下，再旋松，如此反复，逐步拧出；若上述方法均不可行，而零件又允许，可快速加热包容件，使其膨胀，软化锈层也能拧出；还可用錾、锯、钻等方法破坏螺纹件。

(4)成组螺纹连接件的拆解。它的拆解顺序一般为先四周后中间，对角线方向轮换。先将其拧松少许或半周，然后再顺序拧下，以免应力集中到最后的螺钉上，损坏零件或使结合件变形，造成难以拆解的困难。要注意先拆难以拆解部位的螺纹件。

(5)过盈配合螺纹连接拆解。拆解时，可将带内螺纹的零件加热使其直径增大后再旋出来。

2)键连接的拆解

(1)平键连接的拆解。轴与轮毂的配合常采用过渡配合或间隙配合。拆去轮毂后，键一般保留在轴上，如果键的工作面良好且不需更换时，可不必拆解；如果键已经损坏，可用扁錾将键錾出；当键松动时，可用尖嘴钳拔出。滑键上一般都有专门供拆解用的螺纹孔，可用适合的螺钉旋入孔中，顶住键槽底面，把键顶出来。当键在槽中配合很紧而又必须拆出且需要保存完好时，可在键上钻孔、攻螺纹，然后用螺钉把它顶出来。

(2)斜键连接的拆解。斜键的上下面均为工作面，装入后会使轴产生偏心，因此在精密装配中很少采用。拆解斜键时，必须注意拆解方向，用冲子从键较薄的一端向外冲出。如果斜键带有钩头，可用钩子拉出；如果没有钩头，可在端面加工螺纹孔，拧上螺钉将键拉出。

3)轴类零件的拆解

拆解轴类零件时，首先应了解轴的阶梯方向，再根据轴的阶梯方向决定轴拆解时的移出方向；拆出轴两端轴承盖和轴上的定位零件，如紧定螺钉、弹性挡圈及保险弹簧等零件；松开装在轴上且不能穿过轴承孔的零件如齿轮、套等，并注意轴上的键是否能随轴通过各孔；用木锤击打轴端，拆解轴；也可在轴端加保护垫块后再将轴击卸下。

4)静止连接件的拆解

拆解静止连接件常用的办法是拉卸，利用拉出器将被拆解件拉卸出；在某些情况下，也可用局部加热或局部冷却的方法将被拆解件拆解。拆解尺寸较大的轴承或过盈配合件时，为使轴和轴承免遭破坏，可利用加热拆解。

5)销连接的拆解

拆解销钉时可用冲子冲出(冲锥销时须冲小头)。冲子的直径要比销钉直径稍小，打冲时要猛而有力。当销钉弯曲打不出来时，可用钻头钻掉销钉，所用钻头的直径应比销钉稍小，以免钻伤孔壁。圆柱定位销在拆去被定位的零件后，常保留在本体上，必须拆下时，可用尖嘴钳拔出。

6) 过盈连接件

拆解过盈件，应按零件配合尺寸和过盈量大小，选择合适的拆解工具和方法。视松紧程度由松至紧，依次用木锤、铜棒、手锤或大锤、拉器、机械式压力机、液压压力机、水压机等进行拆解。过盈量过大或为保护配合面，可加热包容件或冷却被包容件后再迅速压出。无论使用何种方法拆解，都要检查有无定位销、螺钉等附加固定或定位装置，若有必须先拆下。施力部位要正确，受力要均匀且方向正确。

7) 滚动轴承的拆解

拆解滚动轴承时，除按过盈连接件的拆解要点进行外，还应注意尽量不用滚动体传递力；拆解轴末端的轴承时，可用小于轴承内径的铜棒或软金属、木棒抵住轴端，在轴承下面放置垫铁，再用手锤敲击。

8) 不可拆连接的拆解

不可拆连接主要指通过焊接、铆接等方式进行的连接。焊接件的拆解可用锯割、扁錾切割、用小钻头钻一排孔后再錾或锯以及气割等。铆接件的拆解可錾掉、锯掉、气割铆钉头，或用钻头钻掉铆钉等。

5.3.3　再制造拆解的质量控制

1. 拆解过程的影响因素

拆解过程是产品拆解质量控制的关键环节，因此进行产品拆解过程影响因素的分析，解决可能影响拆解质量的问题，有利于产品拆解质量的控制。通常影响拆解过程的因素包括连接类型、结构特性、拆解工具、拆解状态、操作人员素质等几个方面。

1) 连接类型

连接件是指相邻两个或多个部件通过采用施加外力的方式融为一起的特殊部件[6]。产品的拆解过程其实就是使用相应的拆解工具和拆解工艺不断解除商品中各个连接件连接关系的过程，这种连接件的解除过程在进行非破坏性拆解过程中特征更为突出。连接件的连接方式是拆解技术研究的核心问题，与拆解难易程度、拆解方法和拆解工具有直接关系，因此，研究连接件的连接方式对于产品的拆解的质量控制有重要的意义。

按照经典理论，一般按照连接类型的构成特性及方式，将连接类型分为五种类型，如图 5-1 所示。

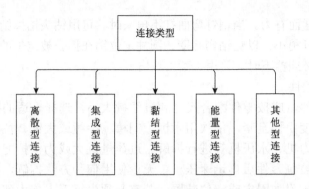

图 5-1   连接类型的分类

离散型连接。离散型连接是指包含两个或多个零部件，且这些零件相互独立的一种连接件。离散型连接能够实现异质零件之间的连接。离散型连接的缺点是连接状况不稳定，当连接操作不当或不好时易造成连接件的零部件之间的配合质量下降。典型的离散型连接主要有螺纹连接、螺钉连接等。对离散型连接件进行拆解时，当零件之间的连接方式被解除以后，零件能从与其相关联的零部件上顺利移除。因此在进行离散型连接拆解时，一般不会对相关联零部件造成损伤。

集成型连接。集成型连接是指连接件被集成于零部件上的一种连接方式。集成型连接方式可以有效减少产品零部件的数量。集成型连接主要有卡扣、卡规及卡环等。集成型连接件拆解用时少，拆解效率高，因拆解引起的质量问题也少。

黏结型连接。黏结型连接是指应用黏结剂将并通过黏结作用、物理及化学作用将不同的零部件胶结在一起的连接方式。黏结型连接的特点是可根据零部件不同的工作要求，选配合适的黏结剂及黏结方式。常用的黏结剂有丙烯酸树脂、聚亚氨酯等，黏结型连接常用于高分子材料零件之间或高分子材料与金属之间的连接，也可用于金属之间的连接。黏结型连接黏结力相对较弱，只能用于非受力情况。进行黏结型连接件分解时，一般采用加热或化学试剂法，必要时也可锤击或破坏性拆解。

能量型连接。能量型连接是指采用外界的能量源将不同的零部件连接起来的一种连接方式。常见的能量型连接方式就是焊接。能量型连接的优点是可以根据零部件的不同材质选取适合的焊接方式和工艺以提高连接的稳定性，连接质量高，稳定性好。能量型连接件的拆解特点是，拆解困难，以破坏性拆解为主，拆解质量不可控。

其他型连接。将不同于以上的四种典型连接方式的连接称为其他型连接，常见的连接方式有接缝、卷边等。

连接是造成零部件约束形成的基本形式，因此在产品进行拆解过程中，需根据不同的连接方式采用不同的拆解方式，采用的拆解工具和方法也因类型特点而异，相应的拆解耗费的时间及费用也不相同，进而决定了产品的拆解效率和质量的差异。通常在再制造拆解设计时，通过研究不同的典型的连接方式对拆解效率及质量的影响，来进行产品的可拆解性评价及设计，再制造过程中在满足产品规定功能的同时，尽量选取易于拆解的连接类型，保证产品的拆解质量和效率。

2) 结构特性

产品是由一定数量的零部件构成的，这些构成产品的零部件的组合形式，即以怎么样的结构特性体现零部件与产品的结构拓扑关系将对其拆解过程有重要的影响。合理的产品的结构形式设计，有利于报废产品的拆解规划，能够提高产品的拆解质量和效率；若产品的结构形式设计不合理，则会对产品的拆解造成不利的影响。

进行废旧产品结构分析时，树形结构设计比集中型结构更利于零部件材料识别及产品拆解规划。树形结构设计及集中型结构设计示意图，如图 5-2 所示。

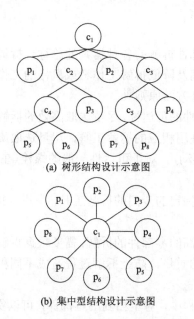

(a) 树形结构设计示意图

(b) 集中型结构设计示意图

图 5-2　产品结构构成典型示意图

c_i—产品或部件；p_i—零件

产品是由零部件构成，而零部件又是由不同的材料组成的。因此，材料属性不仅对产品的服役前的性能有重要影响，而且对于产品报废后的回收特性也有重要影响，因此进行再制造拆解前，材料属性的分析十分必要。在进行产品设计和再制造时，应考虑材料属性的以下几个方面[7]：材料的使用性、经济性、稀缺性和自然特性，材料在产品制造、加工、测试及使用过程中性能的变化特性，材料的易识别特性、易检测性与环境特性。

在产品的拆解及回收再制造过程中，了解掌握废旧产品的材料属性是必要前提，拆解下的零部件并不都可以再利用。要根据拆解下来的废旧零件质量状况，材料属性是否适合再制造技术工艺的开展及经济性等，来决定是否对其进行再制造。因而再制造前了解了零部件的材料构成，有利于后续指导我们对其进行处理和再利用。再制造处理前，应根据零部件的使用特点进行材质选取。使用过程中的材料性能变化特性不相同，其材料特性随着所处环境的运行工况的变化会发生改变。因此，材料性能的变化是造成产品拆解状态不确定的重要原因之一。

拆解过程中产品放置对拆解工作有重要影响，须根据产品结构特性及拆解路径，考虑零部件被拆解的可达性。一般拆解可达性分为工具可达性和视觉可达性。

在进行废旧产品的拆解设计时，要综合考虑其结构形式、材料属性及其结构设计的可达性三方面的内容，制定科学的拆解工艺路径和处理方式，从而提高产品的可拆解性和拆解质量。

3）拆解工具

拆解工具是用于零部件拆解的各种器具的总称。拆解工具对于提高产品拆解效率、减少产品拆解时间及降低拆解工作者或机械的工作量具有重要作用。拆解工具的选择可遵循以下几方面原则[8]：

（1）根据目标拆解零件的可达性，尽量选取高效的拆解工具。以螺栓插接为例，根据可达性的好坏选择使用相应的拆解工具，尽量选取旋转扳手进行拆解可达性好的螺栓（可在 180°内摆动）。对于可达性一般的螺栓（在 90°内摆动）选用普通扳手进行拆解。

（2）对于特定产品有指定的专门的拆装工具，在进行拆解操作时，应尽量选用这些专用工具。

（3）对于精度要求较高的零部件的拆解，需要根据拆解要求的拆解工具实施拆解，以保护拆解后零件的质量，防止拆解过程造成不同程度的损伤，提高该零件的使用率。

（4）在产品的拆解过程中，对于相同的零部件，可以实现同时拆解的，须同时进行拆解，以减少拆解工具的变换次数，从而减小产品的拆解时间。

（5）在常规条件下，一般的产品只需使用常用的普通工具，即可实现产品的拆解。然而，通常情况下大多数待拆对象均是使用后的报废产品，拆解过程中会存在各种不确定问题。当对螺栓进行拆解时，若其使用时间较短，受到外界环境的影响小，仅受到轻微的腐蚀和微小的形变，在进行拆解操作时，需要较大的启动拆解力矩来扭动螺栓，所以需要增加辅助拆解工具来增大拆解力矩。对于长期使用螺栓且工作环境比较恶劣，螺栓发生过度腐蚀，常规的拆解方法无法对其进行拆解时，则需要采用破碎拆解工具进行破坏性拆解。

4) 拆解状态

产品的拆解状态是指产品退役后，其被拆解时所处的物理状态。不同的产品的使用工况(磨损、变形、疲劳断裂和腐蚀等)及其结构构成不同，因此待拆产品存在各种不同的状态，不确定产品的拆解状态是导致产品拆解时间、能耗等不确定性的主要原因之一。因此，拆解状态也是进行产品拆解设计需要考虑的因素之一。

5) 操作人员素质

产品的拆解活动很多情况以人工拆解为主，因此拆解工作人员的素质水平会对产品的拆解效率产生影响。

2. 拆解质量控制因素

产品拆解过程中的质量控制，将对拆解下来零部件的再制造过程的实施和质量有直接影响。产品拆解的质量和工作效率与拆解程序、拆解形式、拆解工具和工人技术水平有直接关系。为了保证产品拆解质量，提高拆解效率，在产品的实际拆解过程中，有必要遵循如下的一些原则和注意事项，进行再制造产品拆解质量控制。下述以汽车产品拆解为例，详细说明拆解过程中的质量控制因素。

1) 拆解程序

拆解程序是产品进行拆解的工艺路径，对拆解质量和效率有直接影响。以汽车拆解为例，工艺程序如下：

①在热状态下，回收发动机、变速器及差速器壳内的润滑油，待温度降低后，再回收冷却液。②拆解移除电气设备及各部分的导线。③按总成进行拆解，分别移除发动机总成、变速器总成及传动轴后桥等总成部件。④将各总成放至各自的工作台上，进行二次拆解将总成部件拆成零件。

汽车的拆解是按拆解程序将汽车产品划分为若干个拆解单元，按工作部位进行分工操作，以平行交叉作业的方式进行拆解。整个拆解工序工位间相互配合，减少了工人在拆解过程中工作位置的变换，减少了辅助工作时间和工具的数量，提高了拆解的工作效率，避免了人员交接变换带来的质量问题。

2) 拆解原则

在拆解过程中，为了严格执行工艺程序，实现目标零件的拆解，拆解过程必须严格按照一定的拆解原则进行。

①拆解前，需对拆解对象进行技术状况鉴定，经检验鉴定确认技术状况良好、可再用的对象，不必进行拆解。②拆解前应熟悉被拆总成的结构(结构特性和材料属性)，按拆解工艺程序进行拆解。严防拆解工艺程序倒置，避免造成不应有的零件损伤。③遵循正确的拆解方法。按照拆解程序进行拆解操作，由表及里，先总成后零件。拆解时应核对原来的标记并做好记号，以保证组合件的装配关系。④合理

地使用拆解工具和设备。所选用的拆解工具要与拆解零件相适应，避免选用工具不当造成不必要的零件损伤。⑤拆解时应考虑后续装配便利性，对非互换的零件，核对记号，且成对放置，避免装配时出现差错并保证精度；对平衡要求较高的旋转类零件，标记好其装配记号；拆解下来的零件分类存放，利于后续工作的查找分辨。

5.3.4 典型装备部件的再制造拆解

5.3.4.1 汽车发动机的再制造拆解

发动机再制造的主要工序包括拆解、分类清洗、再制造加工和装配。高效、无损与低成本的拆解是发展目标。拆解过程中直接淘汰发动机中的活塞总成、主轴瓦、油封、橡胶管、气缸垫等易损零件，一般这些零件因磨损、老化等原因不可再制造或者没有再制造价值，装配时直接用新品替换。再制造发动机拆解流程如图 5-3 所示。拆解后的发动机主要零件如图 5-4 所示，不能再利用需要更换新品的零件如图 5-5 所示。

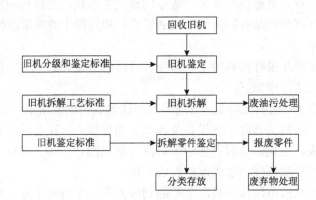

图 5-3　再制造发动机拆解流程

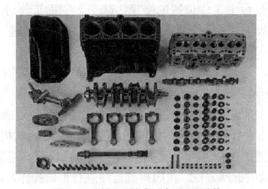

图 5-4　拆解后的发动机主要零件

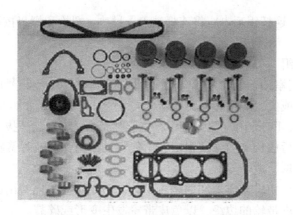

图 5-5　无修复价值的发动机易损件

　　进入发动机再制造拆解前，拆解人员需要熟悉该款发动机的相关资料，了解发动机的零件安装关系及构造特点，明确拆解要求，掌握拆解注意事项。

　　废旧发动机到达再制造拆解生产线后，首先要观察发动机的外部构造，进行外部清洗，清除发动机外部的油污，以保证拆解场地的清洁，避免拆解过程中零件受污染、杂物落入机器内部。其次把发动机提升起来并使发动机靠近拆装翻转架，用螺栓把发动机固定在上面，拆解提升机吊链。然后分解发动机，目测每个零部件是否有损坏，检查运动件是否发生过量磨损，检查所有零部件是否有过热、不正常磨损和碎裂的迹象，检查衬垫和密封件是否有泄漏的迹象。

　　主要拆解步骤如下：

　　1）拆下进排气岐管、气缸盖及衬垫

　　拆解时可用手锤木柄在气缸盖周围轻轻敲击，使其松动。也可以在气缸盖两段留两枚螺栓，将其余的缸盖螺栓全部取下，此时，扶住发动机转动曲轴，由于气缸内的空气压力作用，可使气缸垫很容易离开缸体。然后拆下气缸盖和气缸垫。

　　2）检查离合器与飞轮的记号

　　将发动机放倒在台架上，检查离合器盖与飞轮上有无记号，如无记号应做记号，然后对称均匀地拆下离合器固定螺栓，取下离合器总成。

　　3）拆下油底壳

　　拆下油底壳、衬垫，以及机油滤清器和油管，同时拆下机油泵。

　　4）拆下活塞连杆组

　　（1）将所要拆下的连杆转到下止点，并检查活塞顶、连杆大端处有无记号，如无记号应按顺序在活塞顶、连杆大端做上记号。

　　（2）拆连杆螺母，取下连杆端盖、衬垫和轴承，并按顺序分开放好，以免混乱。

　　（3）用手推连杆，使连杆与轴颈分离。用手锤木柄推出活塞连杆组。

(4) 取出活塞连杆组后，应将连杆端盖、衬垫、螺栓和螺母按原样装上，以防错乱。

5) 拆下气门组

(1) 拆下气门室边盖及衬垫，检查气门顶有无记号，如无记号应按顺序在气门顶部用钢字号码或尖铳做上记号。

(2) 在气门关闭时，用气门弹簧钳将气门弹簧压缩。用起子拔下锁片或用尖嘴钳取下锁销，然后放松气门弹簧钳，取出气门、气门弹簧及弹簧座。

6) 拆下启动爪、皮带轮

拆下启动爪、扭转减震器和曲轴皮带轮，然后用拉拔器拉出曲轴皮带轮，不允许用手锤敲击皮带轮的边缘，以免皮带轮发生变形或碎裂。

7) 拆下正时齿轮盖

拆下正时齿轮盖及衬垫。

8) 拆凸轮轴及气门挺杆

检查正时齿轮上有无记号，如无记号应在两个齿轮上做出相应的记号。再拆去凸轮轴前、中、后轴颈衬套固定螺栓及衬套，然后平衡地抽出凸轮轴；取出气门挺杆及挺杆架。

9) 将发动机在台架上倒放，拆下曲轴

首先撬开曲轴轴承座固定螺栓上的锁片或拆下锁丝。拆下固定螺栓，取下轴承盖及衬垫并按顺序放好，抬下曲轴，将轴承盖及衬垫装回，并将固定螺栓拧紧少许。

10) 拆下飞轮

旋出飞轮固定螺栓，从曲轴突缘上拆下飞轮。

11) 拆曲轴后端

拆下曲轴后端油封及飞轮壳。

12) 分解活塞连杆组

(1) 用活塞环装卸钳拆下活塞环。

(2) 拆下活塞销。

发动机拆解成全部的零件后，可进行初步的检测，将明显不能再制造的零件报废并登记，将可以利用或可以再制造后利用的零件分类加以清洗。

5.3.4.2　工程机械零部件的再制造拆解

混凝土机械是工程机械的重要组成部分，其典型代表是混凝土泵车。混凝土泵车是现代混凝土施工领域中使用比较广泛的设备，主要用于输送和浇筑混凝土，具有效率高、使用方便的特点。随着我国基础设施建设的快速发展，导致我国混凝土泵车社会保有量急剧增加。

　　要实现对废旧混凝土泵车零部件再制造,就必须对废旧混凝土泵车进行高效无损的拆解,只有充分合理实施高效无损拆解,才能对废旧混凝土泵车零部件按完好程度和材料的类别进行分类,拆解的零部件才可以重用。拆解方法会直接影响拆解产品的质量,如何采用高效率、低成本、无污染的拆解方法是废旧混凝土泵车再制造的关键问题之一。下面介绍一些废旧混凝土泵车中几种典型零部件的拆解方法[9]。

1) 砼活塞的拆解方法

　　砼活塞由活塞体、导向环、密封体、活塞头和定位盘等组成,其起导向、密封和输送混凝土的作用。拆解砼活塞的方法如下:

　　如图 5-6 所示,①松掉砼活塞与主油杆连接螺栓或卡式接头(塞入细钢管旋转砼活塞,拆下靠水箱底部连接杆螺栓);②取出砼活塞;③拆解活塞头;④拆除尾部连接杆部分固定螺栓;⑤取下尾部连接杆部分;⑥拆下导向环压板的四颗固定螺栓,将压板取下;⑦拆除前端盖板的四颗固定螺栓,将盖板取下;⑧取下导向环与砼密封体。

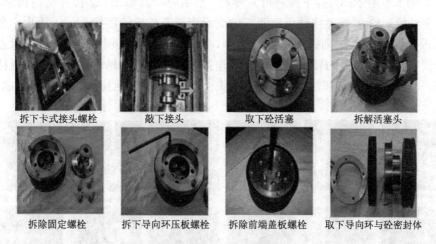

拆下卡式接头螺栓　　　敲下接头　　　　取下砼活塞　　　拆解活塞头

拆除固定螺栓　　拆下导向环压板螺栓　　拆除前端盖板螺栓　　取下导向环与砼密封体

图 5-6　砼活塞拆解流程

2) 废旧混凝土泵车眼镜板、切割环的拆解方法

　　眼镜板、切割环是 S 形泵送分配阀的零部件,切割环与眼镜板组成的切换摩擦副起着切割混凝土的作用,拆解眼镜板、切割环的方法如图 5-7 所示:①拆除料斗上的筛网;②用内六角扳手通过对角法则拆除出料口螺栓,然后使用铜锤敲下出料口;③在出料口处先塞入长钢管以防出料口损坏;④拆下大轴承座润滑脂管及脂接头;⑤拧下异形螺母定位螺钉;⑥用出料口螺栓顶出大轴承座至可取切割环为止;⑦用内六角扳手通过对角法则拆下眼镜板螺栓;⑧取出眼镜板,再取出切割环和橡胶弹簧。

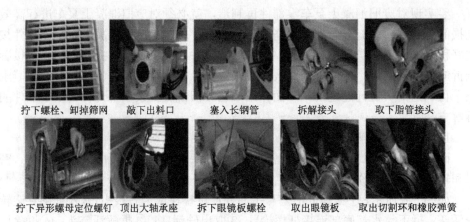

图 5-7   废旧混凝土泵车眼镜板、切割环的拆解方法

3) 搅拌叶片和马达的拆解方法

如图 5-8 所示：①拆下搅拌叶片螺栓，然后将叶片取出；②搅拌马达拆解时，先拆下油管；③拆解搅拌轴承座两端的润滑脂管及相应的脂接头；④用内六角和套筒扳手通过对角法则拆解搅拌马达座，轴承座端盖；⑤用外卡卡簧拆除左端盖卡簧，拆下右端盖的轴承压板；⑥用顶推法顶出两端的轴承座；⑦拆下搅拌轴承座；⑧拆下两边的密封盖，取下搅拌轴；⑨拧下轴套定位螺钉，敲出轴承。

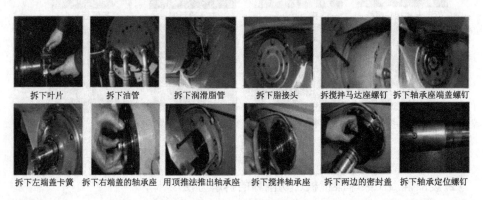

图 5-8   搅拌叶片和马达的拆解方法

4) S 管阀的拆解方法

S 管阀主要是控制料斗和混凝土泵中的混凝土流向，拆解 S 管阀的方法如图 5-9 所示：①拆下摇摆机构部件；②拆下摇摆球头挡块；③取下两摆缸；④拆下小轴承座压环；⑤取下小轴承座组件(小轴承座和端面轴承套)；⑥从料斗内吊出 S 管，取下耐磨套。

图 5-9 S 管阀的拆解方法

5) 输送缸的拆解方法

输送缸主要是用来输送混凝土，拆解输送缸的方法如图 5-10 所示：①拆下料斗上的递进式分配阀和进油润滑脂管以及输送缸上润滑砼活塞的接头及润滑脂管；②拆下水箱处的 6 颗拉杆螺母；③拆下料斗底部的 6 颗固定螺钉；④用钢丝绳从料斗处下伸，用吊车吊起料斗及输送缸往外慢慢提出，把料斗与输送缸放在合适的场地，并在底下垫上厚木块；⑤旋下拉杆，取出输送缸，敲出过渡套。

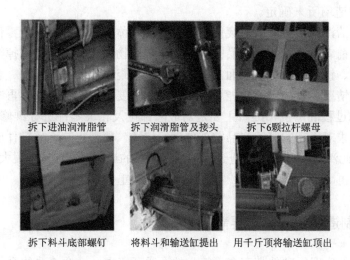

图 5-10 输送缸的拆解方法

<h1 style="text-align:center">5.4　再制造清洗技术基础</h1>

5.4.1　再制造清洗的内涵

再制造清洗(remanufacturing cleaning)是指对再制造毛坯及其零部件去除锈蚀、毛刺、表面各种污渍的过程[10]。再制造清洗是产品再制造过程中的重要工序，是对废旧机电产品及其零部件进行检测和再制造加工的前提和基础[11]。借助清洗设备或清洗液，采用机械、物理、化学或电化学方法，去除废旧零部件表面附着的油脂、锈蚀、泥垢、积炭和其他污染物，使零部件表面达到分析检测、再制造加工及装配要求，对再制造产品的质量、成本和性能具有重要影响。

废旧产品拆解后的零件根据形状、材料、类别、损坏情况等分类后应采用相应的方法进行清洗。产品的清洁度是再制造产品的一项主要质量指标，清洁度不良不但会影响到产品的再制造加工，而且会造成产品性能下降，产品运行中会产生过度磨损、精度下降、寿命缩短等现象。而良好的产品清洁度，除能提高再制造产品质量外，还能提高消费者对再制造产品质量的信心。与拆解过程一样，清洗过程也不可能直接从普通的制造过程借鉴经验，这就需要再制造商和再制造设备供应商研究新的技术方法，开发新的再制造清洗设备。根据清洗位置、复杂程度和零件材料等不同，选用适当清洗方法。清洗过程可使用一整套专用的清洗设备，包括：喷淋清洗机、浸浴清洗机、喷枪机、综合清洗机、环流清洗机、专用清洗机等，设备选用需根据再制造的标准、要求、环保、费用以及再制造场所来确定。

再制造清洗包括拆解前对废旧产品外观的整体清洗和拆解后对零件的清洗两部分内容，前者主要是清除产品外观的灰尘等污物，后者主要是去掉零件表面的油污、水垢、锈蚀、积炭及表面的油漆层等，检查零件的磨损情况、表面微裂纹或其他失效情况，以决定零件能否再利用或者需要再制造的方法。再制造清洗也不同于维修过程的清洗，维修主要是对故障部位及相关零件进行维修前的清洗，而再制造要求对所有的废旧产品零部件进行清洗，使得再制造后零件质量达到新品标准。因此清洗环节在再制造过程中占有重要的地位，而且具有很大的工作量，直接影响着再制造产品的成本，需要给予高度的重视。

5.4.2　再制造清洗的基本要素

待清洗的废旧零部件都存在于特定的介质环境中，一个清洗体系包括 4 个要素，即清洗对象、污染物组成、清洗介质及清洗力。

1)清洗对象

再制造清洗的对象指待再制造的废旧机电产品及其零部件,包括组成废旧机电产品的机械零部件、电子元件和机电系统等。而制造这些机械零件和电子元件等的材料主要有金属材料、陶瓷(含硅化合物)、玻璃、塑料等,针对不同清洗对象要采取不同的清洗方法。

2)再制造零部件表面污染物组成

再制造过程中涉及的零部件和结构件以金属材质为主,零部件表面污染物构成复杂多样,包括零部(构)件外部沉积的油污、灰尘、混凝土结垢物、漆层、锈蚀等,管道和零件内部沉积的水垢、润滑残留物、锈蚀等。图 5-11 为机械零件表面污染物示意图。可以看出,机械零部件表面污染物主要包括油污、锈蚀、有机涂层、涂覆层、无机垢层等。其中,油污主要是润滑油和密封油等,其与基体主要以物理方式结合,强度为弱到中等,可皂化的油用碱液去除,其他油脂利用相似相溶原理选用合适的溶解剂;锈层的产生主要是由于零部件被腐蚀和氧化后表面会产生浮锈、黄锈、黑锈等各种锈层,锈层与工件表面为化学结合,结合牢固,强度为中等到强;表面涂覆层通常是机械零件表面经过电化学沉积、喷涂、熔覆等表面工程技术加工过程,在零件表面产生的金属镀层或涂层,零件长期服役之后,表面涂覆层会磨损缺失,产生不良镀层,镀膜与金属表面结合强度大,较难去除;有机涂层主要是涂装时产生的清漆、油漆、胶漆以及密封胶等,经过一定服役时间后也应当进行彻底清除,其与零部件表面为机械结合;无机垢层主要指机械产品在使用过程中与外部介质接触沉积形成的各种钙沉积物(水垢)、积炭、水泥块、搪瓷块等,无机垢层与零件表面为机械结合,结合强度大,如积炭的附着力高达 $5 \sim 70\,\mathrm{MPa}$,且无机垢层通常难溶于各种溶剂,去除难度比较大。

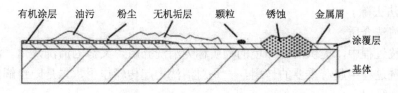

图 5-11　机械零件表面污染物示意图

对污垢进行分类研究有助于针对不同的污垢选取经济、环保的清洗方法。污垢通常可以根据以下几种方法分类。

(1)根据污垢的存在形状划分。可分为颗粒状污垢、覆盖膜状污垢、无定形污垢和溶解状态污垢。不同化学成分的污垢使用的去除方法不同。一般情况下,以有机物成分为主体的污垢，较适合用氧化分解的方法清洗去除，如热分解法常用于清除汽车发动机零部件表面深度油污类污染物。锈蚀和水垢等可以通过酸或碱来溶解，还可以采用高压水热流、喷(抛)丸、喷砂、激光、研磨等物理清洗手段来去除。

(2)根据化学组成划分。可分为无机物污垢，如金属涂镀层及其氧化物(如铁锈)、陶瓷涂层、盐类等，非金属及其化合物(如砂土)，以及有机物污垢，如碳水化合物、蛋白质、油脂、漆层，其他有机物(塑料、矿物油、树脂、色素等)。一般情况下，以有机物成分为主体的污垢，较适合用氧化分解的方法清洗去除。无机垢层由于结合力强，通常需要用化学清洗或喷射等强力物理清洗方法。

(3)根据亲水性或亲油性划分。可分为亲水性污垢和亲油性污垢。亲水性污垢容易分散或溶解于水，而亲油性污垢则不易分散或溶解于水，表现出憎水性，通常它们可溶于某种有机溶剂。利用溶剂型清洗手段时，通常与超声清洗方法复合，能够获得更好的清洗效果。

(4)根据与零部件表面的结合力划分。可分为物理吸附力、分子间作用力、静电吸附力、化学作用力等不同作用力结合的表面污垢。物理吸附力结合的污垢单纯靠重力作用沉降而堆积，与零部件表面附着力很弱，易于清洗，如零件表面附着的粗大砂土颗粒；分子间作用力结合的污垢包括与零部件表面通过范德瓦耳斯力、氢键或共价键等结合的污垢分子，呈薄膜状态，结合力较强，常规清洗方法往往很难去除；静电吸引力结合的污垢通过静电作用吸附于零部件表面，与零部件表面带有相反电荷，当接触介电常数较大的液体时，静电吸附力减弱，污垢容易解离去除；当污垢在零部件表面形成变质层，如金属零件表面在与空气接触过程中发生化学反应，形成一层氧化膜，这类污染物(氧化膜)与零部件表面以化学作用力结合，可采用酸洗、碱洗、机械研磨、电解结合研磨等方法去除。

3)清洗介质

清洗过程中，提供清洗环境的物质称为清洗介质，又称为清洗媒体。清洗媒体在清洗过程中起着重要的作用，一是对清洗力起传输作用，二是防止解离下来的污垢再吸附。

4)清洗力

清洗对象、污垢及清洗媒体三者间必须存在一种作用力，才能使得污垢从清洗对象的表面清除，并将它们稳定地分散在清洗媒体中，从而完成清洗过程，这个作用力即是清洗力。在不同的清洗过程中，起作用的清洗力亦有不同，大致可分为以下几种力：溶解力和分散力、表面活性力、化学反应力、吸附力、物理力、酶力。

5.4.3　再制造清洗的分类

按再制造工艺过程分为拆解前清洗、拆解后清洗、再制造加工过程清洗、装配前清洗、表面涂装前清洗等。

按清洗对象分为零件清洗、部件清洗和总成清洗。

按表面污染物类型分为油污清洗、积炭清洗、水垢清洗、涂装物清洗、杂质清洗、锈蚀清洗和其他污染物清洗。

按清洗技术原理分为物理清洗、化学清洗和电化学清洗。

按清洗手段可分为热能清洗、溶液清洗、超声波清洗、振动研磨清洗、抛丸清洗、喷砂清洗、高温清洗、干冰清洗、高压清洗等。

拆解前的清洗主要是去除零部件外部沉积的大量油泥、尘埃、泥沙、水泥结垢物等污染物；拆解后的清洗主要是去除零部件上油污、积炭、水垢、锈蚀、油漆等污染物。拆解前的清洗一般采用自来水或高压水冲洗，适当搭配化学清洗剂进行。拆解后的清洗主要采用化学清洗和物理清洗的方法，以高压水射流清洗技术和超声波清洗技术等为主。拆解后可维修或可再制造的零件，根据零件的用途、材料，选择不同的清洗方法。清洗方法可以粗略分为物理和化学两类，然而在实际的清洗中，往往兼有物理、化学作用。工程机械零部件的再制造清洗主要针对金属制品，表 5-3 列出了常用的清洗方法。

表 5-3　常用的再制造清洗方法

清洗工艺	工作原理	清洗介质	优点	缺点
浸泡清洗	将工件在清洗液中浸泡、湿润而洗净	溶剂、化学溶液、水基清洗液	适合小型件大批量；多次浸泡清洁度高	时间长；废水、废气对环境污染严重
淋洗	利用液流下落时的重力作用进行清洗	水、纯水、水基清洗液等	能量消耗小，一般用于清洗后的冲洗	不适合清洗附着力较强的污垢
喷射清洗	喷嘴喷出中低压的水或清洗液清洗工件表面	水、热水、酸或碱溶液、水基清洗液	适合清洗大型、难以移动、外形不适合浸泡的工件	清洗液在表面停留时间短，清洗能力不能完全发生作用
高压水射流清洗	用高压泵产生高压水经管道到达喷嘴，喷嘴把低速水流转化成低压高流速的射流，冲击工件表面	水	清洗效果好、速度快；能清洗形状和结构复杂的工件，能在狭窄空间下进行；节能、节水；污染小，反冲击力小	清洗液在工件表面停留时间短，清洗能力不能完全发生作用
喷丸清洗	用压缩空气推动一股固体颗粒料流对工件表面进行冲击从而去除污垢	固体颗粒	清洗彻底、适应性强，应用广泛、成本低；可以达到规定的表面粗糙度	粉尘污染严重；产生固体废弃物；噪声大

续表

清洗工艺	工作原理	清洗介质	优点	缺点
抛丸清洗	用抛丸器内高速旋转的叶轮将金属丸粒高速地抛向工件表面,利用冲击作用去除表面污垢层	金属颗粒	便于控制;适合大批量清洗;节约能源、人力、成本低;粉尘影响小	噪声较大
超声波清洗	清洗液中存在的微小气泡在超声波作用下瞬间破裂,产生高温、高压的冲击波,此种超声空化效应导致污垢从工件表面剥离	水基清洗液、酸或碱的水溶液	清洗效果彻底,剩余残留物很少;对被清洗件表面无损;不受清洗件表面形状限制;成本低,污染小	设备造价昂贵;对质地较软、声吸收强的材料清洗效果差
热分解清洗	高温加热工件使其表面污垢分解为气体、烟气离开工件表面		成本低、效率高,能耗低,污染小	不能清洗熔点低或易燃的金属件
电解清洗	电极上逸出的气泡的机械作用剥离工件表面黏附污垢	电解液	清洗速度快,适合批量清洗;电解液使用寿命长	能耗大、不适合清洗形状复杂的工件

1)物理清洗与化学清洗的范围

再制造清洗技术可以从多种不同的角度进行分类。通常将利用机械或水力作用清除表面污垢的技术归为物理清洗技术。物理清洗还包括利用热能、电能、超声振动以及激光、紫外射线等作用方式。因而凡是利用热、力、声、电、光、磁等原理的表面去污方法,都可以称之为物理清洗方法。而化学清洗通常是利用化学试剂或其他溶液去除表面污垢。去污的原理是利用相关的化学反应。常见的化学清洗如利用各种无机或有机酸去除金属表面的锈垢、水垢,用漂白剂去除物体表面色斑。

2)不同清洗工艺的优缺点

化学清洗剂利用的是化学药品的反应能力,许多化学药品有作用强烈、反应迅速的特点。有的化学药剂本身就是液体,通常都是配成水溶液形式使用,由于液体有流动性好、渗透力强的特点,容易均匀分布到所有的清洗表面,所以适合清洗形状复杂的物体,而不至于产生清洗不到的区域。在工业上清洗大型设备时可采用封闭循环流动管道形式,不必把设备解体再清洗。通过对流体成分的检测可了解和控制清洗状况。

化学清洗的缺点是化学清洗液选择不当时,会对清洗物基体造成腐蚀破坏,造成损失。化学清洗产生的废液排放会造成环境污染,因此化学清洗必须配备废水处理装置。另外化学药剂操作处理不妥时会对工人的健康、安全造成危害。

物理清洗许多情况下采用的是干式清洗,不存在废水处理的难题,即使利用水的冲刷喷射作用的高压冲洗,由于排放水中不存在难处理的化学试剂,也是较容易处理的。相比之下，物理清洗对环境的污染，对工人的健康损害都较小，而且物理清洗对清洗物基体没有腐蚀破坏作用。

物理清洗的缺点是在精洗结构复杂的设备内部时，其作用力有时不能均匀达到所有部位而出现"死角"。有时需要把设备解体进行清洗，因停工而造成损失。清洗时常需要配备相应的动力设备，因此该方法还有占地规模大、搬运不方便的缺点。

正由于物理清洗与化学清洗有很好的互补性，因此在再制造清洗实践中往往都是把两者结合起来以获得更好的清洗效果。应该指出的是，近年来随着超声波、等离子体、紫外线等高技术的发展，物理清洗在精密工业清洗中已发挥出越来越大的作用，在清洗领域的地位也变得更加重要。再制造清洗方法也都向着绿色、环保、污染小的方向发展。

5.4.4　再制造清洗的一般要求

再制造毛坯清洗的总体要求是针对清洗对象及其表面污染物的特点，结合后续再制造加工工艺要求，制定合理的清洗方案，保证清洗的经济性、环保性和安全性，避免对清洗对象、操作人员和外部环境产生负面影响。

再制造毛坯清洗的一般要求包括清洁度要求、材料表面状态与组织结构要求、安全环保要求等。

1) 清洁度

对于拆解前清洗的清洁度要求，应确保再制造毛坯外部积存的尘土、油污、泥砂等脏物基本去除，便于后续拆解，并避免将尘土、油污等污染物带入厂房工序内部；对于再制造加工前清洗，应根据后续再制造加工工艺要求确定相应的清洁度等级。对于气相沉积、电沉积等再制造加工技术，应确保清洗后获得较高的清洁度；对于装配前清洗，应确保清洗后的清洁度满足后续装配工艺要求；对于表面涂装前清洗的清洁度要求，应满足 GB/T 13312（《钢铁件涂装前除油程度检验方法（验油试纸法）》）、GB/T 8923（《涂装前钢材表面锈蚀等级和除锈等级》）等除油、除锈要求。

2) 表面状态与组织结构要求

应根据零部件类型、清洗方法和再制造加工工艺合理控制零件表面腐蚀状态和表面粗糙度。对于应用热喷涂等厚成形再制造加工工艺的再制造毛坯，可放宽对表面腐蚀和表面粗糙度要求；清洗过程应避免造成再制造毛坯组织结构变化、应力变形和表面损伤，不影响后续再制造加工和装配要求；清洗完毕后，要采取措施防止零部件存放或运输过程中的污染、腐蚀或其他损伤。

3）安全环保要求

清洗场地应根据不同清洗工艺要求设有必要的通风、降噪、除尘、防渗等设施；应对清洗操作人员进行必要的劳动保护，防止产生伤害；应优先选用环保的清洗工艺、设备、材料和方法，并符合国家相关政策规定；对清洗产生的各种固态、气态、液态废弃物进行分类收集，按国家相关法律、法规、标准的规定处置。

5.5　再制造清洗技术与工艺

5.5.1　化学清洗

酸、碱清洗剂是两类最常见的化学清洗剂。酸清洗剂又分为无机酸和有机酸清洗剂，无机酸溶解力强、速度快、效果明显、费用低，但是对金属材料的腐蚀性很强，易产生氢脆和应力腐蚀，因此需要添加缓蚀剂。有机酸多为弱酸，不易造成腐蚀，但清洗速率低、成本高，适合清洗高附加值零部件。碱性清洗剂主要用于清除油脂垢，也用于清除无机盐、金属氧化物、有机涂层和蛋白质垢等。碱溶液清洗是一种传统的清洗方法，不会对金属产生严重腐蚀，但清洗速率较慢。常用的碱性物质有氢氧化钠、碳酸钠、硅酸钠等，碱性清洗剂中有时还添加一定的表面活性剂和有机溶剂等。对于一些难溶于水溶液的污垢，常采用氧化剂对其进行清洗，工业清洗过程中常用的过氧化物主要有过氧化氢、臭氧、过硼酸钠、过碳酸钠、过羧酸钠等。

为避免化学清洗过程中的腐蚀，清洗液中通常还会加入还原剂，安全常用的还原剂有氯化亚锡和抗坏血酸，而另一些还原剂如 Na_2SO_3、H_3PO_3、N_2H_4、NH_2OH，则会对零件表面有损害，大量排放还会污染环境，故再制造清洗过程中应当慎用。在清洗金属零件时，常用金属离子螯合剂去除金属表面的水垢和锈垢。为减缓金属在环境介质中腐蚀现象，会在化学清洗液中添加缓蚀剂。除此之外，还会向清洗液中添加诸如起泡剂、消泡剂、分散剂等助剂，来达到预期的要求。

5.5.2　物理清洗

利用热、力、声、电、光、磁等原理的表面去污方法，都可以称之为物理清洗。同化学清洗技术相比，物理清洗技术对环境的负面影响小，对工人的健康损害程度低，对再制造毛坯的腐蚀破坏作用不明显。目前常用的物理清洗技术主要包括以下几个方面。

1) 抛 (喷) 丸清洗

抛 (喷) 丸清理是依靠电机驱动抛丸器的叶轮旋转, 在气体或离心力作用下把丸料 (钢丸或砂粒) 以极高的速度和一定的抛射角度抛打到工件上, 让丸料冲击工件表面, 可对工件进行除锈、除砂、表面强化等, 以达到清理、强化、光饰的目的。抛丸技术主要用于铸件除砂、金属表面除锈、表面强化、改善表面质量等。用抛丸方法对材料表面进行清理, 可以使材料表面产生冷硬层、表面残余压应力, 从而提高材料表面的承载能力, 延长其使用寿命。据统计, 机械零件的失效中有 80% 以上属于疲劳破坏。通常情况下, 疲劳破坏多发生在表面层, 因此, 对表面层进行强化就可以使整个零件得到强化。

抛丸清理技术与其他清理技术相比, 具有设备简单、易于操作、生产效率高、适应性广、强化效果明显、适用材料范围广、可抵消应力集中的不利影响、可使裂纹生长速度减缓或停止以延长其使用寿命、减轻清理工作的劳动强度和环境污染等优点。

目前抛丸技术广泛应用于铸造、模具、钢厂、船厂、汽车制造、钢结构建筑业、五金厂、电镀厂、摩配厂、机械制造、路面和桥梁清理等领域。鉴于其众多的优势, 越来越多的行业使用抛丸设备来提升其生产效率和产品质量, 抛丸清理技术也受到了广泛关注, 并通过不断改进现有技术, 使抛丸清洗技术更加满足再制造清洗领域的需求。

2) 超细磨料射流清洗

长期以来, 由于各类化学清洗剂的大量使用, 使表面清洗环节成为产品再制造过程中污染的最主要来源。而喷砂清洗作为物理清洗方法, 在喷砂过程中杜绝了清洗剂的使用, 有效解决了化学试剂带来的环境污染问题。同时, 喷砂过程大大增加了喷砂后零部件的表面粗糙度, 有效提高了热喷涂涂层、涂装涂层、黏结涂层等机械结合涂层与基体的结合强度, 保证了再制造后产品的质量和性能, 在再制造涂层制备和表面快速除锈等方面得到广泛应用。传统的喷砂过程要求砂料硬度高、密度大、抗破碎性好、含尘量低、多棱角且锋利, 常用刚玉砂 (Al_2O_3)、石英砂 (SiO_2)、钢砂、碳化硅、金刚砂、铜渣砂等作为磨料, 其粒径较大 (通常为 10～20 目)。对于一般的金属和涂层材料, 这些硬质磨料以高速喷射到零部件表面后所形成的喷砂表面通常过于粗糙、表面平整度低, 同时会产生大量的点蚀和微裂纹等缺陷, 严重影响废旧零部件的分析检测和大多数的再制造后续加工过程。因此, 在实际应用中, 喷砂技术多用于制备各类热喷涂涂层前的表面预处理和氧化表面的除锈, 而未在废旧装备再制造的表面清洗中得到广泛应用。

喷砂清洗过程利用磨料对表面的机械冲刷作用而除去表面涂层或污染物, 其实质是一种选择性冲蚀磨损过程。因此,理想的喷砂清洗是利用磨料的冲刷作用,完全去除表面涂层或污染物的同时,尽可能小地影响到基体材料。而实现这一目标的最有效方法是选择优化硬度、形状、粒度、性质适合的喷砂材料。显然,传统的硬质喷砂材料不能满足这一需求,特别是对于软质表面的清洗,更容易造成表面过于粗糙和严重的机械损伤。碳酸盐颗粒具有硬度低、粒径范围广、弱碱性、油脂吸附性强、原料价格低等优点,是一种具有广阔应用前景的潜在喷砂清洗磨料。近年来,国外学者相继开展了碳酸盐颗粒作为喷砂介质清洗非金属表面污染物的研究,其中的一部分研究成果在软质金属、玻璃制品、印刷电路板、牙齿等材料表面清洗上得到了应用,图 5-12 为典型的磨料喷射清洗设备的示意图。

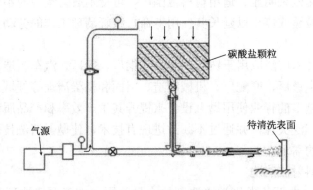

图 5-12　碳酸盐喷砂清洗示意图

在当前国内外关于将碳酸盐颗粒作为喷砂磨料进行表面清洗的研究报道中,所涉及的待清洗材料大多为塑料、玻璃、软金属等,对于装备再制造过程中主要面临的各种硬质铁基材料等硬表面的清洗研究应用极少。同时,未见关于将碳酸盐颗粒与常规硬质磨料的混合物作为喷砂介质,清洗废旧零部件表面并合理控制清洗后表面粗糙度的报道。塑性材料和脆性材料具有完全不同的冲蚀磨损机理。脆性材料冲蚀磨损较为复杂,尚无统一模型。脆性材料也会产生塑性变形,但进一步会产生横向裂纹和纵向裂纹,如图 5-13 所示,当粒子冲击作用超过裂纹阈值,会在弹性区下方会有径向裂纹产生,粒子回弹导致横向裂纹,横向裂纹引起材料去除。

3) 高压水射流清洗

高压水射流技术利用特定结构的喷嘴将高压泵产生的高压水转换为具有极高冲击动能的高压、高流水射流,从而实现清洗、切割、破碎等各种工艺过程。由于高压水射流清洗具有清洗成本低、速度快、清洗率高、不损坏被清洗物、应用范围广、不污染环境等诸多优点，将其引入再制造清洗中，具有很大的现实意义。高压水射流技术是近年来发展十分迅猛的一门新兴技术，它是利用高压水发生设备产生高压水，通过喷嘴将压力转变为高度聚集的水射流活动，能完成清洗、切割、破碎等各种工艺的技术。

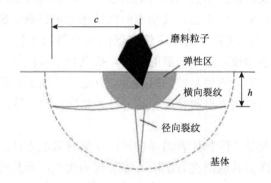

图 5-13　脆性材料冲蚀磨损材料去除机理

由于高压水射流清洗存在诸多优点，特别是由于环境保护要求的不断提高，越来越多的企业已由化学清洗转为物理清洗，高压水射流清洗技术得到了日益广泛的重视。目前，在船舶、电站锅炉、换热器、轧钢带除磷、城市地下排水管道等清洗中都得到了广泛应用。高压水射流清洗在我国工业清洗中使用率已超过10%，并且正在迅速增长。相信随着现代社会对清洗行业提出的效率、洁净率及环保要求的不断提高，高压水射流清洗技术在我国的普及应用是必然趋势。

但从目前的发展状况看，尤其在国内，仍存在着一些亟待解决的问题，主要表现在以下几个方面：对高压水射流清洗技术的认识和掌握尚需进一步加深。这一方面表现为企业对高压水射流清洗技术的认识不足，同时也存在对高压水射流清洗机理与工艺研究深化不够，许多技术问题还停留在表面浅显的认识水平，给推广应用带来了一定的困难。高压水射流清洗技术应用的专业化、规模化和社会化程度尚需提高，以求得清洗作业的高效率、安全。清洗设备的成套化、低耗和市场有序标准化水平与需求和发展有较大的差距。

4）摩擦清洗

工业清洗过程中，使用摩擦等简单实用的方法往往能去除一些顽固的污染物。如在汽车自动清洗装置中，在喷射清洗液的同时，利用旋转刷子擦拭汽车表面。但使用摩擦力去污也要注意一些问题，如保持刷子的清洁，避免二次污染。当清洗对象为不良导体时，摩擦力产生的静电反而容易使得表面容易吸附污垢，当使用易燃溶剂时，还要避免静电引起火灾。摩擦清洗能够利用机械作用力对表面污染部位进行磨蚀，常用的摩擦清洗方法包括利用研磨粉、砂纸、砂轮等工具对含有污垢的表面进行研磨和抛光。

在再制造领域，摩擦清洗的具体应用工艺为振动研磨清洗，主要针对五金、塑胶、电子零件表面进行研磨处理，如去毛刺、倒角、除批锋、除胶，清洗光亮表面，提升产品外观。在汽车发动机再制造过程中，螺栓等紧固件表面的胶层去除，通常采用振动研磨清洗工艺。其基本原理是振动电机高速旋转时，利用偏心力产生的倾倒力矩并通过弹簧的作用使容器内的磨料与工件产生规律的运动走向，呈螺旋式的翻滚摩擦，达到研磨的目的，振动效率及翻滚快慢的速度可通过变频器进行调整和控制，研磨足够的时间。选择适当的研磨清洗剂及磨料，研磨完成后通过机器的选料装置自动分离产品，进入二次振动分选。

5）超声波清洗

超声波清洗目前是清除物体表面异物和污垢最有效的方法之一，其清洗效率高、质量好。具有许多其他清洗方法所不能替代的优点，而且能够高效地清洗物体的内外表面。超声清洗不仅可以清除各种各样的污染物，还能够用于清洗复杂结构零件，如深孔、盲孔等，而且对零部件表面几乎没有损伤、环境污染小、成本低、对人体的伤害小。

超声波清洗是利用超声波在媒介流体中产生的空穴在破裂时释放的能量来清除污垢。利用超声波发生器产生高频振荡电信号，通过换能器将电信号转换成高频机械振动并传播到清洗介质中，导致生成空穴气泡，气泡大到一定尺寸后就会破裂，气泡爆裂时会在微观尺度产生剧烈的冲击波，理论上的局部温度会高达几千摄氏度，局部压力可高达几百个大气压。空穴爆破时会把物体表面的污垢薄膜击破，进而起到去除污垢的目的。为获得良好的清洗效果，需要选择合适的清洗液和适当的超声波声学参数。只有当交变声压幅值超过静压力时，清洗液中才会出现负压区，进而产生空穴。对于如氧化膜、深孔污垢，通常需要采用较高的声强。清洗过程中，被清洗零件应当靠近声源。超声波清洗机的频率一般在 20～50 kHz 之间，对于质量和体积大的零件通常选择低频率，而对于小巧易损的零件则采用高频率超声清洗机。清洗介质的性能对空穴的产生也有直接的影响，表面张力大的液体，空穴破裂时释放的能量也更大。水的表面张力大于有机溶剂，所以通常选用水作为超声清洗的介质。蒸气压高、黏度大的液体都不易产生空穴，不利于超声清洗。

典型的超声波清洗装置主要由电源、超声换能器、清洗槽和清洗液四部分组成。图 5-14 所示为超声波清洗机的结构图。电源驱动超声波换能器，将电能转变为高频机械振动。换能器通常黏附于清洗槽底部，为提高声能的传递效率，清洗槽壁不宜太厚。

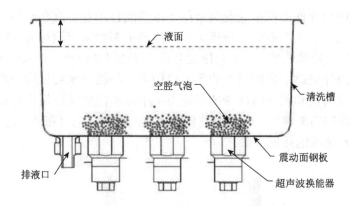

图 5-14　超声波清洗机原理图

　　超声波清洗在再制造业有着广泛的应用前景,随着超声清洗技术的不断发展,传统的低频超声清洗在汽车、轴承、工程机械等行业得到了广泛应用。近年来,随着电子产业的快速发展,高频超声清洗在许多对清洗精密程度要求较高的领域也得到了广泛应用,如微电子、精密机械、光学元件等行业。随着超声波清洗技术的应用范围不断扩大,超声波清洗技术也在向着自动化、高效、环保、智能的方向发展。

　　6) 干冰清洗

　　减少二氧化碳排放是目前全球环境保护领域亟待解决的重要议题。各国也在积极探索如何有效地利用二氧化碳。近年来,干冰喷射清洗技术引起了国内外的广泛关注。干冰清洗利用干冰颗粒作为喷射介质用于清洗各种顽固的油脂和污垢。干冰由于能够挥发,其清洗过程并不是单纯的物理冲击。图 5-15 所示为干冰清洗原理示意图。当干冰颗粒以高速冲击到零件表面时,冲击的动能可以使干冰颗粒瞬间蒸发气化,其过程中会吸收大量的热,在清洗表面产生剧烈的热交换,会导致附着的污染物因骤冷而发生收缩和脆化,由于污染物和基底材料热膨胀系数的不同,使其能够破坏污垢和基体表面的结合。与此同时,由于干冰体积的急剧膨胀,会在冲击位置形成"微区爆炸"有效的清除污染物。干冰气化后变为二氧化碳,无污染、无残留、效率高、安全可靠,不会影响机电产品的使用安全。

　　目前,干冰清洗技术的应用主要集中在汽车轮胎、铸造和石化等领域,作为一种新型高效的清洗技术,取得了较高的经济和社会效益。传统的汽车轮胎企业通常采用机械清洗法或化学法对轮胎模具进行清洗,清洗过程工作量大、劳动强度高、清洗周期长、容易污染环境。而干冰清洗技术不仅能够实现高效清洗,还能够避免传统清洗方法带来的缺陷。干冰清洗在铸造行业也得到了广泛的应用,国内外许多汽车企业都采用干冰清洗技术对于汽车缸体、缸盖等零部件进行清洗。石化产业中各种锅炉和换热器中都容易沉积污垢,污垢的清洗是其一大难题。除此之外,腐蚀问题也会直接导致设备停产,造成巨大的经济损失。加热炉的外壁通常由耐高温的保温砖构成,高温遇水会导致坍塌,这使得传统的水射流清洗和化学清洗变的不适用。干冰清洗则能够很好地避免这一矛盾,实现在线的高温清洗,不仅避免停产造成的损失,也可在清除污垢的同时,减少炉壁冷却造成的热能浪费。

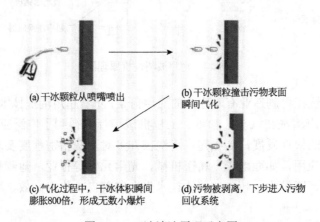

(a)干冰颗粒从喷嘴喷出

(b)干冰颗粒撞击污物表面瞬间气化

(c)气化过程中,干冰体积瞬间膨胀800倍,形成无数小爆炸

(d)污物被剥离,下步进入污物回收系统

图 5-15　干冰清洗原理示意图

7) 激光清洗

激光清洗是当前极具潜力的高效再制造物理清洗技术。图 5-16 所示为激光清洗过程示意图[12]。激光具有单色性、方向性、相干性好等特点。激光能够在瞬间将光能转化为热能,将工件表面的污垢熔化或汽化而去除,同时通过控制激光的功率,可以在不熔化金属的条件下把金属表面的氧化物锈垢除去。对于低燃点、易挥发的油脂、油漆、橡胶等污垢,激光清洗的机理主要为燃烧汽化原理。对于橡胶、油漆、氧化层等顽固污垢,利用激光辐照产生的热冲击和热振动促使污染物粒子产生热膨胀,使其发生界面的失配而剥落。对于一些高能激光器,其峰值能量能够瞬间汽化一些固体污染物,这种烧蚀机理能够被用来除锈。另外激光也能够诱导液膜产生冲击波对零件表面进行清洗。高能激光辐照液膜表面时,液体急剧受热产生爆炸性汽化,爆炸性冲击波可以起到清除污垢的作用。激光清洗是一种高效、绿色清洗技术,相对于化学清洗,其不需任何化学药剂和清洗液;相对于机械清洗,其无研磨、无应力、无耗材,对基体损伤极小(如应用于珍贵文物字画清洗领域);激光可利用光纤传输引导,清洗不易达到的部位,适用范围广。激光清洗技术在欧美国家已成为重要的绿色高

科技清洗技术，广泛应用于高端装备制造领域，如半导体、微电子、微型机械、精密光学等高新技术中表面吸附的微米、亚微米级细颗粒的清洁，太空垃圾的清除，核辐射污染物去除和发动机积碳的清洗。该技术也是一种典型的军民融合技术，美军已将激光清洗技术应用于装备的生物污损清洗，以及除锈、除油、退漆、除积炭等维修保障领域。

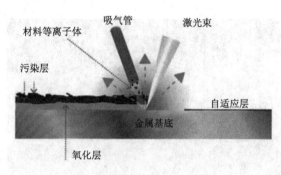

图 5-16　激光清洗过程示意图[12]

激光清洗过程实际上是激光与物质相互作用的过程，利用激光的高亮度等特性，破坏污染物与基体之间的作用力，而不损坏物体本身。由于污染物的成分和结构复杂，激光与之作用的机理也有所不同，研究人员提出了各种理论模型，常见的解释有以下几种：

高温分解作用。激光可以实现能量在时间和空间上的高度集中，聚焦的激光束在焦点附近可产生几千度甚至几万度的高温，使污垢瞬间蒸发、气化或分解。

受热膨胀作用。激光束的发散角小，方向性好，通过聚光系统可以使激光束聚集成不同直径的光斑。在激光能量相同的条件下，控制不同直径的激光束光斑可以调整激光的能量密度，使污垢受热膨胀。当污垢的膨胀力大于污垢对基体的吸附力时，污垢便会脱离物体的表面。

超声波振动作用。激光光束可以通过在固体表面产生超声波，产生力学共振，使污垢破碎脱落，激光器发射的光束被需处理表面上的污染层所吸收，通过光剥离、气化、超声波等过程，使污染物脱离物体表面。激光束沿着一定的轨迹扫描，就可以实现大面积的清洗。

同传统清洗方法相比，激光清洗技术具有环保、安全、高效、清洗质量高等突出优点。谭荣清等[13]采用对比法研究了输出波长为 10.6 μm，单脉冲输出能量最高可达 15 J 的 TEA CO$_2$ 激光去除飞机表面漆层前后材料屈服强度、抗拉强度、杨氏模量等力学性能的变化，发现除漆前后飞机蒙皮材料的力学性能没有明显变化，说明激光除漆对飞机蒙皮材料的力学性能无显著影响，但激光清洗对金属表面粗糙度有直接影响;沈全等[14]采用波长为 1064 nm,激光功率为 0.02～100 W,脉宽为 100 ns 的 Nd∶YAG 激光对生锈程度为 B 级的 Q235 钢进行了除锈实验研究,发现金属表面的粗糙程度随清洗激光功率的增大而增大,随扫描速度的增大而减小,激光清洗技术对金属表面的防护有一定的作用。激光对金属表面污物的清洗过程中,在金属表面会形成一层致密的保护膜,如图 5-17 所示。

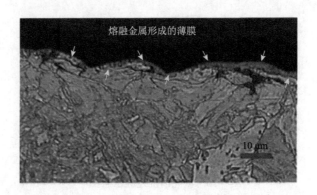

图 5-17　激光清洗表面形成保护膜

尽管激光清洗技术具有清洗质量高、环境污染小等突出优点,但激光清洗技术也存在着一定不足,主要包括:激光清洗设备较为昂贵,在某些领域清洗时使用受到了限制,尤其是对于价值较低的物品,激光清洗很难体现其价值;对激光清洗对于基材结构和性能影响的研究还不完善,缺乏系统研究。随着激光清洗技术的不断发展,激光清洗将会越来越广泛地应用于社会生产和装备保障领域,推动社会和谐可持续的发展,不断提升装备保障能力。激光清洗技术不仅可以解决产品制造过程中表面污染物的绿色清洁问题,同时可提高产品质量,对加快制造业的绿色改造升级具有促进作用,产业化应用前景广阔。

5.5.3　典型装备零部件的再制造清洗

在国家产业政策激励下,在试点企业和产业示范园区的示范带领下,我国的再制造产业蓬勃发展,再制造产品领域不断扩大,涵盖了工程机械、电动机、办公设备、石油机械、机床、矿山机械、内燃机、轨道车辆、汽车零部件等产品领域。在再制造清洗环节,目前行业内关于机械零部件的清洗大多停留在化学清洗、喷砂/喷丸清洗阶段,真正使用超声波清洗、高压水射流清洗、激光清洗等先进清洗技术的企业非常少。这既浪费资源,又污染环境,对作业人员身体健康也有很大影响,更加制约了工程机械再制造产业的绿色化高效发展。

5.5.3.1　汽车零部件的再制造清洗

1)清洗对象

汽车产品由机械零件和电子元件等构成，材料主要有金属材料、陶瓷(含硅化合物)、塑料等，针对不同清洗对象要采取不同的清洗方法。图 5-18 为汽车退役零件的主要污垢及清理后表面状态。表 5-4 为汽车产品使用中产生的污垢分析。

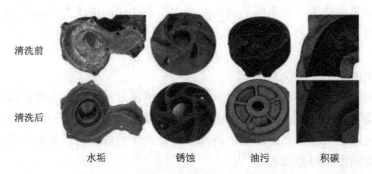

图 5-18　废旧汽车零件清洗前后的表面状态

表 5-4　汽车产品使用中零部件表面产生的污染物分析

污垢种类		存在位置	主要成分	特性
外部沉积物		零件外表面	尘埃、油污	容易清除，难以除净
润滑残留物		与润滑介质接触的各零件	老化的黏质油、水、盐分、零件表面腐蚀变质产物	成分复杂，呈垢状，须针对其成分进行清除
碳化沉积物	积炭	燃烧室表面、气门、活塞顶部、活塞环、火花塞	碳质沥青和碳化物、润滑油和焦油，少量的含氧酸、灰分等	大部分是不溶或难溶成分，难以清除
	类漆薄膜	活塞裙部、连杆	碳	强度低，易清除
	沉淀物	壳体壁、曲轴颈、机油泵、滤清器、润滑油道	润滑油、焦油，少量碳质沥青、碳化物及灰分	大部分是不溶或难溶成分，不易清除
水垢		冷却系	钙盐和镁盐	可溶于酸
锈蚀物质		零件表面	氧化铁、氧化铝	可溶于酸
检测残余物		零件各部位	金属碎屑、检测工具上的碎屑；汗渍、指纹	附着力小，容易消除
机械加工后的残留物		零件各部位	金属碎屑，抛光膏、研磨膏的残留物，加工后残留的润滑液、冷却液等	附着力不大，但需要清洗干净

2) 清洗介质

清洗过程中，提供清洗环境的物质称为清洗介质，又称为清洗媒体。清洗媒体在清洗过程中起着重要的作用，一是对清洗力起传输作用，二是防止解离下来的污垢再吸附。

3) 清洗力

清洗对象、污垢及清洗媒体三者间必须存在一种作用力，才能使得污垢从清洗对象的表面清除，并将它们稳定地分散在清洗媒体中，从而完成清洗过程，这个作用力即是清洗力。在不同的清洗过程中，起作用的清洗力亦有不同，如前所述大致可分为以下几种：溶解力和分散力、表面活性力、化学反应力、吸附力、物理力、酶力。

4) 常用的再制造清洗方法

发动机拆解前的整机清洗与拆解后的零件清洗目的不同。零件清洗主要是为再制造下道工序——零件检验做准备，为了保证检验的可靠性和准确性，对清洗后零件的清洁度要求很高。而整机清洗主要是为了消除发动机拆解过程中的污染源，因此清洁度相对要求不高[15]。

根据发动机整机清洗的目的、污染源、发动机的特点以及生产率，发动机外部的清洗以压力蒸汽吹扫为好。通过压力蒸汽对发动机外部吹扫，蒸汽遇冷态发动机后产生凝结水，在压力蒸汽的吹扫下冲刷油泥等污物，油泥可以从发动机外部剥落，由机械装置排除，不直接进入清洗液中，减少对清洗液的污染。

发动机内部的清洗，首先拆除油滤，采用重力控油的方法让残留的润滑油自然排出。拆除发动机的所有外附件、汽缸盖、各油道水道丝堵，将发动机放入加热的清洗液中，使清洗液液流快速上下冲洗发动机内部，发动机内部的润滑油受热后在清洗液表面活化剂的作用下由清洗液带出。然后再使用喷淋清洗，发动机水平旋转的同时清洗液对发动机进行高压喷淋。最后经过压缩空气吹水及烘干，发动机整机清洗完成。

根据发动机整机清洗流程、生产纲领，选择清洗机的结构形式：如发动机再制造年产能为1万台，单班大约班产35台，可选择往复式单台清洗型式。如果年产能大于3万台单班工作，可选择隧道式托盘节拍推进型清洗机。

汽车发动机整机清洗机主要结构(以往复式清洗机为例)：

清洗液加热净化系统：包括清洗液储箱、蒸汽加热器、清洗液粗滤、精滤、大流量加压泵、高压喷淋泵、自动提油机、自动提渣机。

清洗工作台：包括工作台往复推进机构、工作台旋转机构。

清洗舱：包括舱门闭锁机构、蒸汽喷嘴、喷淋喷嘴、压缩空气喷嘴、液位快速上下进出口。

切水系统：包括高压风机、风刀、软管、斜坡等。可吹干工件上大部分水。

油泥机械排出机构：直线油缸、刮板。

动能供应系统：包括水、电、蒸汽、压缩空气、液压站。

自动化控制系统：采用可编程逻辑控制器(PLC)控制可实现单机自动化工作，预留各流程节点时间调整窗、清洗液温度自动控制、清洗液液位自动控制。

发动机整机清洗机的主要工作参数：

清洗液温度控制在 70～85℃，液位快速上下时开启大流量加压泵，压力可为 0.15 MPa，流量可根据清洗舱的容积和液位快速上下冲洗的速度选定。当喷淋时开启高压喷淋泵，压力为 0.2～0.35 MPa，压力可调，流量可根据清洗舱内喷嘴的数量选定。

发动机整机清洗洗净率约为 85%，个别死角可能未清洗到，但已不会造成拆解场地的环境污染。单台发动机清洗时间约 10 分钟，可根据发动机的大小，清洁程度调整生产节拍。可满足单班年产 1 万台，三班年产 3 万台的目标。

将该方案应用在汽车发动机再制造生产工艺中，经一年的使用，对比之前的情况，有效杜绝了润滑油等污染物在发动机拆解过程中对环境的污染，有效改善了操作者的劳动条件，经过使用，获得较好的效果。可以推广到内部有润滑油的箱型设备再制造拆解工序，如：汽车变速箱、汽车前后桥、减速器、空压机等大部件批量化拆解中。

拆解后保留的零件，根据零件的用途、材料，选择不同的清洗方法。清洗方法可以粗略分为物理和化学两类，然而在实际的清洗中，往往兼有物理、化学作用。汽车产品的再制造主要针对金属制品，常用的清洗方法见表 5-3。

5) 发动机缸盖清洗流程[16]

高温分解清洗。将零件装入高温分解炉中，封严炉门，按分解炉操作规程高温烘烤，使零件表面的旧漆膜、油污在高温下分解或焚烧。

抛丸清洗。将零件挂到抛丸机装吊具上，挂好零件的吊具放入抛丸机进行抛丸处理。为防止划伤精度要求高的表面，在上面安装防护。

清丸处理。将零件挂到清丸机工装上并放入清丸机进行清丸处理。进行完清丸处理的零件拆下安装的防护。

打磨处理。用手持式打磨机对零件表面、螺丝孔、气道、水道进行打磨，将零件表面上的残留锈迹打磨干净。

加热清洗。将处理完的缸盖放入清洗机中加热清洗。

6) 发动机油底壳的清洗流程[16]

高温分解。将待清洗油底壳装入高温分解炉中，封严炉门，按高温分解炉的操作规程在适当的温度下进行高温烘烤若干小时，使零件表面上的旧漆膜、油污在高温下分解或燃烧。图 5-19 为高温分解清洗系统。

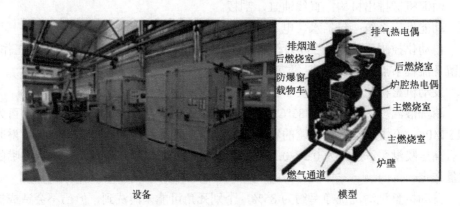

设备　　　　　　　　　　　　　　模型

图 5-19　高温分解清洗系统

抛丸处理。将烘烤后零件挂到抛丸机工装吊具上，并放入抛丸机进行抛丸处理。

整形处理。检查并对油底壳外形有凹陷、磕碰等变形部位进行整形处理。

喷漆。将零件的加工表面进行防护，对未加工表面喷上底漆，应使漆膜均匀，色泽一致(油底壳只对外表面喷漆)。

整理。对零件加工表面上的油漆打磨干净，清理表面的残余锈迹，使表面干净、光洁，无锈迹和油污等附着物。

5.5.3.2　工程机械零部件的再制造清洗

工程机械再制造零部件的清洗主要包括拆解前的清洗和拆解后的清洗。前者主要是去除零部件外部沉积的大量油泥、尘埃、泥沙等污染物；后者主要是去除零部件上油污、积炭、水垢、锈蚀、油漆等污染物。拆解前的清洗一般采用自来水或高压水冲洗，适当搭配化学清洗剂进行。拆解后的清洗主要采用化学和物理的方法。

工程机械再制造清洗过程主要是通过物理和化学的清洗技术，清除零部件表面的积炭、油泥、氧化皮等污物。工程机械再制造清洗技术主要有高压水射流清洗技术、干冰清洗技术、超声波清洗技术、激光清洗技术、水基清洗技术和绿色化学清洗技术等[17]。

再制造的清洗过程在整个再制造过程中占有重要地位，零部件的清洗质量将直接影响再制造产品的质量。目前工程机械再制造产业还停留在初级阶段。该行业的清洗也多数停留在用水泵泵水冲洗、化学溶剂擦拭、喷丸清洗的阶段，真正使用先进清洗技术的企业非常少。这既浪费资源，又污染环境，对作业人员身体健康也有很大影响，更加制约了工程机械再制造产业的开展。工程机械使用中产生的污垢特点见表 5-5[18]。

表 5-5 工程机械使用中产生的污垢特点

污垢		存在位置	主要成分	特性
外部沉积物		零件外表面	尘埃、油泥	容易清除、难以除净
润滑残留物		与润滑介质接触的各零件	老化的黏质油、水、盐分、零件表面腐蚀变质产物	成分复杂、呈垢状，需针对其成分进行清除
碳化沉积物	积炭	燃烧室表面、气门、活塞顶部、活塞环、火花塞	碳质沥青与碳化物；润滑油与焦油；少量的含氧酸、灰分等	大部分是不溶或难溶成分，难以清除
	类漆薄膜	活塞裙部、连杆	碳	强度低，易清除
	沉淀物	壳体壁、曲轴颈、机油泵、滤清器、润滑油道	润滑油、焦油、少量碳质沥青、碳化物及灰分	大部分是不溶或难溶成分，不易清除
水垢		冷却系	钙盐和镁盐	可溶于酸
锈蚀物质		零件表面	氧化铁、氧化铝	不溶于水与碱，可溶于酸

工程机械清洗方案设计的原则如下：方案设计要力求做到简化流程、减少设备、按需配置、安全环保的要求；拆解前整机清洗可用低压水射流冲洗，拆解后清洗方案需根据零部件类型及污物类型进行选择；大型零件的油污、油泥最好用高压水射流设备清洗，若需除漆、除锈则用低压水射流设备清洗；用热蒸汽清洗技术清洗高压水射流技术不方便清洗的中小型零部件，可将其作为水射流清洗后一道工序，清洗未洗净或遗漏的污物；超声清洗需要另购水基清洗液，为此可用超声清洗技术清洗过热蒸汽较难清洗的多孔洞。表 5-6 为起重机部分再制造零部件的污物类型及清洗方案。

表 5-6 汽车起重机零部件污染物类型及清洗方案

再制造部件		污染物类型	清洗方案
液压件	液压缸	油污、油泥、油漆	中小型液压缸(内外壁)：超声/过热蒸汽清洗
	中心回转体	油污	大型液压缸(内外壁)：高压水射流清洗
结构件	转台	油污、油泥、油漆、锈蚀	超高压水射流清洗或低压磨料水射流清洗
	车架		
	支腿		
	吊臂		外壁：超高压水射流/低压磨料水射流清洗
			内壁：高压水射流清洗

续表

再制造部件		污染物类型	清洗方案
传动件	销轴类	油污、锈蚀	过热蒸汽清洗
	平衡梁	油污、油泥、油漆	高压或超高压水射流清洗
	车桥及附件		
	回转支承	油泥、锈蚀	超高压水射流清洗或低压磨料水射流清洗
	传动轴	油污、油漆	高压或超高压水射流清洗

　　工程机械维修与再制造过程中的清洗方案设计应遵循简化流程、减少设备、按需配置、安全环保的原则。拆解前后零件的清洗方案需根据零部件尺寸、结构及污物类型综合考虑。其中，大型零件的油污、油泥宜采用高压水射流技术；零件外表面漆层、锈蚀、水泥结垢物等清洗易采用高压水射流清洗，当污染物较难去除时，宜选用添加硬质磨料(沙粒)的高压或低压水射流清洗工艺；以油污为主的小型零件的清洗可采用饱和蒸汽清洗技术或超声波清洗技术，当零件表面存在重度油污时，可采用环保的水基清洗液结合超声波清洗工艺进行有效清洗。表5-7为工程机械典型零部件污物类型及清洗方案。

表5-7　工程机械典型零部件污染物类型及清洗方案

零部件		污染物类型	清洗方案
液压件	液压缸	油污、油泥、油漆	中小型液压缸(内外壁)：超声波清洗/饱和蒸汽清洗
	中心回转体	油污	大型液压缸(内外壁)：高压水射流清洗
结构件	转台	油污、油泥、油漆、锈蚀、结垢物	高压水射流清洗或高(低)压磨料水射流清洗
	车架		
	支腿		
	吊臂		外壁：超高压水射流/高压磨料水射流清洗 内壁：高压水射流清洗
泵	阀体	油污、锈蚀	饱和蒸汽清洗或超声波清洗
传动件	销轴类	油污、锈蚀	饱和蒸汽清洗或超声波清洗
	平衡梁	油污、油泥、油漆	高压水射流清洗
	车桥及附件		
	传动轴	油污、油漆	高压水射流清洗

　　1) 结构件和车体的清洗
　　结构件和车体外表面污染物复杂，主要包括油污、油泥、漆层、锈蚀等。此外，混凝土泵车等工程机械的料斗、支架、车体局部等表面还覆盖有大量的混凝土结垢物(见图5-20)，具有质地坚硬、结合强度高等特点，常规的化学清洗效率低且难以去除，通常采用高压水射流或高压水射流结合硬质磨料的清洗工艺。

　　图 5-21 为高压磨料水射流清洗前后混凝土泵车车体局部表面状态对比，采用的清洗压力为 35～40 MPa，水流量为 30～50 L/min。图 5-22 为高压水射流对泵车车体表面漆层的去除效果图，采用的清洗压力为 160～180 MPa，水流量为 30～50 L/min。

图 5-20　混凝土泵车表面混凝土污垢层

图 5-21　高压磨料水射流清洗前后混凝土泵车车体局部表面状态对比

图 5-22　混凝土泵车表面漆层的高压水射流清洗效果

　　与采用纯水为介质的高压水射流清洗工艺不同，高压磨料水射流清洗过程中以纯水+磨料(河沙、石英砂等)为介质，清洗过程中所需水压低，清洗效率高。通常根据待清洗零部件表面结垢物的覆盖厚度和结合强度等因素,综合考虑使用高压水射流清洗工艺或磨料水射流清洗工艺。图 5-23 为混凝土泵车车体表面混凝土的高压磨料水射流清洗效果。

图 5-23　混凝土泵车车体表面混凝土的高压磨料水射流清洗效果

2) 液压件和阀块的清洗

针对精密件和配合件表面的油污类、以物理和化学吸附为主要结合方式的污染物,通常采用超声波清洗工艺或饱和蒸汽清洗工艺。以混凝土泵车的摆动油缸和阀块为例,由于长期在液压油的环境里服役,零件表面污物主要为油膜层及油脂层,另外由于工地环境复杂,泥土或沙石易附着在零件表面,这些固体附着物与油膜/油脂层混杂在一起形成油污垢层。

针对混凝土泵车用摆动油缸、阀块等零件油污垢层较厚,且混有泥土沙石等污垢,难以用单一常规的清洗技术去除,可采用高温水射流技术对零件表面较厚的污垢层进行粗洗,而后进行超声波精洗和漂洗的复合工艺。具体工艺流程如下:废旧油污件→高温水射流精洗→超声波精洗→超声波漂洗→热风烘干,具体工艺流程见图 5-24 和表 5-8。

图 5-24　重度油污类零件的超声波复合清洗工艺

表 5-8　超声波复合清洗工艺流程

		清洗预处理			
序号	预处理名称	预处理工具	预处理介质	时间	备注
1	浸泡	浸泡容器	市水或者清洗剂	15 min	
		超声波清洗工艺流程			
2	上料				
3	超声粗洗	清洗剂	50～60℃　≤0.2 MPa	5 min	超声、加热、循环
4	超声精洗	清洗剂	50～60℃　≤0.2 MPa	8 min	超声、加热、循环
5	鼓泡漂洗	市水	室温　0.49 MPa	5 min	去除清洗剂
6	下料				
		清洗后处理(干燥)			
7	干燥	热风枪	5 min	防止清洗后的零件表面出现氧化斑或锈蚀	

参 考 文 献

[1] GB/T 32810—2016. 再制造　机械产品拆解技术规范[S]. 北京: 中国标准出版社, 2016.

[2] 朱丽坤. 再制造产品拆解问题研究[D]. 西安: 西安工程大学, 2012.

[3] 卞世春. 机械产品回收再制造工厂规划与设计研究[D]. 合肥: 合肥工业大学, 2008.

[4] 李梁. 机电产品可拆解性设计理论研究及实现[D]. 淮南: 安徽理工大学, 2005.

[5] 许露露. 针对汽车零部件再制造的拆解规划、经济性分析及信息管理[D]. 合肥: 合肥工业大学, 2010.

[6] Sonnenberg M. Force and Effort Analysis of Unfastening Actions in Disassembly Processes[D]. New York: New Jersey Institute of Technology, 2001.

[7] Davis H, Troxell G, Hauck G. The Testing of Engineering Materials[M]. 4th ed. New York: McGraw-Hill, 1982.

[8] 田广东. 产品拆解概率评估方法及规划模型研究[D]. 长春: 吉林大学, 2012.

[9] 李京京. 面向再制造的废旧混凝土泵车拆解工艺与技术研究[D]. 湘潭: 湖南科技大学, 2014.

[10] GB/T 32809—2016. 再制造　机械产品清洗技术规范[S]. 北京: 中国标准出版社, 2016.

[11] 徐滨士. 再制造工程基础及其应用[M]. 哈尔滨: 哈尔滨工业大学出版社, 2005.

[12] Kane D. Laser Cleaning Ⅱ[M]. Sydney: World Scientific Publishing Co. Pte. Ltd, 2006.

[13] 谭荣清, 郑光, 郑义军, 等. 激光除漆对基材力学性能的影响[J]. 激光杂志, 2005, 26(6): 83-84.

[14] 沈全, 佟艳群, 马桂殿, 等. 激光除锈后基体表面粗糙度的研究[J]. 激光与红外, 2014, (6): 605-608.

[15] 王春焱, 钟铃. 汽车再制造大部件拆解污染分析及对策[J]. 新兴产业与关键技术, 2012, (17): 25-26.

[16] 徐滨士. 再制造技术与应用[M]. 北京: 化学工业出版社, 2014.

[17] 韩杰, 杨士敏, 蔡顶春. 工程机械零部件再制造清洗技术研究[J]. 机械工程与自动化, 2013, (2): 222-224.

[18] 宋明俐, 刘龙泉, 王东. 工程机械再制造的绿色清洗技术[J]. 工程机械与维修, 2015, (2): 68-71.

第 6 章
再制造检测评估与成形加工技术

6.1 概　　述

国外再制造模式与中国不同，采用换件法和尺寸修理法，通过直接更换新件或者将减小配合面的尺寸、再配以非标准的对偶件来进行再制造，可以直接采用新品的检测评价技术与标准体系，无需对再制造毛坯进行损伤评价和寿命评估。中国特色的再制造模式采用尺寸恢复、性能提升法，通过表面工程技术修复零件缺损部位的尺寸并通过形成的强化涂覆层来提升零件的性能。由于引入不同于基体的涂覆层材料和结合界面，我国的再制造机械产品要实现质量控制必须进行再制造毛坯的损伤评估、寿命预测以及损伤表面成形加工，这是保证再制造产品质量必需的技术途径。

再制造对象种类繁多，毛坯材质、性能、结构及服役条件各异，失效形式复杂多样。与新品制造相比，再制造产品的质量控制更多依赖先进无损检测技术，在机械零部件失效分析的基础上，依据再制造模式不同，面向宏观缺陷与隐性损伤并存的再制造毛坯进行损伤检测与剩余寿命预测，面向再制造后产品进行寿命评估与服役运行监测及安全评价。

再制造成形加工是实现废旧机械产品再制造产业化的基础，是恢复机械零件跨尺度损伤与质量特性的技术支撑。近年来，在大量吸收新材料、信息技术、微纳米技术、先进制造技术等领域新成果的基础上，我国再制造成形加工技术体系已初步形成，在集约化再制造成形材料、表面损伤修复技术、增材再制造技术、自动化及智能化再制造，以及现场快速再制造等技术方面取得了突破性进展。

6.2　再制造损伤检测与寿命评估技术

6.2.1　概念内涵与研究内容

6.2.1.1　概念内涵

再制造损伤检测与寿命评估技术是指定量检测评价再制造毛坯、涂覆层及界面的具有宏观尺度的缺陷或以应力集中为表征的隐性损伤程度,以此为基础评价再制造毛坯的剩余寿命与再制造涂覆层的服役寿命,给出再制造毛坯能否再制造和再制造涂覆层能否承担下一轮服役周期的评价技术。

再制造利用制造业产生的工业废弃物为坯料,即以废旧产品作为毛坯进行生产。通过采用再制造关键技术,形成再制造产品,其质量可以达到甚至超过原型新品性能。再制造生产与制造生产相比具有很大的不确定性,这主要是由再制造生产对象的特殊性所决定。再制造对象服役工况、损伤程度及失效模式具有随机性和个体差异性,非常复杂。因此不同行业领域开展再制造生产时,为保证再制造产品质量,必须采用损伤评价技术检测和评价再制造产品的宏观缺陷或隐性损伤,定量评价损伤程度,给出寿命预测结果,据此建立特定再制造产品的质量评价准则,为能否再制造提供支撑。

中国特色的再制造模式下,再制造损伤评价与寿命评估技术包括针对再制造毛坯开展的表面及内部损伤评价和剩余寿命预测技术;针对再制造涂覆层开展的涂层缺陷、残余应力、结合强度等损伤评价及服役寿命评估技术;针对再制造毛坯与涂覆层界面开展的界面脱黏、界面裂纹等损伤评价技术;以及针对逆向增材再制造获得的再制造产品,研究重新服役过程中实时健康监测技术。

6.2.1.2　再制造毛坯的检测评估

再制造毛坯在既往的服役历史中承受工况载荷作用,会发生磨损、腐蚀和疲劳等三种主要的失效模式。磨损和腐蚀产生的损伤存在于毛坯的表面,表面有磨损或腐蚀产物,损伤特征宏观可见。磨损寿命或腐蚀寿命的预测基于磨损或腐蚀的速率来计算。疲劳失效是在工况应力远低于屈服极限的条件下发生的,具有隐蔽性和突发性,常造成灾难性后果。它在结构表面或内部应力集中部位萌生疲劳裂纹,交变载荷作用下裂纹逐渐扩展直至断裂。

由于疲劳失效对机械构件的危害最为严重,开展再制造毛坯的损伤评价和寿命评估,关注其疲劳损伤与疲劳寿命的评价具有更现实的意义。疲劳寿命是指构件在发生疲劳失效时所承受的应力或应变的循环次数,或者从开始承受疲劳载荷到发生断裂所经历的时间。自 1847 年德国 Wöhler 提出 S-N 疲劳寿命曲线及疲劳极限概念,奠定疲劳破坏的经典强度理论以来,对疲劳寿命的研究已经过了一百多年的探索[1]。伴随人们对疲劳破坏微观认识的不断深入,以及在断裂力学、损伤力学领域取得的不断突破,根据疲劳破坏过程所经历的不同阶段(疲劳裂纹萌生、扩展及断裂阶段),定义疲劳寿命主要由疲劳裂纹萌生寿命和扩展寿命组成[2]。与之相应,准确评估疲劳裂纹的萌生及扩展寿命就成为再制造毛坯剩余寿命预测的关键。

6.2.1.3　再制造涂覆层检测评估

再制造涂覆层的制备通常是通过超音速等离子喷涂、电弧喷涂、电刷镀、表面熔覆技术等工艺完成。制备过程中需要外加输入能量，添加异质涂覆层材料，由于工艺原理的局限，会引入一些伴生缺陷，如裂纹、孔隙等。再制造涂覆层添加到再制造毛坯局部损伤部位后，其结合状态、残余应力等也影响到涂覆层的服役性能。再制造涂覆层的损伤评价一方面需要定量评价伴生缺陷能否满足预期功能要求、对再制造零件的安全性和可靠性的影响程度；另一方面需要评价再制造涂覆层力学性能，如硬度、弹性模量、结合强度、残余应力等对服役质量的影响程度。

对于运动对偶机械零件，再制造零件服役时主要依靠再制造涂覆层与对偶件的接触滑动或滚动来实现相对运动。接触疲劳是其主要的失效形式，再制造涂层的损伤演变是功能丧失、材料去除的过程。涂层典型的失效形式有点蚀失效、剥落失效和分层失效。因此，接触疲劳寿命预测是再制造涂覆层服役寿命研究的主要内容。目前已经引入韦布尔（Weibull）分布、最小二乘法等数学方法，建立 Weibull 失效概率曲线和 S-N 曲线方式，来预测涂层在一定应力范围内的寿命[3]。点蚀是由于表面粗糙度造成的，剥落是由于涂层近表面层缺陷在接触应力诱发下引起的，分层主要由于涂层内部的剪切应力引发失效。

再制造表面涂层的损伤评价方法有红外热像技术[4]、声发射检测技术[5]、超声无损检测技术等[6]。为保证再制造涂覆层的持久服役安全，将智能传感材料嵌入再制造涂层之中，采集实时信号来监测涂层服役过程中的信号，监测再制造涂层的健康状况已经成为新的热点，研发性能更好、灵敏度更高、环境协调能力更强的传感材料是这一研究方向的关键。

6.2.2　再制造毛坯损伤检测及寿命评估技术

目前国内外采用射线、超声、磁粉、涡流、渗透等五大类常规无损检测技术对再制造毛坯表面或内部形成的宏观缺陷进行定量评价。宏观缺陷指在三维空间上达到一定尺度的缺陷，如气孔、裂纹等。随着科学技术的发展进步，非常规的无损评价方法也越来越多引入再制造毛坯检测之中，如红外热像、激光全息、工业内窥镜等，以适应再制造毛坯不同的质量控制要求。

再制造寿命评估和制造新品的寿命评估具有不同的目标，再制造寿命评估是为了充分挖掘废旧产品中材料的潜力，使报废机电产品获得“新生”，为节省能源、节省材料、保护环境服务。它建立在宏观缺陷的定量化基础之上。进行再制造寿命评估除使用新品寿命评估中采用的技术手段外，无损检测技术，特别是先进的无损检测技术更成为再制造寿命评估的重要支撑技术。将无损检测技术，特别是先进无损检测技术与再制造寿命评估相结合，探索无损检测新技术在再制造寿命评估领域应用的可行性和技术途径，寻求准确、便捷的无损寿命评估新方法，是再制造寿命评估领域的前沿课题。

6.2.2.1 宏观缺陷检测技术

1. 射线成像检测

射线成像检测是利用 X 射线和γ射线等在穿透物体过程中发生衰减的性质，在记录介质（如感光材料）上获得穿透物质后射线的强度分布图，根据图像对材料内部结构和缺陷种类、大小、分布状况进行分析判断，并给出评价的一种无损检测方法。射线成像基本原理如图 6-1 所示。

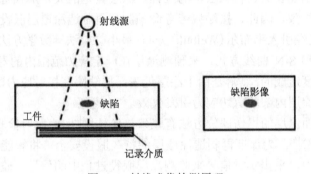

图 6-1　射线成像检测原理

射线成像检测技术几乎适用于所有材料，能直观地显示缺陷影像，便于对缺陷进行定性、定量分析。其特点是对体积型缺陷比较灵敏，如焊缝和铸件中存在的气孔、夹渣、密集气孔、冷隔和未焊透、未熔合等缺陷，但难以发现垂直射线方向的薄层缺陷。射线检测过程中不存在污染，但辐射对人体和其他生物体有害，在操作过程中需作特殊防护。在现代工业中射线成像检测已成为一种十分重要的无损检测方法。

人们在射线成像检测基本原理的基础上根据不同检测需求对成像方法不断进行改进，到目前为止，根据成像方式不同可以将射线成像检测分为两类：一类是以获得单张射线照片为目的的射线照相检测技术，经历了胶片成像和成像板成像两个阶段；另一类是以获得射线实时图像为目的的射线实时成像检测技术，其成像介质经历了荧光板、图像增强器和射线传感器 3 个阶段。射线照相检测技术与实时成像检测技术几乎同时发展，早期由于荧光板实时成像效果远不如胶片成像好。20 世纪 90 年代以后，随着射线传感器的应用和数字技术的快速发展，射线实时成像技术的成像质量和效率都大幅提高，可以同时获得较高的分辨率和较大的动态范围，因而能够检测厚度差或密度差很大的物体，与射线照相技术相比更加具有优势，目前，以数字 X 射线摄影（digital radiography，DR）和工业 CT 技术为代表的实时成像技术正在逐步取代照相检测技术。

图 6-2 为采用 GE XRS-3 型脉冲射线源和 DXR250V 型数字射线实时成像系统对经过清洗的小型电机端盖旧件进行的损伤检测图像。通过对比大曝光量和中等曝光量的照片，发现在 2#端盖中心平底孔底部存在裂纹，中心上部筋条存在一些细密的小气孔和一条小裂纹（圆圈标示）。其余部位材质比较均匀，无明显内部缺陷，对裂纹进行再制造修复后可继续使用，因此该零件具有再制造价值。

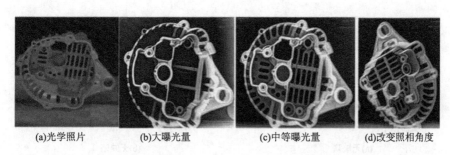

(a)光学照片　　(b)大曝光量　　(c)中等曝光量　　(d)改变照相角度

图 6-2　小型电机端盖旧件损伤检测的 X 射线数字图像

2. 超声检测

超声检测方法是通过发射器和接收器产生和接收超声波，利用超声波与被检工件的相互作用，对工件进行宏观缺陷检测、几何特征测量、组织结构和力学性能变化的检测和表征。根据不同的检测原理，超声波检测方法可分为脉冲反射法、穿透法和共振法。

1）脉冲反射法

图 6-3 的检测图形中，只有发射脉冲 T 和底面回波 B 两个信号，如图 6-3（a）所示。若零部件中存在缺陷，则在底面回波前还有缺陷的回波 F 的信号，如图 6-3（b）所示。底波高度法是在被检工件的检测面与底面平行的情况下，根据底面回波高度来判断缺陷的情况。在工件的材质和厚度不变时，底面回波 B 高度应该是不变的，如果工件内存在缺陷，则底面回波高度会下降甚至消失。多次底波法是根据底波的次数和高度变化规律来推测工件中的信息的。当超声波的能量较大时，经过往复传播，一般在仪器显示屏上会出现多次底波信号。如果工件中存在缺陷，在出现缺陷底波 F 的同时，缺陷的反射和散射增加了声能的损失，底面回波的次数减少，高度也会依次降低。

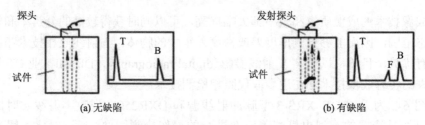

图 6-3　脉冲反射法检测的基本原理

2)穿透法

穿透法是采用一收一发双探头分别置于零件相对的两端面,依据脉冲波或连续波穿透零件后幅值的变化来判断内部缺陷的方法,如图 6-4 所示。

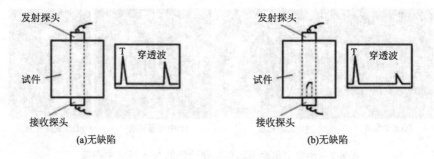

图 6-4　直射声束穿透法

穿透法检测的优点在于在零件中声波单向传播,适于检测高衰减的介质,几乎不存在盲区,适用于单一产品大批量加工过程中的自动化检测。穿透法检测的缺点在于两探头单发单收,只能判断缺陷的大小和有无,不能确定缺陷的方位,当缺陷尺寸小于探头波束宽度时检测的灵敏度较低。

3)共振法

共振法通过共振原理检测缺陷及零件厚度变化的情况。当零件的厚度为声波半波长的整数倍时,则发生共振。通过测得超声波的频率和共振次数,可计算零件的厚度:

$$\delta = n\frac{\lambda}{2} = \frac{nc}{2f}$$

当零件中有较大缺陷或厚度改变时,共振点偏移甚至共振现象会消失,因此共振法常用于壁厚的测量,较少用来检测缺陷。

此外,根据检测所用的波形不同,超声检测又可分为纵波法、横波法、表面波法和板波法等。

废旧曲轴再制造也是再制造技术在汽车发动机中典型应用的实例之一。利用超声相控阵技术可对再制造曲轴连杆轴颈内侧圆角处裂纹进行检测，图 6-5(a)为曲轴结构图。根据曲轴断裂失效分析结果可知，连杆轴颈内侧过渡圆角处裂纹缺陷是导致曲轴失效的主要原因，因为此处存在应力集中，并且曲轴内部及表层存在夹杂物，严重破坏了金属基体的连续性，使材料的强度和塑性大大降低，成为潜在的微裂纹源，在应力作用下易产生疲劳裂纹，致使曲轴发生疲劳断裂。根据曲轴形状及曲轴轴颈(主轴颈或连杆轴颈)轴向宽度，采用扇扫方法对其进行缺陷检测。采用小尺寸探头，且探头紧贴曲轴连杆轴颈内侧过渡圆角边缘放置。

图 6-5(b)是对曲轴连杆轴颈内侧过渡圆角处的裂纹进行检测的 A 扫和 C 扫结果。A 扫图中纵坐标为超声波信号幅值，单位为 V；横坐标为超声波传播时间，单位为 μs。C 扫图中横坐标为探头移动距离，单位为 mm；纵坐标为超声波传播距离，单位为 mm。由扇扫图显示，在连杆轴内侧过渡圆角处位置出现了回波信号，即为轴径底面回波，显示曲轴连杆轴颈内侧过渡圆角处疲劳裂纹回波信号。

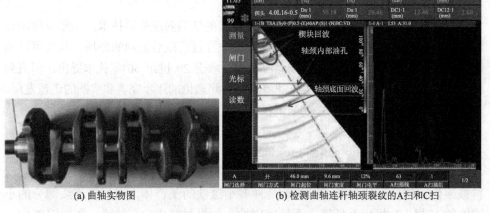

(a) 曲轴实物图   (b) 检测曲轴连杆轴颈裂纹的A扫和C扫

图 6-5 曲轴及其超声相控阵检测结果

3. 电磁检测

电磁无损检测是无损检测技术的重要分支，是利用材料在电磁场作用下，呈现出的电学或磁学性质的变化，判断材料内部组织及有关性能的实验方法，主要包括涡流检测、磁粉检测等。

1) 涡流检测

涡流检测(eddy current testing)是基于电磁感应原理揭示导电材料表面和近表面缺陷的无损检测方法。涡流检测速度快，特别适合管、棒材的检测，对于表面和近表面缺陷有较高的灵敏度，可对大小不同的缺陷进行评价，能在高温状态下进行探伤，可用于异形材和小零件的检测，不仅适用于导电材料的缺陷检测，而且可检测材料的电导率、磁导率、热处理状况、硬度和几何尺寸等，使用广泛。根据不同的检测目的，可采用涡流电导仪、涡流探伤仪、涡流测厚仪等不同类型的仪器。涡流检测自动化率较高，但只能检测导电材料，难以判断缺陷种类，灵敏度相对较低。

随着涡流检测理论的进一步完善，各种新的涡流检测技术发展迅速，这些技术主要有阻抗平面显示技术、多频涡流检测技术、远场涡流检测技术、涡流三维成像技术、脉冲涡流检测技术等。

阻抗平面显示技术通过建立材质参量特征与涡流阻抗之间的对应关系，采用相应的模式识别方法，可以准确快速地鉴别材质特征及其参数。国内于 20 世纪 90 年代推出的全数字化智能涡流探伤仪，将专门设计的计算机与涡流检测单元合为一体，不仅具有阻抗平面显示功能，而且性能有很大提高。

多频涡流检测技术是 Libby 于 1970 年首先提出的。该方法采用几个频率同时工作，能有效地抑制多个干扰因素，提取有用信号。70 年代后期国外已成功应用该技术进行了核电站蒸气发生器管道的在役检测。90 年代以后，国内先后研制出多种类型的涡流检测仪。

远场涡流检测技术是一种能穿过金属管壁的低频涡流检测技术。当激励线圈和测量线圈同时放入管道中，测量线圈能够接收穿过管壁后返回的磁场，从而可以检测管道内壁缺陷与腐蚀情况。远场涡流检测技术于 20 世纪 50 年代末提出，但直到 80 年代中期才开始得到实际应用。随着涡流检测理论的逐步完善和实践的迅速发展，涡流检测技术在无损探伤、性能测试和实时监控方面的应用会越来越广泛。

2）磁粉检测

磁粉检测（magnetic particle testing）是基于缺陷处漏磁场与磁粉的相互作用而显示铁磁性材料表面和近表面缺陷的无损检测方法。当外加激励磁场时，铁磁材料被磁化，磁化后的材料可以认为是许多小磁铁的集合体，在材料连续部分的小磁铁的 N 极、S 极相互抵消，不呈现磁性。如果材料中含有缺陷，在缺陷部位，由于缺陷造成材料不连续，磁力线被缺陷截断，缺陷开口处聚集异性磁荷，呈现不同的磁极，磁粉吸附在缺陷位置从而指示缺陷。其原理如图 6-6 所示。

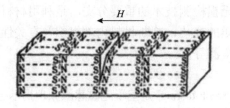

图 6-6　磁粉检测原理

磁粉检验法的目标是形成不连续的可靠指示，这依赖磁粉的选择和使用，能在给定条件下获得最佳的特征指示。磁粉显示介质选择不合理可能导致磁痕无法形成或过于细小或产生畸变，产生错误判断。

根据磁粉的状态，磁粉检测分为干法和湿法两种检测方式。干法是使用干磁粉洒在零件上进行检测，称为干粉法。干法检测时，磁粉的施加无需另外的载体。湿法检测是将干磁粉与煤油、变压器油混合后制成磁悬液，检测时将磁悬液喷洒在零件上进行检测的方法，湿法检测时需要用磁悬液溶解磁粉。

磁粉是由氧化铁磁材料的粉末制成，其形状有不规则的、球状的、片状的或针状的。磁粉材料的形状和种类不同，则其特性有很大差异。此外磁粉还要有尽可能高的磁导率和尽可能低的矫顽力，以便被不连续形成的漏磁通磁场吸引，形成可见的磁痕指示缺陷位置。但是，磁粉材料的磁导率要与其尺寸、形状以及磁化方式相匹配，必须规定其磁导率和矫顽力适当的取值范围。

磁粉检测包括预处理、磁化工件、施加磁粉或磁悬液、磁痕分析和评定、退磁、后处理等 6 个基本步骤。磁粉检测技术可用于检测裂纹、折叠、夹层、夹渣等。磁粉检测所用设备简单、操作方便，观察缺陷直观快速，能确定缺陷的位置、大小和形状，有较高的检测灵敏度，尤其对裂纹特别敏感，但只能检测铁磁材料，探伤前必须清洁工件，某些应用要求探伤后给工件退磁。

4. 渗透检测

渗透检测(penetrant testing)是最早使用的无损检测方法之一。除表面多孔性材料以外，渗透检测可以应用于各种金属、非金属材料以及磁性、非磁性材料的表面开口缺陷检测。渗透检测方法简单，操作简便，不受工件几何形状、尺寸大小影响。一次检测可以探查任何方向的缺陷。但只能检测表面开口缺陷，工序较多，不能发现皮下缺陷、内部缺陷等。

渗透检测的基本原理是利用渗透液的润湿作用和毛细现象而在被检材料和工件表面上浸涂某些渗透力比较强的渗透液，将液体渗入孔隙中，然后用水和清洗剂清洗材料和工件表面的剩余渗透液，最后再用显示材料施加在被检工件表面，经毛细管作用，将孔隙中的渗透液吸出来并加以显示。其原理如图 6-7 所示。

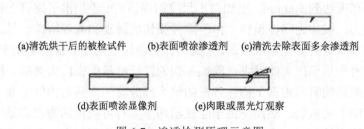

(a)清洗烘干后的被检试件　(b)表面喷涂渗透剂　(c)清洗去除表面多余渗透剂

(d)表面喷涂显像剂　(e)肉眼或黑光灯观察

图 6-7　渗透检测原理示意图

渗透检测中，渗透剂和清洗剂的性能对渗透检测的质量起着十分关键的作用。目前渗透剂有荧光渗透剂和着色渗透剂两大类。因此按照渗透剂中溶质的不同可分为着色检测和荧光检测两大类。

1) 着色检测法

着色检测法的渗透液为着色渗透液，其主要成分是红色染料、溶剂和渗透剂。此外还有降低液体表面张力以增强润湿作用的活性剂、减少液体挥发的抑制剂、便于水洗的乳化剂以及助溶剂和增光剂等。这种方法要求渗透液具有渗透力强、渗透速度快、色深而醒目，洗涤性好，化学稳定性好，对受检材料无毒、无腐蚀性。

显像剂分干粉显像剂和湿显像剂。着色渗透检测中最常用的是溶剂悬浮性湿显像剂。这种显像剂的主要成分是吸附剂，常用氧化锌、氧化镁、二氧化钛等白色粉末和一些有机溶剂组成，并加入醋酸纤维素、火胶棉、塑料树脂等作为限制剂以限制显像的扩大作用。对显像剂的性能的基本要求包括悬浮力好，与渗透剂有明显的衬度对比，显示缺陷图像清晰，对被检材料无腐蚀作用。

2) 荧光检测法

荧光检测法所用的渗透液中含有至少两种荧光物质，缺陷的观察采用紫外线光源(也称黑光灯)，使渗入缺陷内的荧光物质激发出荧光而发现缺陷。对荧光渗透液的要求是荧光度高、渗透性好、检测灵敏度高、易于清洗、无毒无味、不腐蚀材料。荧光渗透液主要由荧光材料、溶剂、渗透剂以及适量的表面活性剂、助溶剂、增光剂和乳化剂等组成。其中荧光材料在紫外线照射下能够通过分子能级跃迁而产生荧光。

荧光显像剂分为干粉显像剂和湿粉显像剂两种。由于干粉显像有利于获得最高灵敏度和显示亮度，因此再制造毛坯损伤检测中常采用干粉显像法。常用干粉显像剂是经过干燥处理的白色粉末——氧化镁粉。施加干粉可用埋入法、喷粉枪等。荧光湿粉显像剂与着色显像剂基本相同。

6.2.2.2　隐性损伤评价

再制造毛坯有服役历史，可能产生累积损伤。目前工程上无损检测技术能够发现的缺陷精度达到 100 μm，更加微小尺度的损伤，由于超出了现有无损检测仪器的识别能力，被称为隐性损伤。由于隐性损伤的微观和细观特性，导致损伤累积引起的物理参量的变化非常微弱。采集构件材料这些物理参量的变化十分困难，在微弱的信号中辨识出来能够表征隐性损伤的特征参量面临巨大挑战。隐性损伤发展到宏观缺陷的时间占据了构件寿命的绝大部分时间，其对构件宏观力学行为及性能的影响非常重要。然而，由于隐性损伤不具有可辨识的物理参量的改变，常规无损检测方法都无法实施。目前仅有金属磁记忆检测技术、非线性超声技术等为数很少的无损评价方法能够用于早期损伤评价，但这些技术尚处于实验室探索阶段，未形成再制造工程应用的标准规范。

在构件的早期损伤阶段，其内部结构状态的变化非常复杂和微弱，既有微观位错结构的变化，又有原子、分子水平的微裂纹萌生。揭示隐性损伤产生机制与原理，是开展再制造毛坯隐性损伤评价和寿命评估的前提和基础，解决这一问题面临很大挑战。

隐性损伤具有微观和细观特性，损伤累积引起的物理参量的变化非常微弱。采集构件材料这些物理参量的变化依然十分困难，在微弱的信号中辨识出来能够表征隐性损伤的特征参量面临巨大挑战。

通过开展隐性损伤评价及寿命评估技术相关研究，揭示再制造毛坯隐性损伤生成及累积的物理机制，建立再制造毛坯隐性损伤评价方法与标准。针对特定再制造毛坯构件的失效形式与服役工况特点，研发再制造毛坯隐性损伤的检测评估的专用设备。

评价隐性损伤是世界性难题，目前业界公认只有两种方法具有评价的可能性，即声发射技术和金属磁记忆技术。声发射技术要求使用时必须加载，噪声干扰严重，很多场合难以应用。金属磁记忆检测技术是一种弱磁性无损检测技术。该技术是 1997 年在美国旧金山举行的第 50 届国际焊接学术会议上，由俄罗斯学者 Doubov 教授正式提出。金属磁记忆检测技术认为铁磁材料在地磁场环境中受到工况载荷的作用，在应力集中区域磁畴结构发生不可逆变化，在应力集中部位生成自有漏磁场，自有漏磁场即使在卸除载荷的情况下依然存在，"记忆"应力集中部位，即产生金属磁记忆现象。其原理如图 6-8 所示。

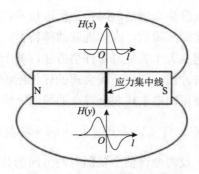

图 6-8　磁记忆现象原理示意图

金属磁记忆检测技术利用铁磁材料损伤区域自发产生的漏磁信号进行损伤的检测，理论上具有诊断隐性损伤的可能性，在再制造寿命评估领域具有较大潜力，是进行再制造质量控制的一种有效手段。但是作为一种新兴的无损检测方法，它的理论基础仍然薄弱，弱磁信号如何定量化尚有很多工作有待深入研究。

常规的无损评价方法都是利用单一的物理量进行检测，如超声、射线、涡流、磁粉、渗透等，这些单一检测方法获得的信息是不全面的，难以满足现代机械装备越来越复杂苛刻的诊断要求。引入多传感器来采集多种物理参量的变化信息，经过综合处理后进行数据层、特征层和决策层的融合，以获得准确可靠的评价结果。

现有的信息融合系统结构分为分布式传感器结构、集中式传感器结构及混合组网结构三种类型。数据关联算法是多信息融合的核心，基于模型的方法、基于信号处理的方法以及人工智能的方法是三类常用的融合算法。

信号特征提取技术是实现多信息特征层的重要手段。在机电装备再制造服役过程中，首先分析设备零部件运转中所获取的各种信号，提取信号中各种特征信息，从中提取与故障相关的征兆，利用征兆进行故障诊断。

由于机电系统结构复杂，部件繁多，采集到的信号往往是各部件运行情况的综合反映，且传递途径的影响增加了信号的复杂程度。如何从复杂的信号中提取出故障的特征参量，是多信息传感融合面临的一大挑战。

采用多信息融合技术开展再制造毛坯损伤评价和寿命评估的关键是优选适宜的融合评估算法，人工智能技术将是最具潜力的算法融合手段。目前已经发展的专家系统、神经网络、模糊逻辑、遗传算法、支持向量机等人工智能融合算法，在某些特定对象的故障诊断中发挥了重要作用，但仍存在功能相对单一、只能进行简单诊断的不足。未来需要将多种性能互补的人工智能融合算法相互结合，但如何制定信息融合规则成为一个难点。

通过开展多信息融合损伤评价与寿命评估技术相关研究，建立信号特征的提取方法和融合准则，研发静动态信号故障特征提取技术，基于数学原理构造与再制造毛坯故障问题相匹配的基函数，有效提取故障特征；优选多信息融合算法，建立融合策略和准则。建立人工智能寿命评估方法，基于人工智能技术，研究再制造毛坯寿命评估技术与方法，提供正确合理的评价结论，预测再制造毛坯的损伤发展规律与趋势，实现再制造毛坯剩余寿命的智能评价。

6.2.2.3 再制造毛坯损伤评价及寿命评估技术的主要挑战

再制造毛坯损伤评价及寿命评估主要面对两方面的技术挑战：一是高端装备主动再制造对无损评价技术提出的挑战，二是微小裂纹定量检测。

目前高端装备的服役环境越来越苛刻，高速、高载、高压、高温、高真空、风沙、强光照等极端服役条件，导致关键部件多种失效模式耦合，寿命劣化特征参量提取困难，这对损伤评价设备在极端工况条件下运行的可靠性以及主动再制造评估提出新的挑战。

宏观缺陷都是由微小裂纹发展而来。微小裂纹的定量化是毛坯可再制造性评价的基础。目前工程界能够发现的小裂纹极限尺寸定位在 0.1 mm，在微米尺度内小裂纹的定量评估受到损伤评价技术的局限。

目前再制造毛坯寿命评估有主要包含三类研究方向：

第一类是基于损伤力学及断裂力学的相关知识，借助理论计算或疲劳试验手段，建立疲劳宏观力学反应量之间关系的理论模型来预测寿命；这类方法目前常通过各种疲劳试验形式(如拉压、弯曲、扭转、滚动、振动等)模拟实际工况环境进行试验，再基于数学和力学理论分析来建立寿命预测模型。其试验过程复杂，费用昂贵，由于疲劳试验数据的分散性，预测的寿命结果和工况环境下的实际寿命常有差距(5~10 倍)。

第二类是随着有限元技术的迅速发展而出现的数值模拟法，通过建立零部件有限元模型，利用多体动力学理论建立虚拟样机，利用软件模拟出零部件在实际工况下的运动及应力应变响应，再根据有限元计算结果，结合应力、应变寿命曲线和适当的损伤累积法则，实现构件的疲劳寿命预测，并以可视化方式显示零部件的疲劳寿命分布及疲劳的薄弱部位。这类方法虽然可以在一定程度上解决实际测试材料的疲劳特性、工作载荷谱等试验周期过长、耗费巨大的问题，但是受载荷边界条件设置的影响，有限元模拟结果常和实际寿命差距较大。

第三类是采用无损检测方法检测构件中缺陷的发生、发展情况，进行质量评价及寿命预测。这类方法可以针对工程真实构件实施，操作简便，结果准确。但采用这类方法的难点在于必须选择适合于被测构件的无损检测方法，要求该方法能够捕获被测构件服役过程中由于损伤而导致的局部或整体的某些参量的变化，利用这些参量的变化来表征构件不同的损伤程度。采用无损检测方法确定损伤程度，尤其是识别早期损伤，由于缺乏可检测的参量，目前还存在很多困难。

通过开展宏观缺陷评价及寿命评估技术相关研究，研发新型物理参量传感检测的先进无损检测理论与方法，建立再制造毛坯极端工况下高可靠度的再制造性评价方法，建立典型再制造毛坯件剩余寿命评估技术规范和标准，研发再制造毛坯剩余寿命评估设备，有利于推动再制造产业快速发展。

6.2.3　再制造涂覆层损伤评价与寿命评估技术

再制造涂覆层是通过采用先进的表面工程技术在再制造毛坯局部损伤部位制备的一层耐磨、耐蚀、抗疲劳的表面涂层或覆层。再制造涂覆层附着在再制造毛坯基体上，恢复了再制造毛坯的超差尺寸，又提升了再制造零件的使用性能。

再制造涂覆层是通过外加输入能量并且添加不同于再制造毛坯基体的异质覆层材料而形成的,其缺陷类型主要有裂纹、气孔、夹渣、厚度不均、结合不良等。此外,再制造涂覆层的结合强度、残余应力等力学性能状态也直接影响其服役寿命。因此对涂覆层的损伤评价与寿命评估主要针对涂层缺陷、结合强度及残余应力进行测量,对应缺陷的评价方法有渗透、磁粉、涡流、超声等常规评价方法;目前对涂层结合强度的检测仍采用破坏式的测量方法,尚无有效的无损评价方法。测试涂覆层的残余应力最常采用的是 X 射线衍射方法。再制造涂覆层的寿命评估技术研究集中在接触疲劳寿命评估方向。

6.2.3.1　再制造涂层缺陷评价及寿命评估技术

无论是机械嵌合类型的再制造涂覆层,还是冶金结合类型的再制造涂覆层,裂纹和气孔都是最主要的涂层缺陷。根据检测对象的要求,目前均是采用常规的无损评价方法进行检测,如渗透法、磁粉法、超声法、电磁法等。评价准则与制造领域的涂覆层相同。寿命评估技术则是基于获取的涂覆层裂纹失效形式采用统计学方法处理。

目前国内再制造企业采用的涂覆层无损评价工序安排在再制造成形工序之后,以离线方式进行,依靠专门的检测人员采用单独工位、单一设备实施。该方法检测效率低,评价结果的可靠性依赖检测人员的技术水平和经验积累。随着再制造企业产品生产量日益提高,满足生产线上再制造涂覆层的快速检测需求,提高检测自动化水平,成为当前需要解决的迫切难题。

信息技术的广泛普及为再制造企业提供了网络化平台,未来再制造企业生产工艺将基于物联网系统来执行。常规的涂覆层缺陷检测评价技术必须将其评价结果向定量化、数字化、信息化转化融合,这些常规评价技术面临着智能化改造升级的挑战。

通过开展再制造涂层缺陷评价及寿命评估技术相关研究,研发流水线嵌入式再制造涂覆层无损评价技术与设备,综合已有的常规再制造涂覆层缺陷检测方法,研发嵌入流水线的再制造涂覆层评价技术与设备,能够实时在线评价涂层质量,提升检测效率和可靠性,提高再制造生产和质量控制的自动化水平。研发再制造涂覆层智能化评估技术与设备,未来的再制造生产将是依靠各种类型传感器实现互联互通的智能化生产模式。在自动化设备基础上,增加信息传输、通信、存储、分析等组网技术,实现流水线上物料、人工、工具、设备等的物物相连,实现涂覆层缺陷与寿命评估的智能化。

6.2.3.2　涂层结合强度测试评价技术

再制造涂覆层的结合强度是评价再制造成形质量的一个重要指标。目前涂覆层结合强度测试方法的原理主要是通过给涂层/基体施加一定的外载荷，使涂层产生剥离和破坏，来测定结合强度的大小。胶接拉伸法是国内外通用的检测涂层结合强度的定量方法，此外还有划痕法、剪切法、弯曲法、热震法等。这些测试方法需要制作专门的试样在特定试验机上进行测量，测试过程会对试样造成一定程度的破坏。

现有的结合强度测试方法仍然是一种间接测试方法，需要制作标准试样来进行测试，不能直接评价再制造零件的涂覆层与基体之间的结合状态。如何实现再制造成形过程中涂覆层结合强度的原位、无损评价面临巨大挑战。

建立一种再制造涂覆层结合强度的无损或微损评价方法对控制再制造产品质量非常重要。目前的结合强度测试方法都属于破坏性的测试方法，有些方法甚至会造成测试试样的完全断裂。虽有研究报道了探索压痕法、声发射法、超声波法等微损伤或无损伤的结合强度测试方法，但仍处于实验室研究阶段，研究结果仍然滞后于生产需求。亟需通过开展涂层结合强度测试评价技术相关研究，研发再制造涂覆层结合强度原位、无损评价新工艺方法。

6.2.3.3　涂层残余应力测试评价技术

应力状态是表征再制造涂覆层质量状态的一项重要指标，残余应力分布特征直接关系到涂覆层的服役安全性和可靠性。长久以来，残余应力测试评价技术一直受到密切的关注，根据测试技术对检测对象的影响程度，残余应力测试方法有很多类型。不同方法受各自测试原理的限制，适用于不同类型的涂覆层。根据测试方法实施是否对涂覆层产生损伤，将涂覆层残余应力测试技术分为有损和无损两种类型，小孔法、割条法、轮廓法等有损测试方法需要局部分离或分割含残余应力的零件，使残余应力局部释放达到测试目的；X 射线衍射方法、超声波法、磁性法等通过测量不同残余应力区域的晶格变形、声速、磁性能的改变来评价残余应力，属于无损测试方法。目前再制造涂覆层残余应力测试较多采用 X 射线衍射方法。

为避免对再制造涂覆层引入新的损伤，残余应力无损测试新方法一直是受到高度关注的研究方向。现有 X 射线衍射方法只能测定表面应力，受材料表面状态、结构形状的影响较大。因此，研发新的再制造涂覆层无损测试方法是目前面临挑战。

常规的残余应力测试技术测试的是一维方向的残余应力，而残余应力是一个张量，具有三个维度，测试技术需要给出三个维度的残余应力大小和方向才能表征残余应力状态，而实现多维残余应力测试面临诸多挑战。

通过开展再制造涂层残余应力测试评价技术相关研究，研发再制造涂覆层残余应力无损测试新设备与方法，其中纳米压痕技术是非常有前景的再制造涂覆层残余应力测试新技术，深入开展相关理论与方法研究，有助于研发压入式再制造涂覆层残余应力测试的无损设备与工艺方法。深入研究纳米压痕技术测试残余应力的理论与方法，研发压入式再制造涂覆层残余应力测试的无损设备与工艺方法。研发再制造涂覆层残余应力多维测试新设备与方法，其中轮廓法是国外近年来提出的一种可实现多维残余应力测试的新技术，可以检测二维或者三维的残余应力，相关研究有利于推动再制造生产线用涂覆层多维残余应力测试技术与设备研发，该方法可以检测二维或者三维的残余应力。深入研究轮廓法等能够测试多维残余应力的新技术新方法，研发适宜再制造生产线使用的涂覆层多维残余应力测试设备。

6.3 再制造成形加工技术

6.3.1 再制造成形加工技术基础

再制造成形加工技术是在废旧零部件损伤部位沉积成形特定材料，以便恢复零部件的形状和性能、甚至提升其性能的技术。再制造成形加工技术与传统制造技术具有本质区别，传统制造技术的对象是原始资源，而再制造成形的对象是已经加工成形并经过服役的损伤失效零部件，针对这种损伤失效零部件的恢复甚至提高其使用性能，具有很大的难度和特殊的约束条件，因此需要通过各种高新再制造成形加工技术来实现。

目前我国特色的再制造成形加工技术体系已初步形成，如图 6-9 所示。根据零部件损伤失效形式的不同，该体系可分为表面损伤再制造成形加工技术和体积损伤再制造成形加工技术两大类。

近年来，再制造成形加工技术大量吸收了新材料、信息技术、微纳技术、先进制造等专业领域的最新科学技术成果和关键技术，如先进表面技术、微/纳米涂层及微/纳米减摩自修复技术、修复热处理技术、再制造毛坯快速成型技术等，在增材再制造成形加工技术、自动化及智能化再制造成形加工技术、再制造成形材料的集约化以及现场快速再制造成形加工技术等方面取得突破性进展。

再制造成形加工技术是再制造技术的主要组成，是保证再制造产品质量、推动再制造生产活动的基础，在再制造产业中发挥着重要作用，已成为再制造领域研究和应用的重点。

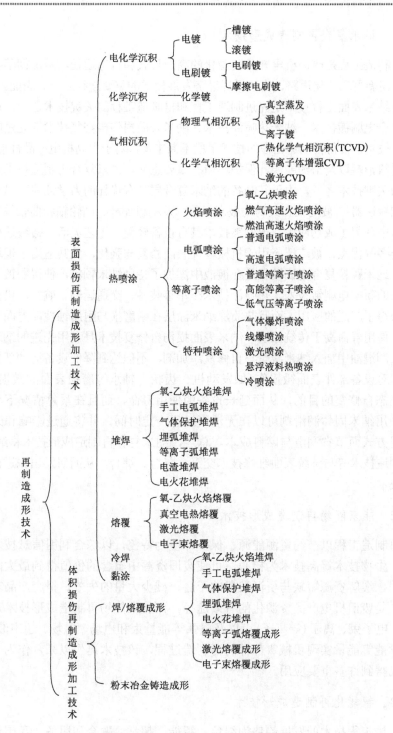

图 6-9　再制造成形加工技术体系

6.3.1.1　纳米复合再制造成形技术

再制造工程是废旧机电产品资源化的高级形式和首选途径,是贯彻落实科学发展观、走新型工业化道路、构建循环经济发展模式的重要途径之一。表面工程技术,尤其是纳米表面工程技术是先进制造工程和再制造工程的关键技术之一。通过研究纳米复合电刷镀技术、纳米热喷涂技术、纳米表面损伤自修复技术等先进的纳米表面工程技术,使得再制造工程的技术手段不断丰富,对于提高机电产品性能和质量、降低材料消耗以及节约能源、保护环境有重要意义。纳米复合再制造技术是再制造工程的关键技术之一,由于其制备的纳米复合层具有优异的力学性能,已经在重载车辆侧减速器主/被动轴和大制动鼓密封盖、发动机连杆、凸轮轴和曲轴等零部件的再制造中获得了成功应用。电刷镀技术具有设备轻便、工艺灵活、镀覆速度快、镀层种类多等优点,被广泛应用于机械零件表面修复与强化,尤其适用于现场及野外抢修。纳米颗粒复合电刷镀就是在镀液中添加了特种纳米颗粒,使得刷镀层性能显著提高的新型电刷镀技术。热喷涂技术在军事装备、交通运输、航空、机械等领域已经获得了广泛的应用,而且热喷涂纳米涂层在耐磨损与耐腐蚀性能方面具有很好优势,使用寿命高于传统涂层。纳米表面损伤自修复技术是利用先进的纳米技术,通过在润滑油中加入纳米减摩与自修复添加剂,不但达到降低设备运动部件的摩擦磨损和对设备部件表面微损伤(如发动机、齿轮、轴承等磨损表面的微损伤)进行原位动态自修复的目的,从而延长设备的使用寿命,而且在紧急情况下车辆甚至通过使用纳米固体润滑剂可以在无油下运行一定时间,并将通过影响和改进传统的润滑方式而节省润滑与燃料成本。总之,纳米复合再制造成形技术将纳米材料、纳米制造技术等与传统表面维修技术交叉、复合、综合,从而研发出先进的再制造成形技术。

6.3.1.2　能束能场再制造成形技术

再制造工程以节约资源能源、保护环境为特色,以综合利用信息技术、纳米技术、生物技术等高技术为核心,可使废旧资源中蕴含的价值得到最大限度开发和利用,缓解资源短缺与资源浪费的矛盾,减少大量的失效、报废产品对环境的危害,是废旧机电产品资源化的有效途径。而能束能场再制造成形技术是利用激光束、电子束、离子(等离子)束以及电弧等能量束和电场、磁场、超声波、火焰、电化学能等能量实现机械零部件的再制造过程,该技术诞生以来,作为一种修复技术已得到许多重要应用。

6.3.1.3　智能化再制造成形技术

机械工程技术的发展趋势为绿色、智能、超常、融合和服务。我国最近提出制造业数字化智能化是新工业革命的核心技术的战略，指出制造业的发展方向是数字化智能化。再制造作为制造产业链的延伸和先进制造、绿色制造的重要组成部分，也应适应新形势，以数字化智能化作为其发展方向。智能化再制造成形技术在缺损零件的反求建模、三维体积损伤机械零件再制造、自动化智能化等方面取得了不错的进展。大连海事大学、华中科技大学等单位针对再制造成形过程中的零件缺损部位的反求建模，在理论和技术研究方面取得了突破性进展。近两年，针对机器人操作自动化再制造成形过程，在损伤部位再制造路径生成理论和方法以及自动化再制造成形设备系统等方面，均取得了重要进展。同时，未来冶金装备智能化与在役再制造也会重点发展监控智能化、设备与工艺相匹配、提高整体系统能效等。总之，未来的智能化再制造将会实现智能化和自动化，大大节约人力成本，提高生产效率。

6.3.1.4　再制造加工技术

目前再制造技术在汽车零部件、矿用设备、石化装备、工程机械等领域应用广泛，而此类装备再制造成形层几何形状通常较为规则，采用车削加工即可实现。随着再制造技术在航空航天、海工装备等领域的广泛应用，蕴含高附加值的零部件将成为研究热点，同时对再制造加工提出了新的挑战，例如，整体叶盘、叶片等零部件再制造加工时面临的复杂轮廓、表面完整性和纹理、型面精度及刚性较弱等问题，回收火箭再制造重新服役时可能面临的高效再制造加工问题，钻井平台等海工装备面临的强腐蚀性、复杂服役载荷的恶劣服役环境给再制造加工带来的技术挑战。因此，切削-滚压复合加工、增减材一体化加工、低应力电解加工及砂带磨削等技术研究及装备研发将成为再制造加工研究热点。

6.3.2　再制造成形技术

6.3.2.1　纳米复合再制造成形技术

1) 纳米复合电刷镀技术

纳米复合电刷镀技术利用电刷镀技术在装备维修中的技术优势，把具有特定性能的纳米颗粒加入电刷镀液中获得纳米颗粒弥散分布的复合电刷镀涂层，提高装备零部件表面硬度、强度、韧性、抗蚀、耐磨等性能。

与普通电刷镀层相比，纳米复合电刷镀层中存在大量的硬质纳米颗粒，且组织细小致密，具有较高的硬度、优良的耐磨性能(抗滑动磨损、抗砂粒磨损、抗微动磨损)、优异的接触疲劳磨损性能及抗高温性能，因此可以大大提高传统电刷镀技术维修与再制造零部件的性能，或者可以修复原来传统电刷镀技术无法修复的服役性能要求较高的金属零部件。纳米复合电刷镀技术拓宽了传统电刷镀技术的应用范围。

纳米复合电刷镀技术应用范围包括：

(1)提高零部件表面的耐磨性。由于纳米陶瓷颗粒弥散分布在镀层基体金属中，形成了金属陶瓷镀层，镀层基体金属中的无数纳米陶瓷硬质点，使镀层的耐磨性显著提高。使用纳米复合镀层可以代替零件镀硬铬、渗碳、渗氮、相变硬化等工艺。

(2)降低零件表面的摩擦系数。使用具有润滑减摩作用的不溶性固体纳米颗粒制成纳米复合镀溶液，获得纳米复合减摩镀层，镀层中弥散分布了无数个固体润滑点，能有效降低摩擦副的摩擦系数，起到固体减摩作用，因而也减少了零件表面的磨损，延长了零件使用寿命。

(3)提高零件表面的高温耐磨性。纳米复合镀使用的不溶性固体纳米颗粒多为陶瓷材料，形成的金属陶瓷镀层中的陶瓷相具有优异的耐高温性能。当镀层在较高温度下工作时，陶瓷相能保持优良的高温稳定性，对镀层整体起到支撑作用，有效提高了镀层的高温耐磨性。

(4)提高零件表面的抗疲劳性能。许多表面技术获得的涂层能迅速恢复损伤零件的尺寸精度和几何精度，提高零件表面的硬度、耐磨性、防腐性，但都难以承受交变负荷，抗疲劳性能不高。纳米复合镀层有较高的抗疲劳性能，这是因为纳米复合镀层中无数个不溶性固体纳米颗粒沉积在镀层晶体的缺陷部位，相当于在众多的位错线上打下无数个"限制桩"，这些"限制桩"可有效地阻止晶格滑移。另外，位错是晶体中的内应力源，"限制桩"的存在也改善了晶体的应力状况。因此，纳米复合镀层的抗疲劳性能明显高于普通镀层。当然，如果纳米复合镀层中的不溶性固体纳米颗粒没有打破团聚，颗粒尺寸太大，或配制镀液时，颗粒表面没有被充分浸润，那么沉积在复合镀层中的这些"限制桩"很可能就是裂纹源，它不仅不能提高镀层的抗疲劳性能，反而会产生相反的结果。

(5)改善有色金属表面的使用性能。许多零件或零件表面使用有色金属制造，主要是为了发挥有色金属导电、导热、减摩、防腐等性能，但有色金属往往因硬度较低、强度较差，造成使用寿命短、易损坏。制备有色金属纳米复合镀层，不仅能保持有色金属固有的各种优良性能，还能改善有色金属的耐磨性、减摩性、防腐性、耐热性。如用纳米复合镀处理电器设备的铜触点、银触点，处理各种铅青铜、锡青铜轴瓦等，都可有效改善其使用性能。

(6)实现零件的再制造并提升性能。再制造以废旧零件为毛坯，首先要恢复零件损伤的尺寸精度和几何形状精度。这可先用传统的电镀、电刷镀的方法快速恢复磨损的尺寸，然后使用纳米复合镀技术在尺寸镀层上镀纳米复合镀层作为工作层，以提升零件的表面性能，使其优于新品。这样做，不仅充分利用了废旧零件的剩余价值，而且节省了资源，有利于环保。在某些备件紧缺的情况下，这种方法可能是备件的唯一来源。

目前，纳米复合电刷镀技术在国防装备和民用工业装备再制造中已获得大量成功应用，取得了显著的经济和社会效益。如采用纳米电刷镀技术在履带车辆侧减速器主动轴的磨损表面刷镀纳米 Al_2O_3/Ni 复合镀层，仅用 1 小时便可完成单根轴的尺寸恢复；采用纳米电刷镀技术再制造大制动鼓密封盖的内孔密封环配合面，仅用 1 小时便可完成单件修复；采用 $n-Al_2O_3/Ni$ 纳米复合电刷镀层对发动机压气机整流叶片的损伤部分进行了局部修复，修复后的叶片通过了 300 小时发动机试车考核。

虽然纳米复合电刷镀技术已成功实现工程零部件表面的抗裂、耐磨、防腐蚀性能的显著提升，但目前对于纳米复合电刷镀技术工艺和理论的认识还有待于完善，对于镀层形成机理、强化机理、纳米颗粒作用机理、纳米表面性能改善机理等认识还有待于加强。

目前，纳米复合电刷镀技术施工过程还主要依靠手工操作完成。但随着纳米复合电刷镀技术在武器装备和汽车、机床等民用工业装备再制造中的应用范围不断扩大，手工操作已难以满足生产效率和生产质量的要求，对自动化纳米复合电刷镀技术的需求越来越迫切。虽然自动化纳米复合电刷镀技术已取得一定进展，如我国针对重载汽车发动机再制造生产急需，已研发出了连杆自动化纳米复合电刷镀再制造专机[图 6-10(a)]和发动机缸体自动化纳米复合电刷镀再制造专机[图 6-10(b)]，并已经在济南复强动力有限公司的发动机再制造生产中成功应用，但自动化纳米复合电刷镀技术的发展和推广仍面临很大的挑战。

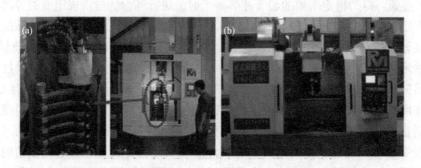

图 6-10　连杆和发动机缸体自动化纳米复合电刷镀再制造专机

2) 纳米热喷涂技术

纳米热喷涂技术用各种新型热喷涂技术(如超音速火焰喷涂、高速电弧喷涂、超音速等离子喷涂、真空等离子喷涂等)，将纳米结构颗粒喂料喷涂到零部件表面形成纳米涂层,提高零部件表面的强度、韧性、抗蚀、耐磨、热障、抗疲劳等性能。

热喷涂纳米涂层可分为三类:单一纳米材料涂层体系、两种(或多种)纳米材料构成的复合涂层体系和添加纳米材料的复合体系(微晶+纳米晶),特别是陶瓷或金属陶瓷颗粒复合体系具有重要作用。

纳米热喷涂技术已成为热喷涂技术新的发展方向。美国纳米材料公司采用等离子喷涂技术制备了 Al_2O_3/TiO_2 纳米结构涂层,该涂层致密度达 95%~98%,结合强度比传统粉末热喷涂涂层提高 2~3 倍,耐磨性提高 3 倍;美国 R. S. Lima 等采用等离子喷涂技术成功制备了氧化锆纳米结构涂层,主要用作热障涂层;M. Cell 等采用纳米 Al_2O_3 和 TiO_2 颗粒混合重组的 Al_2O_3-13wt%TiO_2 喷涂喂料,等离子喷涂制备了纳米结构涂层,该涂层的抗冲蚀能力为传统颗粒喷涂的 4 倍,已在美国海军舰船和潜艇上得到应用。

目前,传统热喷涂技术已被广泛用于损伤失效零部件的再制造,如采用等离子喷涂技术修复重载履带车辆,其密封环配合面采用 Fe04 粉末,轴承配合面采用 Fe03 粉末,衬套配合面采用 Fe04 和 Ni/Al 粉末,再制造后车辆经过 12000 km 的实车考核,效果良好;在汽轮发电机大轴过水表面等离子喷涂 Ni/Al 涂层,其防水冲蚀效果理想;采用 Ni-Cr-B-Si 和 TiC 混合粉末,在航空发动机涡轮叶片表面等离子喷涂厚度为 0.1 mm 涂层,经 20 台发动机约 6 万个叶片装机飞行,证明使用效果良好。但纳米热喷涂技术受到设备、喷涂粉末和成本等因素制约,在再制造领域的应用还有待进一步拓展。

纳米热喷涂技术中,超音速等离子喷涂是制备纳米结构涂层较好的技术之一。该技术是在高能等离子喷涂的基础上,利用非转移型等离子弧与高速气流混合时出现的扩展弧,得到稳定聚集的超音速等离子射流进行喷涂。与常规速度的等离子喷涂技术相比,超音速等离子喷涂技术大幅提高了喷射粒子的速度和动能,涂层质量得到显著提高,在纳米结构耐磨涂层和功能涂层的制备上具有广阔的应用前景。

纳米热喷涂技术面临的挑战主要集中在以下几个方面:①纳米热喷涂技术的理论研究还未完善,对热喷涂纳米涂层的形成机理、与基体的结合机理、纳米颗粒的作用机理、表面性能改善机理等认识还有待提高。②高性能纳米结构喷涂材料的制备和开发仍存在困难。纳米颗粒材料不能直接用于热喷涂,在喷涂过程中容易发生烧结,送粉难度也很大,必须将纳米颗粒制备成具有一定尺寸的纳米结构颗粒喂料,才能够直接喷涂。由于喂料的纳米颗粒粒度分布要均匀,要具有高颗粒密度、低孔隙率和较高的强度,因此喂料的制备和新喷涂材料的开发也是纳米热喷涂技术挑战之一。③纳米热喷涂技术在再制造领域的推广受到设备、喷涂粉末和成本等因素制约。如适用于该技术的超音速等离子喷涂设备价格相对较高,制备纳米涂层时需要使用昂贵的高纯氮气、氢气等工作气体,且纳米结构颗粒喂料的生产成本远高于普通热喷涂粉末。④复杂形状零部件的纳米热喷涂成形工艺问题尚需解决，研究如何优化复杂零部件的纳米热喷涂成形工艺，并实现纳米热喷涂技术的智能化和自动化，将是一个巨大的机遇和挑战。

3) 纳米表面损伤自修复技术

纳米表面损伤自修复技术是指在不停机、不解体的情况下，利用纳米润滑材料的独特作用，通过机械摩擦作用、摩擦-化学作用和摩擦-电化学作用等，在磨损表面沉积、结晶、渗透、铺展成膜，从而原位生成一层具有超强润滑作用的自修复层，以补偿所产生的磨损，达到磨损和修复的动态平衡，是损伤表面自修复效应的一种新技术。

纳米表面损伤自修复技术是再制造工程的一项关键技术，其在再制造产品中的应用能够发挥再制造产品的最大效能，是再制造领域的创新性前沿研究内容。纳米表面损伤自修复技术不仅可以减少机械装备摩擦副表面的摩擦磨损，还可以在一定的条件下实现发动机、齿轮、轴承等磨损表面的自修复，从而可以预防机械部件的失效，减少维修次数，提高装备的完好率，降低机械装备整个寿命周期费用。

用于纳米表面损伤自修复技术的纳米润滑材料包括：单质纳米粉体、纳米硫属化合物、纳米硼酸盐、纳米氢氧化物、纳米氧化物、纳米稀土化合物以及高分子纳米材料等。

目前，纳米表面损伤自修复技术已成功用于各型内燃机、汽轮机、减速齿轮箱等设备动力装置的再制造。如 C698QA 型六缸发动机采用混合纳米添加剂的 SF15W-40 汽油机油进行 300 摩托小时的台架试验，与只使用 SF15W-40 汽油机油相比，发动机最大功率升高了 6.08%，最大扭矩升高了 2%，油耗降低了 5.98%，连杆轴瓦的磨损降低了 47.4%，活塞环的磨损降低了 49.8%，而在凸轮轴、曲轴主轴径、曲轴连杆轴径等部位同时实现了零磨损；北京铁路局将某种金属磨损自修复材料用在机车内燃机车上，使其中修期由原来的 30 万千米延长至 60 万千米，免除辅修和小修；北京公交运七公司用该种自修复材料在 17 台公交车上进行了 4 个月试验，车辆气缸压力平均上升了 20%，基本恢复了标准值，尾气平均值下降 50%，节油率为 7%左右。

纳米表面损伤自修复技术目前主要面对以下挑战：①关于纳米润滑材料的表面损伤自修复机理认识有待深入，油润滑介质中纳米润滑材料的摩擦学作用机理和表面修复作用机理尚需进一步完善。②纳米润滑材料的制备和自修复控制方法是该技术的研究重点。近年来，随着生物技术和信息技术的迅猛发展，以借鉴自然界生物自主调理和自愈功能为基础的机械装备智能自修复研究受到发达国家的高度重视。与智能自修复技术相关的智能仿生自修复控制系统、智能自修复控制理论、装备故障自愈技术和智能自修复材料等将是该技术未来发展的重要机遇和挑战。

6.3.2.2　能束能场再制造成形技术

1. 高速电弧喷涂再制造成形技术

高速电弧喷涂再制造技术是以电弧为热源,将高压气体加速后作为高速气流来雾化和加速熔融金属,并将雾化粒子高速喷射到损伤失效的零部件表面形成致密涂层的一种工艺。该技术原理是:两根金属丝通过送丝装置均匀连续地分别送进电弧喷涂枪中的导电嘴内,导电嘴分别接电源的正负极,当两根金属丝材端部由于送进而相互接触时,发生短路产生电弧使丝材端部瞬间熔化,将高压气体通过喷管加速后作为高速气流来雾化和加速熔融金属,高速喷射到损伤失效的零部件表面。

与普通电弧喷涂技术相比,高速电弧喷涂技术具有沉积效率高、涂层组织致密、电弧稳定性好、通用性强、经济性好等特点。目前,高速电弧喷涂再制造技术已成为再制造工程的关键技术之一,已在设备零部件的腐蚀防护、维修抢修等领域得到广泛的应用。

高速电弧喷涂再制造技术应用范围包括:①提高零部件的常温防腐蚀性能。采用高速电弧喷涂技术对舰船甲板进行防腐治理,经多年应用证明防腐效果显著,预计使用寿命可达 15 年以上。②提高零部件的高温防腐蚀性能。电站、锅炉厂的锅炉管道、转炉罩裙等部分常因氧化、冲蚀磨损和熔盐热腐蚀而出现损伤,采用高速电弧喷涂新型高铬镍基合金 SL30 以及金属间化合物基复合材料 Fe-Al/Cr_3C_2 进行高温腐蚀/冲蚀治理,防腐寿命可达 5 年以上。③提高零部件的防滑性能。采用 FH-16 丝材高速电弧喷涂舰船主甲板,进行防滑治理取得了良好的效果。④提高零部件的耐磨性能。高速电弧喷涂技术可用于修复大轴、轧辊、气缸、活塞等零部件的表面磨损,如蒸汽锅炉引风机叶轮的叶片磨损,可用高速电弧喷涂技术对其进行修复,修复表面无需机加工处理,但使用寿命却可成倍增加。

高速电弧喷涂再制造技术仍面临以下挑战:①高速电弧喷涂的理论一直是该技术研究的重点,但目前相关理论体系还不够完善,涂层形成机理、涂层与基体的结合机理等还需进一步研究。②高速电弧喷涂技术与超音速火焰喷涂和等离子喷涂等技术相比,高速电弧喷涂层与基体的结合强度还相对较低、涂层孔隙率较高。为满足先进再制造工程的需要,需要进一步提升高速电弧喷涂再制造产品的性能和寿命。③目前,高速电弧喷涂普遍使用人工喷涂作业手段,生产效率较低,作业环境较差,迫切需要加快自动化甚至智能化的高速电弧喷涂技术研究。

高速电弧喷涂技术经过多年的发展,在再制造工程领域已得到广泛的应用。该技术未来发展的主要目标有:①继续深入基础理论研究,揭示高速电弧喷涂技术机理,建立完善的理论体系,理论研究对精确控制涂层的质量和性能至关重要。②研究更高性能的喷涂材料、喷涂设备及喷涂技术。如新型体系设计的复合材料、纳米材料、非晶材料，在设备方面有在电弧喷涂技术基础上外加气体、超声、电磁及环境保护等作用的新型喷涂技术等。③开发应用自动化和智能化高速电弧喷涂系统，实现高速电弧喷涂技术的高度产业化，以提高生产效率和质量，改善作业环境。④加强高速电弧喷涂技术在关键零部件上的推广应用，拓展应用范围。目前高速电弧喷涂技术的规范化程度不高，质量控制体系不全面，未来应加强该技术的规范管理和推广应用，推动再制造业的发展。

2. 激光表面修复技术

激光再制造技术是指利用激光束对废旧零部件进行再制造处理的各种激光技术的统称。按激光束对零部件材料作用结果的不同，激光再制造技术主要可分为两大类：激光表面改性技术(激光熔覆、激光淬火、激光表面合金化、激光表面冲击强化等)和激光加工成形技术(激光快速成形、激光焊接、激光切割、激光打孔、激光表面清洗等)，其中，激光熔覆再制造技术和激光快速成形再制造技术在目前工业中应用最为广泛。

目前，激光再制造技术已大量应用在航空、汽车、石油、化工、冶金、电力、矿山机械等领域，主要是对零部件表面磨损、腐蚀、冲蚀、缺损等局部损伤及尺寸变化进行结构尺寸的恢复，同时提高零部件服役性能。

英国 Rolls-Royce 公司采用激光熔覆技术修复了 RB211 型燃气轮机叶片，采用 TIG 堆焊修复一件叶片需要 4 分钟，而激光熔覆只需 75 秒，合金用量减少 50%，叶片变形更小，工艺质量更高，重复性更好。沈阳大陆激光技术有限公司成功进行了某重轨轧辊和螺杆压缩机转子(见图 6-11)的激光熔覆再制造，修复了表面因磨损而出现的局部凹坑，恢复了零件的尺寸和形状，提高了零件的表面性能和使用寿命。激光再制造技术还可用于轴类件、齿轮件、套筒类零件、轨道面、阀类零件、孔类零件等修复。此外，激光表面相变硬化、激光合金化、激光打孔等技术均已在零部件再制造中得到了应用。

图 6-11　激光再制造后螺杆压缩机转子

激光再制造技术的出现和发展，为损伤失效零部件的修复开辟了新途径，已经在工业中获得大量成功应用，但仍面临以下挑战：①目前激光再制造技术所用的激光器还主要是大功率 CO_2 激光器和固体激光器，激光器系统笨重，光路易受干扰、难以搬动移动，因此其作业过程主要在工厂车间完成，难以满足户外作业需要。②对大型装备的现场作业，需要把笨重的激光器系统拆解，搬运到现场进行重新安装调试，作业周期很长，严重制约着生产效率。对大型装备贵重零部件和野外装备现场应急抢修还存在较大困难。③实现损伤失效零部件的激光再制造成形，对激光器输出能量和激光再制造工艺参数的稳定性具有很高的要求，研制具有高稳定性的激光再制造成形系统是该技术发展的当务之急。④实现大型装备和重型机械再制造，需要激光器具有很大的输出功率，研制超大功率激光器是实现未来大型零部件再制造的重要途径。⑤实现激光能量场和其他能量场的复合，如采用激光-电弧复合能量场进行再制造成形，可提高再制造工作效率和成形质量，对拓宽激光再制造技术应用范围有着重要意义。⑥微机电应用技术的发展对激光再制造技术提出了更高的要求，研究微纳米尺度的激光再制造成形技术将是再制造领域一个全新的挑战。

激光再制造技术正日益获得越来越多的关注，必会成为再制造领域的重要发展方向，该技术下一步发展目标为：①将激光再制造技术与 CAD、CAM 技术相结合，实现装备零部件的快速仿形制造与近净成形，实现大型装备与工程机械的现场快速保障。②研制超大功率(十万瓦级、百万瓦级)激光器及激光再制造加工系统，控制系统能量的稳定输出，实现超大工程零部件的现场再制造过程。③将激光能量与电弧、等离子弧等不同能量形式进行复合，形成激光-电弧复合加工系统、激光-等离子弧复合加工系统等，实现不同材料、不同形状零部件的再制造过程。④利用超短脉冲激光实现材料微纳米尺度的加工特性，研究新的激光微纳加工再制造工艺，如激光微熔覆、飞秒激光双光子聚合等手段实现宏观部件局部表面织构化及微纳米器件的再制造过程。

6.3.2.3　智能化再制造成形技术

智能再制造成形技术是再制造技术发展的主流方向，是实现工业化进程中的必要环节。未来工业发展主要向智能化及自动化方向发展，逐渐减少人力成本，而对于再制造技术来说，智能化再制造成形技术将会是再制造成形技术的一大跨越。现有的再制造成形技术主要以手工操作及设计为主，未来的智能化再制造将会实现智能化和自动化，大大节约人力成本，提高生产效率。

利用微束等离子弧、电子束、激光等高能束和能场，基于能束能场、电弧喷涂、电弧堆焊、电刷镀等再制造成形技术，实现了汽车发动机缸体、飞机发动机叶片、矿采设备关键零部件等的再制造，推动了再制造产业化发展，但是再制造生产有的还依赖于手工作业,虽然有的实现了自动化作业,但是自动化程度不高,急需提升自动化智能化水平。

目前基于机器人堆焊与熔覆再制造成形技术可对缺损零部件的非接触式三维扫描反求测量、成形路径规划,基于 MIG 堆焊/铣削复合工艺的近净成形技术、面向轻质金属的再制造成形技术等进行了广泛深入的研究,成功实现了典型装备备件的制造与制造成形。

实际再制造过程中,构件损伤部位和损伤形状多种多样,很少有构件只是简单的平面损伤,且损伤部位平坦易于修复,如管状内壁的修复、叶轮叶片的根部位置修复等。这些位置采用激光熔覆技术进行修复时,激光头由于尺寸原因很难实施修复操作,实际的再制造技术受到尺寸工装的限制很大,因此对损伤部位的再制造首先要考虑工装卡具问题,图 6-12 为受损的叶轮片,在狭小的尺寸范围内进行再制造成形修复较为困难。更为关键的是,再制造构件损伤情况多种多样,再制造不是进行简单的修复,而是将受损部位修复至原有形貌,如果受损部位形状复杂而且构件原有几何形状也较为复杂,那么很多时候即使采用手工的方式仍然很难对受损部位进行原状修复。

图 6-12　受损叶轮片

这就需要解决两大问题:一是对受损部位的三维形貌进行测量并构建模型,即依据构件在该部位的原有形貌再结合实际受损部位形貌进行逆向几何模型构建;二是根据所构建的几何模型,使得再制造设备能够自动按照几何模型进行逐步修复。这涉及三维形貌测量系统、三维模型构建及路径规划系统以及最终的设备行走控制系统,多个系统的耦合及匹配是智能化再制造的关键所在。实际上,目前再制造工程领域很难达到自动化水平,多个系统的构建及耦合涉及复杂的控制装置和计算机技术,要求有极高的专业性。目前在激光增材制造中广泛使用的自动化成形系统实际上要简单得多,在增材制造过程中,只需要建立三维的 CAD 模型,再利用分层软件进行分层,之后设备可以按照规划好的路径进行扫描,最后便可成形出所需要的产品,图 6-13 为典型的增材制造过程的模型构建及实际成形,图 6-14 为整个智能再制造过程的主要流程图。实际上和增材制造相比,再制造的修复需要复杂的几何数据的采集和模型构建,同时再制造技术是在原有的构件上进行立体成形,相对于增材制造而言要求更复杂,这也是再制造技术很难实现智能化的重要原因。

图 6-13　增材制造三维模型构建及成形

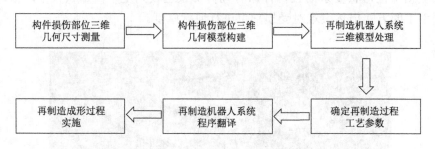

图 6-14　智能化再制造主要工艺流程

再制造技术实际上是一个多学科交叉技术,不仅涉及材料学科、机械学科,还涉及计算机和自动化学科。再制造技术不仅在于工艺的研发设计,还在于设备的保障和功能设计,因此再制造技术的发展涉及多个方面的内容,需要多个学科交叉并协同发展,需要整合多个学科知识,构建学科交叉平台,在学科交叉背景下综合多方面考虑进行协同发展,图 6-15 为智能化再制造成形技术多学科交叉示意图。因此再制造技术在实现智能化的过程中面临着很多的困难和挑战,主要包括:①再制造三维形貌数据的采集和处理较为困难,现有的设备功能有限,很难依据所构建的几何模型进行编程并运行路径,在机器人自动控制方面,涉及的控制技术及计算机技术很难解决。②现代机械和装备对再制造成形质量要求越来越高,尤其是航空装备再制造工艺要求更为苛刻,实际的再制造过程中不仅要考虑到再制造的几何修复,更重要的是性能修复,在智能化过程中,如何能够在保证几何形貌的同时还能够保证性能要求是智能化再制造的一大难点。③根据不同的基体材料和性能要求，研制不同的熔覆材料体系，利用自动化设备优化再制造成形工艺参数还将有大量的工作要做。

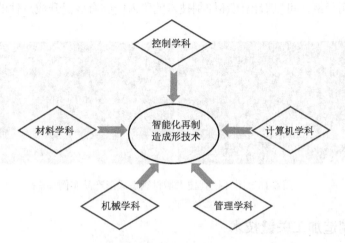

图 6-15　智能化再制造成形技术学科交叉示意图

　　再制造技术的智能化过程是再制造技术发展历程中的重要一环，传统的再制造技术主要偏向于手工工艺，在再制造产品质量以及效率上很难保证，因此实现再制造技术由手工向自动化及智能化方向发展是再制造技术发展过程中的必经一环。但实际上再制造智能化的实现难度很大，为了实现再制造智能化发展，必须克服多个困难和问题。现有的很多技术理念都可以为智能化再制造成形技术提供技术参考，目前增材制造技术已经逐渐向智能化及自动化方向发展，虽然增材制造技术和再制造技术在实际工艺方法等方面有很大差异，但是在智能化发展方向上，再制造技术还是有很多地方借鉴增材制造技术。为了实现再制造的智能化过程，真正实现再制造过程的智能化及自动化，有以下几个目标：①精确控制再制造工艺参数，实现厚度、稀释率、性能自由调整的熔覆层，进而完成对航空装备等高精度高性能高端装备的再制造过程。②建立自动加工系统的材料与工艺专家库，实现对不同基体材料、不同性能要求零部件的快速再制造。③研发零件损伤反演系统和自动化再制造成形加工系统，实现装备再制造加工过程(再制造成形、后续机械加工)的一体化，具备完成表面损伤再制造与体积损伤增材再制造的能力。

　　智能化再制造在国内甚至是国际上仍然处于起步发展阶段，学科交叉性带来的技术难度使得智能化再制造技术的发展非常困难，但随着技术的不断创新发展，智能化再制造技术将得到全面的发展和蜕变。目前很多关于增材制造的技术方法可以被再制造技术所借鉴，在智能化方面这两个技术领域具有很大的关联性。基于增材制造技术的闭环控制系统实际上也是增材制造智能化的一部分，对于再制造技术来说，闭环控制技术仍然可以转化为再制造技术智能化的一部分。图 6-16 为增材制造闭环控制应用示例，可以看出闭环控制技术的引入能够有效提升成形件的产品质量。

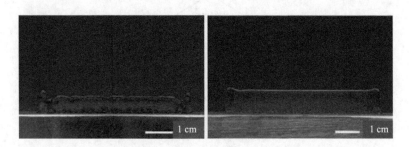

图 6-16   闭环控制技术增材制造成形产品实例

6.3.3   再制造加工关键技术

再制造加工技术是指以损伤零部件及其再制造成形层为对象，以切削减材加工、特种加工等技术作为材料去除手段，满足再制造零部件的尺寸精度及服役需求的技术统称。对再制造零部件而言，无论是表面损伤还是体积损伤，经过刷镀、喷涂亦或熔覆修复成形后，都需要后续再制造加工方可满足尺寸精度及表面功能要求。

再制造成形层与基材的表界面特性是影响再制造零部件服役性能的关键，同时也是影响再制造加工的重要因素。例如，电刷镀再制造成形技术与熔覆再制造成形技术获得的成形层特性及界面结合特性差异较大，因此在进行再制造加工时面临不同的技术挑战；激光、喷涂等能量束再制造成形技术获得的成形层通常具有高硬度、高耐磨/蚀性的特点，这也给再制造加工带来挑战。铣削、车削及磨削等加工等技术均可用于再制造加工，针对难加工材料开发的滚压、超声辅助切削、低应力电解加工、高效砂带磨削等先进加工方法将是未来再制造加工重点研发技术。

6.3.3.1   以铣削、车削为主的再制造加工技术

铣削、车削及磨削等传统机械加工手段已有多年研究成果积累，此类加工技术具有稳定、成熟的工艺积累，因此成为再制造加工必不可少的技术之一；铣削、车削及磨削等作为再制造加工技术可以实现大部分再制造零部件的机械加工。相对于传统机械加工而言，针对再制造成形层的加工技术研究历史较短，因此使用传统切削手段进行再制造成形层加工的研究仍有潜力挖掘。Zhao 等[7]研究了典型离心式压缩机叶轮材料 KMN 钢上铁基激光增材成形层的铣削加工性能，通过分析切

屑形貌、加工过程振动、铣削力等获得了激光增材成形层铣削加工特性，指出同参数下增材成形层铣削力及铣削过程振动均显著大于基体材料；并分析了通过在合金粉料中添加适量稀土元素对成形层铣削颤振抑制的有效性，并揭示了含异质元素增材成形层铣削加工减振机理。Zhang 等[8]研究了镍铬基不锈钢激光熔覆层的车削加工性能，指出切深增加导致切削力增大、表面质量变差、加工硬化现象逐渐显著。

目前，以传统铣削、车削及磨削为主的再制造加工技术面临的挑战主要集中在以下几个方面：①再制造成形层与基材界面结合特性不尽相同，后续切削加工过程会对界面结合强度产生一定影响，进而影响再制造零部件的服役性能。因此，界面结合特性与再制造加工技术的匹配关系有待进一步研究。②具有高硬度、高耐磨性的成形层可视为难加工材料，在进行成形层加工时会出现诸如切削振动剧烈、加工表面质量较差及刀具耐用度低等问题，因此针对不同性能再制造成形层的切削加工特性、工艺体系还有待深入研究。③航空航天、海工装备领域蕴含高附加值的零部件逐渐成为再制造研究热点，此类零部件的复杂轮廓、弱刚性、服役环境恶劣等给再制造加工过程带来挑战，基于逆向工程的再制造成形层三维建模、再制造成形层加工工艺策略及再制造零部件尺寸精度控制等均成为切削再制造加工的主要挑战。

以铣削、车削为主的再制造加工技术主要有以下发展方向：①深入研究不同再制造成形技术获得的成形层与基材的界面结合特性，建立再制造成形技术与再制造加工技术之间的匹配关系，为再制造加工技术选择提供理论指导。②研究不同再制造成形层切削加工特性、研究刀具结构对再制造成形层的切削加工适应性，建立再制造成形层切削加工工艺体系，达到抑制切削振动、提高加工质量、提高刀具寿命及提高再制造加工效率的目的。③复杂轮廓、弱刚性零部件再制造模型重构、加工尺寸精度控制，工艺路径规划，实现复杂零部件的高效、高精度再制造加工。

6.3.3.2　切削-滚压复合加工技术

滚压表面强化是改善零件表面应力状态、提高其抗疲劳性能的有效手段，目前已广泛应用于航空航天、精密机械等领域。切削-滚压复合再制造加工技术是指对经过切削的再制造成形层表面进行滚压加工，通过加工表面的微塑性变形改善成形层应力状态，提高服役寿命；该技术主要应用于使用传统切削技术时成形层加工表面质量、应力状态无法满足使用需求的情况。Zhang 等[9]研究了滚压对经车削加工的激光熔覆层残余应力的影响，指出合适的滚压参数在激光熔覆层表面形成了残余压应力，并将原因归结为滚压引起激光熔覆层的塑性变形。Zhuang 等[10]研究了表面深滚对铝合金上激光熔覆层疲劳强度的影响，指出滚压在熔覆层表面引入了残余压应力，压应力影响层深度超过 1 mm，疲劳强度显著提升，如图 6-17 所示。

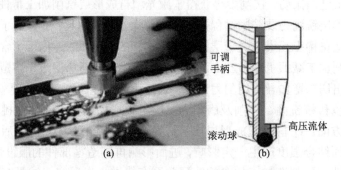

可调
手柄

高压流体

滚动球

(a)   (b)

图 6-17   铝合金板材表面激光熔覆层滚压[10]

再制造成形层的切削-滚压复合加工技术主要存在如下挑战：①再制造成形层材料微观组织结构与传统锻造、铸造材料有一定差异，滚压技术对再制造成形层性能的影响机理有待深入研究，切削-滚压复合加工对再制造成形层微观组织结构、应力状态的耦合影响机理是该技术所面临的挑战。②超声辅助滚压有助于零部件加工后表面的改性及延寿，与滚压技术相比超声辅助滚压的技术优势明显。因此，切削-超声辅助滚压复合加工对再制造成形层影响机理、工艺适应性及其装备开发等有待深入研究的问题。

通过开展切削-滚压复合加工技术相关研究：①获得滚压技术对不同再制造成形层性能影响机理，建立完善的切削-滚压复合加工工艺体系，改善再制造零部件的表面质量及应力状态，提高抗疲劳性能，进而提高再制造零部件的服役寿命。②揭示超声滚压对不同再制造成形层性能影响机理，建立适用于再制造成形层的切削-超声滚压复合加工工艺体系，开发适用于不同结构零部件的配套工艺装备，提高再制造加工性能及加工效率。

6.3.3.3   增减材一体化智能再制造加工技术

目前零部件再制造过程中增材成形和成形层加工通常是分开进行的，即首先利用增材成形设备进行零部件再制造成形涂覆，随后将工件转移到机械加工装备上进行成形层加工。增材成形和减材加工工位改变不仅导致生产效率低下，而且会因为定位基准变化导致加工精度降低，甚至会导致再制造零部件报废。在此背景下，增减材一体化加工技术，即一次装夹在同一工位完成损伤零部件的增材成形及减材加工，逐渐成为再制造领域研究热点。DMG 等国内外机床生产商已推出增减材一体化加工设备，如 DMG MORI 将激光增材技术与五轴加工中心相结合(图 6-18)，首先通过激光增材系统形成增材成形零部件，然后自动切换进行精密机械加工。基于此技术优势，增减材一体化技术也成为再制造加工的重要技术之一。

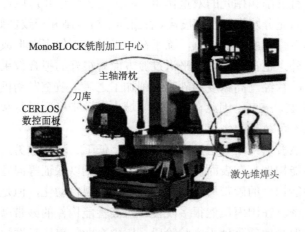

图 6-18 DMG MORI LASERTEC 65 3D 配置图[9]

增减材一体化技术应用于再制造加工存在以下挑战：①能束能场再制造成形获得的成形层通常具有较高温度，高温下材料性能会发生一定改变，例如强度下降等，在增材成形层高温、强度较低时进行减材加工，必将降低加工难度、提高加工质量及加工效率。因此，减材加工时机、切削加工参数、刀具结构等问题是最大化发挥增减材一体化加工优势所面临的挑战。②增材成形通常伴随大量的能量输入，减材加工过程通常需要切削液进行冷却、润滑，因此增减材复合加工中的热-冷、干-湿加工环境变化对装备系统设计提出较高要求，如何降低冷热交替对材料性能影响，如何避免增材成形、减材加工过程干涉及其对装备系统的影响，开发增减材专用数控系统、实现增减材过程智能控制，均是增减材一体化技术面临的挑战。③开发增减材智能加工系统，实现增减材加工过程中成形质量、加工质量等的实时监控及反馈调节，开发适用多种类型零部件、可实现多种再制造成形技术的增减材一体化加工，降低增减材加工成本，也是需要解决的挑战。

通过开展增减材一体化智能再制造加工技术相关研究：①建立与不同再制造成形手段相匹配的增减材一体化加工工艺体系，实现不同再制造成形层的增减材加工最佳时机决策。②解决增减材设备存在的热-冷、干-湿加工干涉及相互影响问题，开发适用度广的增减材一体化智能加工装备，在保证加工质量与加工效率的前提下，降低加工成本。

6.3.3.4 砂带磨削再制造加工技术

砂带磨削作为一门新的机械加工技术，因其加工效率高、适应性强、应用范围广、使用成本低、操作安全方便等特点，广受现代制造业各个领域的青睐。砂带磨削因同时兼有磨削和抛光的双重作用,其工艺灵活性和适应性非常强,在复杂曲面加工中可以充分发挥磨削精度高、表面加工质量高和一致性好的优良性能,同时砂带磨削具有弹性磨削的特点,除了在加工后的工件表面形成残余压应力可以提高疲劳强度外,也在曲面型面平滑过渡方面有很好的拟合效果。航空发动机台架实验证明,叶片经过高精度的砂带磨削加工之后,航空发动机的气流动力性能可以明显提高 1%~2%。因此在再制造领域中,砂带磨削对复杂曲面高性能构件的再制造有着不可替代的作用。

目前我国仍然普遍采用人工抛磨方式,效率低下、环境恶劣,再制造加工出的复杂曲面高性能构件具有表面质量差、型面精度难以保证等问题。目前国外针对复杂曲面高性能构件的砂带磨削加工已经初步实现自动化,但是相关技术及装备对国内严格保密。在国内虽然很多院校针对高性能构件的砂带磨削加工做了很多的研究工作,但是大部分处于实验阶段。国内企业如重庆三磨海达磨床有限公司针对砂带磨削再制造技术已取得一定进展,如针对某航空发动机叶片的再制造生产需要,已研发出了七轴六联动数控砂带磨床,如图 6-19 所示,并已经在某航空发动机厂家的再制造生产中成功应用。

图 6-19   七轴六联动数控砂带磨床

砂带磨削再制造加工工艺研发以及加工装备系统智能化方等方面存在着诸多挑战,主要包括:①针对复杂曲面、小加工空间零部件砂带磨削易干涉问题的工艺方案设计,即包括复杂曲面的路径规划、自动化检测和控制技术在内的复杂曲面高性能构件砂带磨削工艺与磨削参数化技术研究与系统开发。②多轴智能数控砂带磨床装备结构的优化设计与制造。

通过开展砂带磨削再制造加工技术相关研究,建立复杂曲面零部件砂带磨削工艺体系,建立适用性广的砂带磨削智能装备系统。

6.3.3.5 低应力电解再制造加工技术

电解加工以离子溶解的方式对材料进行去除，加工过程不会对加工表面引入残余应力、硬化层、灼伤等，且不受材料硬度、强度的影响，广泛应用于微细加工及难切削材料加工。因此，低应力电解加工作为再制造加工技术之一，对提高再制造修复层的加工质量及加工效率具有重要意义。李法双[11]研究了电解加工技术在激光熔覆层中的应用，并开发了用于再制造成形层的柔性电解加工设备；建立了电解加工的材料去除率模型，并验证了模型的可靠性。郝庆栋[12]研究了电解抛光技术在压缩机叶片再制造加工中的应用，获得了较高的电解抛光质量。

低应力电解加工技术应用于再制造加工存在以下挑战：①电解加工在电场、化学场、流场的综合作用下发生，研究电解加工不同再制造成形层的钝化机理、探索再制造成形层电解加工的微观断裂剥离机制是该技术成功应用所面临的挑战。②研究再制造成形层的电解加工工艺体系，包括面向再制造的电解加工阴极工具结构设计；高精度、多轴联动、高效智能的电解加工设备研发，基于电解加工技术的复杂型面再制造成形层的形貌及精度恢复也是面临的重要挑战之一。

通过开展低应力电解再制造加工技术相关研究：①揭示再制造成形层电解加工的钝化机理，揭示再制造成形层的电解加工的微观断裂剥离机制以实现精密加工，实现再制造成形零部件高效、高质量加工。②建立与复杂曲面成形层尺寸精度与表面质量恢复相适应的电解加工工艺体系，开发与复杂扭曲面相适应的柔性智能电解加工设备。

参 考 文 献

[1] Shishkin D, Geskine S, Goldenberg B. Practical applications of ice jet technology in surface processing[J]. Surface Contamination and Cleaning, 2003, 1: 193-212.

[2] 中国机械工程学会再制造工程分会. 再制造技术路线图[M]. 北京: 中国科学技术出版社, 2016.

[3] Yang L, Zhong Z, You J, et al. Acoustic emission evaluation of fracture characteristics in thermal barrier coatings under bending[J]. Surface and Coatings Technology, 2013, 232: 710-718.

[4] Suresh S. 材料的疲劳[M]. 王中光, 等译. 北京: 国防工业出版社, 1993.

[5] Paris P, Erdogan F. A critical analysis of crack propagation laws[J]. Journal of Basic Engineering, 1963, 85(4): 528-534.

[6] Zhao S, Zhang C, Wu N, et al. Quality evaluation for air plasma spray thermal barrier coatings with pulsed thermography[J]. Progress in Natural Science: Materials International, 2011, 201(21): 301-306.

[7] Zhao Y, Sun J, Li J. Effect of rare earth oxide on the properties of laser cladding layer and machining vibration suppressing inside milling[J]. Applied Surface Science, 2014, 321: 387-395.

[8] Zhang P, Liu Z. Machinability investigations on turning of Cr-Ni-based stainless steel cladding

formed by laser cladding process[J]. International Journal of Advanced Manufacturing Technology, 2016, 82: 1707-1714.

[9] Zhang P, Liu Z. Effect of sequential turning and burnishing on the surface integrity of Cr-Ni-based stainless steel formed by laser cladding process[J]. Surface and Coatings Technology, 2015, 276: 327-335.

[10] Zhuang W, Liu Q, Djugum R, et al. Deep surface rolling for fatigue life enhancement of laser clad aircraft aluminum alloy[J]. Applied Surface Science, 2014, 320: 558-562.

[11] 李法双. 基于球形阴极的电解加工研究及设备开发[D]. 济南: 山东大学, 2016.

[12] 郝庆栋. 电解抛光在压缩机叶片再制造加工中的应用[D]. 济南: 山东大学, 2014.

第 7 章

典型、高端再制造产品概况及技术

7.1 汽车零部件

7.1.1 产业发展概况

中国汽车连续 15 年年产销量全球第一，2020 年汽车保有量达到 2.7 亿辆。随着再制造产业在中国的发展，再制造产品必将成为汽车维修行业的主流产品，中国以传统新件构建的汽配模式和参与方式将会出现巨大的变化，报废汽车市场规模将超过欧美市场，美国汽车零部件再制造产品在汽车后市场占有率接近 50%，如果中国汽车零部件再制造产品在汽车后市场中占有率达到美国的水平，中国必将成为全球最大的汽车零部件再制造市场[1]。

汽车零部件再制造的范围涵盖了传统燃油汽车的发动机、变速箱、转向器、离合器、起动机、发电机、水泵、空调压缩机、汽车电脑、电子传感器、车灯、车门等部件，以及新能源汽车的动力电池、驱动电机、智能控制系统等关键零部件，据统计汽车整车零部件的可再制造率达到 80% 以上。

中国政府高度重视汽车零部件再制造产业的发展，2005 年 11 月，国家发展和改革委员会等 6 部委联合颁布了《关于组织开展循环经济试点(第一批)工作的通知》，其中"汽车零部件再制造"被列为四个重点领域之一，我国第一家正式批准设立的汽车发动机再制造企业"济南复强动力有限公司"被列为试点单位。2008 年 3 月，国家发展和改革委员会组织开展第一批汽车零部件再制造试点工作，确定 14 家汽车零部件再制造企业为试点单位，标志着我国汽车零部件再制造产业在国家政策的指导下走向正规化发展阶段。试点期间，国家出台了《关于推进再制造产业发展的意见》等一系列产业政策，启用了汽车零部件再制造产品标志，开展了再制造产品"以旧换再"试点活动。这些政策措施的实施，统一了思想认识，营造了良好的发展氛围，用政府的手段为汽车零部件再制造产业发展初步扫平了政策障碍，为汽车零部件再制造产业规模化、规范化发展奠定了基础。2010 年 2 月 20 日，国家发展和改革委员会、工商管理总局联合发出《关于启用并加强汽车零部件再制造产品标志管理与保护的通知》，对汽车零部件再制造使用对象范围进行规范。通知要求，再制造标志首先在国家发展和改革委员会确定的汽车零部件再制造试点企业率先使用。汽车零部件再制造试点结束后，将在全国推广使用。汽车零部件再制造产品应在产品外观明显标注标志，对由于尺寸等原因无法标注的产品，应在产品包装和产品说明书中标注。标注在再制造产品上的标志应能永久保持。标志发布之前已销售的再制造产品可不再标注。标志仅表明该产品为再制造产品。可以单独在企业的特约维修点、广告宣传及互联网等场所或媒介等比例放大或缩小使用，也可与再制造企业名称、产品名称及型号等信息组合使用[2]。

　　2019 年 1 月 30 日国务院常务会议通过《报废机动车回收管理办法(修订草案)》，报废汽车的"五大总成"被允许进行再制造，汽车零部件再制造产业链进一步得到完善，汽车零部件再制造的社会认知度得到进一步提高。2021 年 4 月，国家发展和改革委员会等 8 部委联合印发了《汽车零部件再制造规范管理暂行办法》，明确把"汽车零部件再制造产业"作为国家支持的一个行业来规范管理，这在国际上也是第一个针对"汽车零部件再制造"行业管理的国家法规，对中国汽车零部件再制造企业乃至全球汽车零部件再制造行业的规范管理、市场运行、技术标准和监督管理等方面都具有深远的影响。

　　我国汽车零部件再制造行业在不断探索中快速发展。目前已进入以国家政策推动和市场拉动发展的新阶段，呈现出前所未有的良好发展态势。截至 2020 年底，再制造发动机、变速箱生产能力超过 20 万台，发电机、起动机、转向器等各种零部件生产能力超过 2000 万台套。从产值上看，汽车零部件再制造企业正在形成规模，2020 年我国汽车零部件再制造企业和再制造国家示范基地内相关企业的产值已超过 200 亿元。

　　经过近二十年的发展，汽车零部件再制造已逐渐由过去的单纯生产线建设转向全体系建设。再制造企业也将逐步走出技术、政策、管理、观念、认识、规模发展和知识产权等问题的困扰。一是在自身体系建设方面，加强旧件回收、推动再制造零部件销售是企业近几年着力发展的关键；二是再制造企业主动与主机厂对接，将产品纳入其售后体系，积极拓展旧件渠道，发挥售后体系的旧件回收和推广作用；三是在汽车零部件再制造行业体系建设方面，随着规模扩大，服务需求多样，为再制造提供技术装备、整体设计、旧件回收的专业化公司已经出现，针对我国国内企业量身定做的产品选型和产业配套日趋完善，市场机制在资源配置中的决定性作用正在逐渐发挥。

　　通过试点工作，汽车零部件再制造产业积聚效益凸显，产业集聚可以在产业间形成产业链条，共享基础设施和配套设施，降低运行成本，发挥协同效应，是汽车零部件再制造发展的必然趋势。在建设再制造产业示范基地方面，目前我国已有 4 个地区的再制造基地是以汽车零部件再制造为主要业务范围和特色[3]。

1) 河间国家再制造产业示范基地

河间国家再制造产业示范基地建设于 2017 年正式启动,上海利曼汽车零部件有限公司、手拉手汽配城再制造旧件交易平台等 6 个再制造项目正式入驻。该示范基地为全国唯一一家位于中国北部内陆地区的国家再制造产业示范基地。河间市依托全国最大的旧件交易市场,加快推进当地汽车零部件再制造企业向规模化和规范化方向转型升级,提升研发检测水平,建立质量控制体系和产品认证制度,将集中打造国家级再制造产业发展中心、世界级再制造技术研发中心、全球旧件交易中心和国家再制造产品检测检验中心,进一步开拓国内外市场,努力把示范基地建成我国北方规模最大、最具示范作用的再制造产业聚集区,促进京津冀汽车制造产业协同发展。

2) 江苏张家港国家再制造产业示范基地

江苏张家港国家再制造产业示范基地围绕汽车零部件再制造等重点领域项目,建设集回收、拆解、检测、制造、研发等五大平台一体的国家级再制造基地。目前,基地引进技术团队,建设了清华大学苏州汽车研究院、张家港清研再制造汽车零部件产品质量监督检验中心,带动基地的发展。

3) 上海临港国家再制造产业示范基地

上海临港国家再制造产业示范基地主要进行汽车零部件再制造等业务,引进国内外领先的再制造企业,实现再制造产业的聚集化、规模化发展。目前,示范基地已引进卡特彼勒再制造(工业)上海有限公司、戴姆勒奔驰公司。

4) 广西梧州循环经济产业园

除国家批准设立的再制造示范基地,许多地方政府也把发展再制造产业作为新的经济增长点和转型发展新引擎,广西壮族自治区批准在梧州建设以汽车零部件再制造为核心领域的再制造产业园区,近几年呈现出良好发展势头,已有十几家汽车零部件再制造企业入住园区。

7.1.2　汽车零部件再制造产品

中国汽车零部件再制造产品主要包括燃油发动机、自动变速器、发电机和起动机、转向器、发动机电子控制单元/自动变速箱电子控制单元(ECU/TCU)、汽车车灯等部件[4]。

7.1.2.1　发动机再制造

汽车发动机再制造产品的成本仅为新品的 1/4,节能达到 60% 以上,节材超过 70%,最大限度地挖掘制造业产品的潜在价值,可让能源资源接近零浪费。发动机再制造产品价格仅是新品原价的 50% 左右。这种以旧换新的方式,会节省一半的成本。这样不仅方便了客户,而且给报废品提供了一个良好的回收渠道,有利于资源的节约和综合利用。当前，我国再制造发动机年产超过 10 万台。

7.1.2.2 自动变速箱再制造

我国自动变速箱新品设计生产能力较为薄弱，近年来虽有所发展但主要还是依赖进口或合资合作，国内整车装车使用的主流产品几乎全部为外资或合资企业生产。乘用车自动变速箱因其技术的复杂性，再制造的探索和实践远远早于其他汽车零部件产品。随着国外自动变速箱再制造技术的引进，加上我国自主的再制造基础理论研究的发展，这几年，特别是自 2008 年以后自动变速箱再制造得到了空前的发展。据初步估算，2020 年中国再制造自动变速箱数量约为 30 万台，销售额超过 10 亿元人民币，部分企业生产的再制造产品出口到欧美汽车后市场，成为中国汽车零部件再制造的亮点。

7.1.2.3 起动机和发电机再制造

经过近 30 年的发展，我国目前发电机和起动机再制造企业超过 200 家，产销量超过 1500 万台套。在该领域涌现出一批具备规模化、产业化的龙头企业，再制造产品质量完全达到甚至超过原型产品的水平。2020 年中国再制造汽车起动机、发电机出口量超过 500 万台，国内汽车后市场再制造产品占有率高达 20%，成为中国汽车后市场占比最高的产品种类。

7.1.2.4 ECU/TCU 及电子产品再制造

汽车 ECU/TCU 及电子产品再制造突破了汽车核心电控单元的再制造技术瓶颈，针对国内汽车电控单元主要被国外制造商垄断、再制造技术门槛极高的现状，开展了汽车电控单元中可靠硬件电路改进、软件恢复、自动化测试、智能高负荷测试等再制造关键技术研究，再制造产品涵盖变速箱电脑、发动机电脑，以及电子水泵、电子手刹等。

7.1.2.5 电动助力转向系统(EPS)再制造

汽车电动助力转向系统(EPS)是汽车转向系统的关键部件，是实现汽车智能化和自动驾驶的主要部件。汽车电动助力转向器再制造主要是对电控单元进行专业的修复和批量生产的高端制造。汽车电动助力转向系统 ECU 模块(电控单元)的再制造分为旧件回收、电路检测、芯片检测、软件还原、结构修复五大部分。中国 EPS 再制造目前已实现技术突破，保险公司已将再制造产品作为主要理赔方式。

7.1.2.6 灯具再制造

汽车灯具目前已成为汽车保险理赔的主要部件，再制造汽车灯具有与原厂产品具有完全相同的质量性能和产品寿命，再制造后的产品价格只有原厂新品的 30%左右，据统计，目前国内售后市场 80%的因故障更换的灯具都作为原材料进入再制造生产环节，是汽车零部件再制造领域最具有市场潜力的产品。

7.1.3 再制造技术与典型工艺

我国汽车再制造产品的质量有的甚至超过新品，这和我国再制造所采用的技术有关。国外再制造技术较为简单，主要采取尺寸修理法，即国外在制造汽车零部件新品时就考虑到了再制造，所以一般零部件会在标准尺寸上加厚一些，磨损后的旧件通过重新打磨均衡后让其尺寸恢复到正常，就形成了再制造产品。而我国汽车再制造技术完全不同于国外。由于从一开始生产时没有考虑到再制造，磨损后的零部件不能通过重新打磨成正常尺寸，只能通过汽车零部件纳米技术等表面修复来完成再制造过程，即表面修复技术。比如汽车曲轴磨损以后，我们采用"纳米喷涂"技术把磨损的地方修复好，纳米材料能够更好地渗透到磨损的零部件中，起到保护零部件的功能[5]。

再制造工程所需要的技术种类非常广泛，其中各种表面技术和复合表面技术主要用来修复和强化废旧零件的失效表面，是实施再制造的主要技术。由于废旧零部件磨损和腐蚀等失效主要发生在表面，因此各种各样的表面涂覆和改性技术应用的最多；纳米涂层及纳米减摩自修复技术是以纳米材料为基础，通过特定涂层工艺对表面进行高性能强化，或应用摩擦化学等理论在摩擦损伤表面原位形成自修复膜层的技术，也可以归入表面技术之中；修复热处理是通过恢复金属内部组织结构来恢复零件的整体性能的特定工艺；再制造毛坯快速成型技术是根据要求的零件几何信息，采用积分堆积原理和激光同轴扫描等方法进行金属的熔融堆积、快速成型的技术；过时产品的性能升级技术不仅包括通过再制造使产品强化、延寿的各种方法，而且包括产品使用后的改装设计，特别是引进高新技术使产品性能升级的各种方法。另外通用的各种机械加工和特种加工技术也经常使用。再制造技术与工艺源于制造和维修技术与工艺，是某些制造和维修过程的延伸与扩展。但是，废旧产品再制造技术与工艺在应用目的、应用环境、应用方式等方面又不同于制造和维修技术与工艺，有着自身的特征。

(1)拆解。拆解作为再制造的首要步骤，直接影响再制造效率和旧件再利用率。发动机可拆卸性设计已得到较好的应用。例如，缸体、曲轴、连杆、凸轮轴、齿轮等零部件在材料选择、结构设计、强度设计、装配设计等方面均很好地执行了可拆卸性设计原则。以某型四缸发动机为例，除了发动机缸体外等部位的固定采用了螺杆/螺栓连接，发动机内部绝大部分的连接均采用了容易拆解的非螺杆连接件；靠压入或铆接法进行连接的连接件不到 2%，需要进行破坏性拆解；类似将活塞推出缸套、轴瓦分离轴颈、曲轴分离轴承座圈等零部件均可实现快速无损拆解。与其他零部件相比，发动机的拆解和再制造工程实践与产业化应用也是废旧机电产品资源化中最活跃的领域[6]。

(2)清洗。拆解后的零件，根据零件的用途、材料、清洗的位置、目的的复杂程度等，所使用的清洗技术和方法也不同，常常需要连续或同时应用多种清洗方法。为了完成各道清洗工序，可构建一整套由各种专用的清洗设备组成的清洗工段，对设备的选用需要根据再制造的标准、要求、环保、费用及再制造场所来确定。

(3)分类检测。检测鉴定是决定能否再制造的前提，保证零部件性能的基础，现有的检测技术包括外观目测、形状与尺寸测量、强度与力学性能测试、应力集中与裂纹检测等。经清洗和鉴定后将所有零件分为3类，一类是性能与尺寸完好可直接再利用的，包括进气管、排气管、油底壳、飞轮壳等零件；二类是经再制造加工后可以继续使用的，包括曲轴、连杆轴、凸轮轴、缸体、缸盖等金属零件；三类是无法再制造或可再制造而经济性不佳而须列入再循环处理的零件，包括活塞环、轴瓦、密封垫等零件。

(4)再制造加工。对失效零件的再制造加工可以采用多种方法和技术，如利用先进表面技术对因磨损、腐蚀、划伤而失效的零件进行表面尺寸恢复，使表面性能优于原来零件，或者采用机加技术重新加工到装配要求的尺寸，使再制造发动机达到标准的配合公差范围。

(5)装配。将全部检验合格的零部件与加入的新零件，严格按照新发动机技术标准装配成再制造发动机。

(6)测试。对再制造发动机按照新机的标准进行整机性能指标测试。

(7)封装。发动机外表的喷漆和包装入库，根据需要发送至用户。

7.2 工程机械

7.2.1 通用工程机械再制造

通用工程机械种类繁多，本书以保有量多、使用普遍的汽车起重机、地面起重机、挖掘机、旋挖钻机和装载机的再制造实践为代表。

7.2.1.1 工程机械再制造管理模式

1)再制造生产管理系统

针对核心零部件失效形式复杂多样、再制造过程数据分散性大等问题，开发零部件再制造管理系统，建立通用失效模式库，集成零部件再制造清洗、拆检、修复等业务过程数据，实现零部件再制造过程信息化管理。

根据整机再制造业务流程，开发了整机再制造管理系统，包括车辆评审、生产管理、质量管理、库存管理、成本管理、知识库管理、再制造数据管理、系统管理等八大功能模块，实现汽车起重机再制造全过程数据标准化、信息化管理；基于正逆向信息集成技术、二维码技术，实现整机再制造管理系统与 CRM、ERP、MES 等系统的互联互通；开发手机、平板等智能移动终端查询系统，实时查询再制造过程信息，实现汽车起重机整机产品全生命周期信息追溯。

2）逆向物流技术及再制造标准体系

提出了由制造商主导、多方协同的退役产品多维度、多层次回收与逆向物流模式，开发了工程机械再制造信息管理系统，实现了再制造产品全生命周期信息高效追溯与管理；搭建了涵盖旧件回收、清洗、检测、评估、修复、租赁、逆向物流等环节的标准体系，规范了产业规则；参与制定国家标准、行业标准、团体标准，建立了以制造商牵头的工程机械主动再制造产业生态，落实了国家《循环经济促进法》中提出的生产者责任延伸制。

3）企业再制造旧件回收的方式

依托现有销售及服务网络，搭建了由用户、经销商、备件公司、客服中心和再制造厂商共同构成的工程机械整机和零部件多维回收体系，建立了工程机械整机及零部件再制造基地和区域再制造中心，并主动联系用户、经销商等相关方开展报废车辆回收，形成了由制造商主导、经销商、备件公司、用户等多方协同的工程机械整机及零部件多维度、多层次回收方式。

4）再制造产品营销模式

再制造工程机械营销对象主要包括直接用户（大型建筑公司、个体等）、租赁公司、代理商和经销商。在营销模式方面主要有以下几种模式：

在用户需求方面，基于正/逆向信息集成的逆向物流管理：联合各地经销商、备件公司、租赁公司等，开发工程机械再制造信息管理系统，及时跟踪市场动态及用户需求，形成正向生产—后市场服务—再制造生产一体化运营模式，实现再制造产品与新产品售后服务、备件销售等业务无缝对接。

在再制造产品销售方面，建立了再制造产品直销和网络销售两种模式。在直销模式方面，将再制造产品直接销售给大型建筑公司、租赁公司等，快速响应国家大型工程建设需求；在网络销售模式方面，开发网上商城等信息共享平台，直观展示再制造产品的型号、性能、外观、日期等信息，方便用户快速选购再制造产品。

7.2.1.2　工程机械再制造技术进展

　　针对工程机械废旧大型构件质量状态评估难度大、核心零部件多污染层叠加、清洗困难，再制造产品质量参差不齐、体系不健全、产业规模小等问题，突破了工程机械关键零部件再制造过程中检测评估、绿色清洗、修复加工、逆向物流等关键共性技术难题，实现了工程机械关键零部件的高性能绿色再制造。

　　1) 关键部件再制造技术

　　汽车起重机伸臂、液压油缸等废旧大型构件失效多样、质量状态参差不齐，严重影响了再制造产品的安全与功能。针对此难题，通过市场调研及攻关，突破了：

　　基于横向光电效应的 10 m 以上废旧大型构件直线度、同轴度在线检测技术，全新研发了直线度与同轴度等多参数融合检测系统与装备；

　　在内部损伤定量检测方面，首次提出了基于"剩余强度-应力集中"的废旧件微观损伤定量检测方法，结合超声波探伤、磁粉探伤等常规无损检测手段，建立了损伤评价阈值区间，开发了废旧件损伤检测系统；

　　建立了不同服役工况下关键零部件通用失效模式库，构建了剩余寿命、修复技术、经济成本、能耗环境等多维指标逐级决策的再制造性评估模型；

　　基于规则推理技术，开发了多信息融合的再制造性评估专家系统，实现了关键零部件再制造性快速评估与再制造方案的智能决策，有效解决了企业在废旧件能不能再制造方面的"心病"，保障了工程机械产品再制造质量[7]。

　　2) 混合污染层清洗技术

　　清洗是保证检测、修复、装配等过程质量的必要手段。工程机械服役环境苛刻，零部件表面不可避免地附着油漆、重油污、锈蚀等混合污染层。在再制造核心技术突破前，车间多采用"化学浸泡+人工刮产+机械打磨""高温焙烧+抛丸+超声清洗"等多种工序组合的形式进行分步清洗。这种组合清洗方法工序繁复、清洗效果差、清洗效率低于 40 dm²/h，且容易损伤基体，并带来化学、噪声、粉尘污染，而激光清洗用于关键零部件复杂表面清洗时，需多次调整激光角度及路径，且无法完成内腔清洗。为此，全力开展基于熔盐超声复合的高效清洗技术及装备研究，先后突破低熔点熔盐清洗配方技术、熔盐环境超声振子温度控制技术、清洗过程废气废水环保处理技术，全新研发熔盐超声复合的多污染层一体化清洗装备，清洗温度≤240℃，不损伤碳钢、铝合金等材料性能及表面质量，油漆、重油污清洗时间≤10 min，油漆、重油污、锈蚀多污染层清洗时间≤20 min，清洗效率 200 dm²/h，较传统清洗效率提升 5 倍、成本降低 50%，彻底解决了复杂零部件表面油漆、重油污、锈蚀等多污染层高效、绿色清洗的行业难题，提升了再制造利用率，成为支撑企业实施绿色制造利器。图 7-1 给出了零部件表面油漆油污锈蚀清洗前和清洗后的效果对比图。

图 7-1 零部件表面油漆油污锈蚀清洗前、后效果

3)废旧液压油缸活塞杆再制造修复技术

液压油缸是汽车起重机常用的液压执行元件，一台汽车起重机包括变幅油缸、支腿油缸、伸臂油缸、转向油缸等。因此，开展废旧液压油缸再制造具有较大的市场前景。据统计，废旧液压油缸活塞杆常出现活塞杆拉伤、锈蚀、凹坑等缺陷，国内早期由于再制造修复技术的缺失，一般采用直接换件修复，不仅修复成本高，且资源浪费严重。针对该问题，开展了超音速火焰喷涂修复、激光熔覆修复等技术研究，建立了液压油缸再制造基地，先后实现了长度约 10 m 废旧液压油缸活塞杆、大直径变幅油缸、支腿油缸等局部缺陷和大面积缺陷的再制造修复，累计再制造汽车起重机液压油缸 2000 余件，大幅提升了废旧零部件的再利用率。在此基础上，将超音速火焰喷涂技术推广应用于汽车起重机悬挂油缸等新产品研发，实现了高端液压油缸的国产化替代，打破国外垄断。

4)进口高端液压元件再制造技术

力士乐、川崎等高端进口液压泵、马达再制造核心技术受制于国外厂家，导致再制造费用高(约为新品的 70%)、周期长(2~3 个月)，严重制约了再制造产业的发展。针对此问题，采用逆向工程、材料分析、模拟仿真等技术，研究了液压泵、马达的拆装路径、关键耐磨元件的表面涂覆性能、关键摩擦副的装配间隙、关键螺栓的拧紧扭矩等关键技术，开发了高精度球面配合研磨装置、摩擦副装配间隙调整装置及大螺母无损拆解及自动定心装配装置等，制定了液压泵、马达的拆解、清洗、装配、表面修复等工艺规范，实现了高端进口液压泵、马达的自主再制造，再制造后液压泵、马达容积效率、空载排量等性能不低于原型新品，再制造液压泵、马达已应用至汽车起重机、旋挖钻机、挖掘机等工程机械产品，降低再制造成本 40% 以上，缩短再制造周期 50% 以上。通过制定再制造液压泵、马达及液压元件行业标准 3 项，解决了工程机械行业液压元件再制造过程的卡脖子问题。

7.2.2   盾构机再制造

我国盾构机再制造最早始于 2010 年 5 月,在我国再制造工程创导人徐滨士院士及装备再制造国防科技重点实验室的大力协助下,北京奥宇可鑫集团及奥宇可鑫再制造研究院成功对北京城建集团两台用于地铁隧道掘进的日产盾构机关键部件主驱动外壳密封进行了再制造,并由此于 2010 年 7 月成立了北京盾构机专业委员会(现升级为北京盾构工程协会)。专委会于 2013 年与北京建工土木公司联合成立了我国第一个盾构机再制造基地。基地成立后,对一台已达到设计寿命的德国海瑞克 6 米级盾构机进行了整机再制造,2015 年 3 月,这台再制造盾构机实现了安全掘进 2.1 千米的洞通,成为我国首台实现安全洞通的再制造盾构机。经核算这台盾构机的再制造与购置同类型新机相比,节省资金近 2000 万元,节省钢材 200 余吨,减碳 300 余吨。北京盾构工程协会以此为契机,紧抓盾构机制造产业的发展,重点开展了两方面工作:一是在全国有条件的企业建立盾构机再制造基地并实行盾构机再制造基地认证;二是在全国绿色制造技术标准化技术委员会及河北京津冀再制造产业技术研究有限公司的指导下,组织制定了盾构机再制造团体标准。2021 年底,我国先后已建立盾构机再制造基地 15 家,通过协会组织认定的有 8 家。据不完全统计,2021 年 15 家盾构机再制造基地共完成盾构机再制造约 180 余台套,按新机产值计算约为 81 亿元,按购置新机计算可节省资金约 40 亿元。

目前我国盾构机年产量已接近 1000 台(其中 8 米级以上大直径和 12 米级以上超大直径盾构机比例越来越大),盾构机保有量已经超过 3500 台,且有逐年上升的趋势。预计今后每年达到设计寿命周期的盾构机在 1000 台左右,其中可实施再制造盾构机的至少有 800 台,但如果盾构机再制造产业发展不能有更快更高质量的发展,将会造成资金、资源和能源的极大浪费[8]。

为支持和引导盾构机再制造产业发展,国家政府部门发布系列关键政策和相关标准,为盾构机再制造提供了发展机遇。其中,2016 年,工业和信息化部开始设立盾构再制造试点单位的施工企业;2017 年,工业和信息化部发布了《高端智能再制造行动计划(2018-2020 年)》,重点提出要加强盾构机整机及关键件再制造技术的推广应用。2019 年,国家标准化管理委员会正式批准发布了全国首个关于全断面隧道掘进机(TBM)再制造的国家标准《全断面隧道掘进机再制造》(GB/T 37432-2019),对全断面隧道掘进机的再制造流程、再制造性评估、再制造总体方案制定、再制造设计等一般要求以及刀盘、主驱动单元、后配套系统等主要系统及部件的再制造要求做了明确规定。2021 年,北京盾构工程协会发布了 9 项全断面掘进机系列团体标准,对全断面隧道掘进机再制造的通用技术要求、企业技术要求及质量控制要求等做出了明确规定。

近年来，中国盾构机再制造产业迈入高质量发展阶段，各盾构机再制造企业对主轴承、刀具刀盘、螺旋输送机、中心回转体、盾壳、液压系统等关键零部件进行了再制造研究攻关，采用多种再制造技术恢复报废盾构机的使用性能、提升落后盾构机的性能参数，调整盾构机异地使用的不适应性等，取得了阶段性研究进展。截至目前，中铁工程装备集团已累计开展 280 台套盾构/TBM 再制造；中国铁建重工集团已完成再制造掘进机 240 余台套[9-11]。表 7-1 列出了再制造中铁工程装备集团的 CREC029 和 CREC030 盾构机信息。

表 7-1　再制造盾构机

机器编号	客户	用途
CREC029	中铁电气化局	常州地铁 1 号线 TJ-12 标
CREC030		

（1）刀盘扩大开挖直径，结构修复增材再制造，对刮刀刀具、刀座及先行刀进行再制造或更换新件。

（2）盾体扩径设计，并新制前、中、尾盾体，推进油缸、铰接油缸、阀块等利旧再制造。

（3）主驱动拆解保养，主密封环增材再制造，磨损与损坏的密封圈更换；减速器拆解保养，检测齿轮与轴承磨损情况，更换磨损与间隙超量零件；主轴承拆解检测，对滚道、滚子超精再制造；液压马达检测与拆解修复磨损件等；复装并进行保压试验。

（4）推进油缸、铰接油缸全部更换密封，维修损坏的活塞杆。

（5）拼装机轴承齿圈探伤，油缸拆解，更换密封，对损坏件进行再制造。

（6）电控系统功能恢复性再制造，各系统功能调试与整机调试。

（7）其他系统全部拆解，再制造或更换损坏件。

再制造后的盾构机如图 7-2 所示，再制造过程中的关键技术如表 7-2 所示。

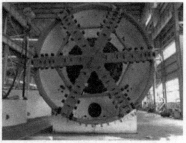

图 7-2　CREC029 项目

表 7-2　盾构机再制造关键技术列表

盾构机系统	再制造技术说明
刀盘	1.刀盘、刀具适应性升级及修复
	2.刀盘适应性新制(地质或直径变化)
	3.刀盘冲洗及防结泥饼技术
盾体	1.盾体适应性升级及修复
	2.盾体适应性新制(破坏性拆机或变径、加长)
关键部件	1.结构件矫形技术
	2.主驱动跑道及螺机驱动环表面修复技术
	3.主轴承检测及维修技术
	4.电机、液压马达检测、再制造技术
流体系统	1.升级外水循环系统
	2.升级同步注浆系统
	3.优化注脂系统
	4.升级泡沫控制系统
	5.升级供气系统
液压系统	1.循环冲洗技术
	2.再制造泵站
	3.油缸活塞杆、缸筒再制造技术
	4.推进系统检测及修复技术
电气系统	1.控制系统改造升级
	2.更换整机电缆
	3.整机全部电器元件全面检修
	4.新增部分系统控制柜
	5.升级 I/O 控制

7.2.3　矿采装备再制造

　　矿采机械行业作为国民经济的支柱行业,在我国经济建设与社会发展中占有重要地位。矿采机械装备主要是与煤炭、石油、天然气、黑色金属、有色金属及稀土元素等矿产开采相关的机械装备零部件、整机等,随着矿采行业的快速发展,矿采机械装备需求量逐步上升,同时,矿采机械报废量也在相应增长,且数量惊人。以煤炭开采为例,中国作为煤炭生产的大国,煤炭产量在不断增加,用于煤矿采掘、支护、选煤等生产过程的矿山机械需求量和报废量也在不断上升。

　　矿山机械主要由采掘机械、支护设备、运输提升设备和流体机械等几类设备组成。这些设备的服役环境具有工况苛刻恶劣、运行时间长、润滑条件差等特点,导致设备服役周期短、报废率高。矿山机械零部件通常体积大、重量大,失效形式主要表现为磨损、腐蚀、划伤、断裂等,除断裂外,其他失效都发生在零部件表面，需要通过不同的先进表面工程技术手段来解决零部件表面磨损、腐蚀及划伤问题。在采煤机械装备中，以液压支架为典型代表的零部件结构复杂、附加值高，其主要失效模式为磨损、腐蚀和疲劳变形失效。具体失效形式包括：液压支架活塞杆、销轴、立柱、千斤顶缸筒局部损伤，表面镀铬、镀锌层局部脱落，结构件表面磨损，结构件连接孔变形，导向套螺纹、沟槽损坏，接头、弯头锈蚀，结构件销轴、活塞杆弯曲变形，结构件主筋断裂等多种损伤失效形式。

我国矿采机械装备的再制造于 2007 年开始进入产业化，2009 年 11 月，工业和信息化部启动了包括工程机械、机床、船舶、再制造产业集聚区等在内的 8 大领域 35 家企业参加的再制造试点工作，标志着我国再制造工作全面展开。其中，矿采机械领域有 7 家企业成为再制造试点，占试点企业的 20%。矿山机械领域企业包括山东能源机械集团、天地科技股份有限公司、神华神东煤炭集团有限责任公司、山西焦煤等单位正积极开展矿山机械再制造。其中以山东能源机械集团为代表的矿山机械设备再制造企业发展迅速，2020 年矿采机械再制造产值达 8 亿元，年可利用废旧矿山机械核心零部件 10000 吨，减少使用新钢铁 7000 吨，节标煤 4200 余吨，可减少 SO_2 排放量 14 吨，CO_2 排放量 1.05 万吨，综合节能率 60%、节材 70%，节能环保效果明显，社会效益和经济效益显著，有力推动了低碳经济和循环经济的发展。

7.2.3.1 液压支架关键零部件损伤再制造工艺

液压支架是井下开采的主要支护设备，立柱是支架的核心部件，受酸性、碱性或水蒸气等有害环境气体的综合影响，立柱表面的划伤处便会开始腐蚀。目前国内普通液压支架立柱是通过表面镀铬的方法，来实现表面防生锈、防腐蚀，但镀铬层耐磨性、基体结合性差，其寿命为 1～1.5 年，而且电镀液会腐蚀立柱表面，影响液压支架的使用效果。普通的立柱一旦出现局部损坏就需将整个立柱进行解体，然后进行整体修复，但维修 2～3 次后立柱就无法再使用了。可见，采用电镀工艺修复后的立柱使用寿命较短、可修复次数少且有环境污染问题。

液压支架立柱激光熔覆再制造是利用激光束能量高度集中、方向高度集中的特性，在大气环境下进行无污染操作，在廉价金属材料表面形成一层硬度高、无裂纹，且与基体呈冶金结合的高性能涂层，将金属良好的坚韧性和涂层材料的高硬度、高化学稳定性、高耐磨性结合起来，创新了高性能涂层的生产工艺，是目前提高立柱耐磨性、防腐蚀、延长使用寿命的最新表面处理技术。液压支架立柱电镀与激光熔覆的对比如图 7-3 所示。通过激光熔覆处理后的立柱，其基体表面硬度可达到 HRC 45～50，使用寿命可达 5～8 年免维护，具有技术先进、安全性能高、生产能力强等突出特点。液压支架应用新型激光熔覆不锈钢立柱，可以减少立柱更换检修时间、提高生产效率,同时又能节约大量的资金,对于建设节约型社会有着广泛而深远的意义[12]。

图 7-3   液压立柱电镀与激光熔覆的对比

液压支架立柱的再制造工艺包括拆解、清洗、检测、再制造修复、加工、零件测试、装配、磨合试验、喷涂包装等步骤,具体流程如图 7-4 所示。

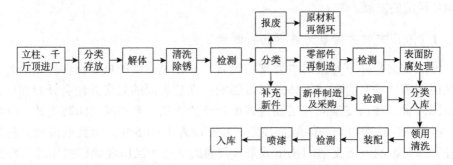

图 7-4   液压支架立柱的再制造工艺流程

其中,液压支架立柱激光熔覆再制造修复是整个再制造工艺流程中最核心的环节,包括液压支架立柱外圆表面激光熔覆修复和液压支架立柱内孔激光熔铜修复技术。液压支架不锈钢立柱激光熔覆的工艺流程图如图 7-5 所示,其主要工序如下所述。

(1)去镀层:将活柱装入车床,在直径方向车掉 1.1~1.3 mm,实现去镀层、整平、毛化处理。

(2)激光熔覆:活柱从车床卸下后转入激光加工机床,在主轴 C 的旋转运动及激光头 X 线性轴的进给运动相互配合下,在一个工步中送粉与激光熔覆同步进行,熔覆层的厚度同时取决于旋转运动与进给运动,合理设定参数使熔覆层厚度在直径方向上单边达到 1.4~1.7 mm。

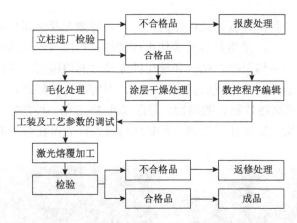

图 7-5　液压支架立柱激光熔覆的工艺流程

相关工艺参数：激光输出功率 P=6000～10000 W，扫描线速度 v=540～660 mm/min，焦间距 L=280～480 mm，宽带光斑大小 28×3（mm）连续多模激光输出熔覆加工。

数控加工程序段：G91 G01 X=LF=v/（D×π）×dC=−L/d×360，其中 L 为激光熔覆加工立柱长度，v 为激光扫描线速度，D 为带熔覆加工立柱的直径，d 为激光熔覆搭接量，F 为数控行走进给量，C 为机床主轴旋转角度。

激光熔覆涂层采用"低碳马氏体+3Cr13"混合配比的冶金粉末材料，其颗粒密度小、流动性好，与基体材料通过激光受热结合可形成耐磨、耐蚀、抗强压、红热性好的强化涂层，经激光熔覆的不锈钢立柱寿命可成倍增长。熔覆加工现场如图 7-6 所示。

图 7-6　液压支架立柱激光熔覆加工过程

内孔熔覆技术是在外圆激光熔覆的基础上，将激光及金属粉末材料导入内孔进行激光熔覆(图 7-7)，是将具有特殊使用性能的材料用激光加热熔化涂覆在基体材料表面，获得与基体呈冶金结合和使用性能良好的熔覆层，并按照新品标准要求恢复原尺寸；油缸内孔修复后其耐腐蚀性、耐磨性显著提高，能抵抗煤矿井下各类酸、碱性水等腐蚀性物质的腐蚀，寿命提高 3~5 倍，性能完全超过新品。可以预见，液压支架油缸内孔激光熔覆再制造将成为行业内孔修复的主流技术。

图 7-7　液压支架油缸内孔熔铜生产线示意图

(3)后续加工：熔覆完成后，将立柱重新装入车床，并更换专用车刀进行精车，使立柱尺寸达到工程要求。后续处理加工完成的不锈钢立柱要进行必要的检测分析，不合格必须予以处理。不锈钢立柱质量的优劣可以从宏观和微观两个方面来检测判断，也就是从宏观上观察熔覆层几何形貌是否平整光滑、有无裂纹和气孔等缺陷，从微观上计算熔覆层稀释率的大小，并通过观察金相组织考察组织偏析及组织不均匀程度。

(4)质量检验：根据图纸和技术要求对再制造后的立柱进行外观、尺寸、硬度及防腐性能检测。重要机械产品经过再制造后，投入正常使用之前必须进行磨合与试验，主要目的是：发现再制造加工及装配中的缺陷，及时加以排除；改善配合零件的表面质量，使其能承受额定的载荷；减少初始阶段的磨损量，保证正常的配合关系，延长产品的使用寿命；在磨合和试验中调整各机构，使零部件之间相互协调工作。依据企业内部标准《液压支架再制造标准》、《再制造工艺标准》、再制造质量管理体系等进行检验，均高于国家标准和煤炭标准，再制造产品质保期高达 1 年。

7.2.3.2　液压支架再制造特色与成效

液压支架再制造是煤炭矿采机械装备领域再制造的典型代表，以液压支架再制造为核心，煤炭矿采机械装备领域再制造项目"重大设备关键件再制造系统集成应用解决方案"成功获得 2019 年工业和信息化部的绿色制造系统集成项目资助批复。根据液压支架再制造工艺流程，确定液压支架再制造生产的标准化智能生产线，主要设备有双梁桥式起重机、高压清洗生产线、污染治理设备、喷漆废气治理设备、内燃式平衡叉车、CO_2 焊机、冷焊机、矿用空气压缩机、电动平板车等，自主研发设备有油缸卧式拆装机、水平压力机、多功能悬臂吊、侧护板导杆拆卸装置、大件翻转机等。配备一条自动化清洁型再制造生产流水线，在支架拆解前进行整架清洗。采用激光熔覆、内孔熔铜、超音速等离子喷涂、冷弧合金熔覆等多项表面工程技术对支架的零部件开展再制造。该再制造生产线具有以下特色。

1) 开发液压支架自动化无损高效拆解装备

针对液压支架拆解复杂程度，自主制作了一套自动化的拆解装备，对液压支架进行拆解，自主设计研发了自移式液压锤装置拆解支架铰接销轴、水平压力机拆解侧护板导杆、气锤拆解 U 型卡、电镐拆解开口销、电动扳手拆解螺栓、电锯切割胶管等一系列的自动化装备。避免拆解过程中对零部件的损坏，效率比传统拆解方式提高 3 倍以上。

2) 开发液压支架结构件无损探伤技术

探伤检测方法应用于结构件各个部位。其中对柱窝、柱帽处焊缝采用着色探伤对其表面进行裂纹检验，对销轴采用超声波探伤进行检测，其他结构件采用磁粉探伤检测。探伤工艺应用后，可确保修复后液压支架的稳定性和可靠性，无暗伤和隐患，提高再制造产品的整体质量及使用寿命。

3) 液压支架结构件实现 100%互通互换

液压支架零部件再制造采用尺寸恢复和性能提升法，即用先进的表面工程技术为支撑的再制造关键技术，准确恢复废旧零件尺寸，以达到原有性能，甚至比原有性能更好，即"修旧如新"，修复后的零部件尺寸达到新品尺寸标准。在结构件连接的主铰接孔位置，进行补焊修复后重新镗孔，恢复原尺寸，保证孔与轴的配合间隙符合新品标准。再制造液压支架结构件 100%互通互换，可实现免组装发货、井下结构件组装自由搭配、无需编号配对组装，为进一步提升再制造产品的质量和标准、提高组装效率打下坚实基础。这种尺寸恢复和性能提升法可使液压支架再制造率显著提高、资源能源消耗显著降低，具有突出的节能减排效益，在国际上处于领先水平。

4) 创新突破立柱外圆高速激光熔覆再制造关键技术

液压支架立柱外圆高速激光熔覆再制造关键技术开发取得创新突破，该技术具有以下特点：热变形小，有效解决了细长工件熔覆变形的特点；熔覆速度快，效率是传统激光熔覆的 3 倍；熔覆后表面光滑平整、无裂纹、无气孔夹杂、一次成形性好，形成冶金结合不会起皮剥落，耐腐蚀性非常高；易于加工，熔覆层不需车削直接磨至成品尺寸，具备减少工序、提高效率、降低成本的优势；现已批量熔覆 15000 余根液压支架立柱下井使用；整个加工过程节能环保，实现绿色生产，是目前替代电镀最有效的手段。

液压支架立柱外圆修复采用高速激光熔覆技术，严格按照新品标准要求恢复原尺寸，各装配件可实现 100%完全互换，全部采用标准密封。修复后可极大提高立柱的耐腐蚀、耐磨性能，能抵抗煤矿井下各类酸、碱性水等腐蚀性物质的腐蚀，提高产品稳定性及质量，可实现 5～8 年以上免维护，寿命是普通电镀的 5～6 倍。以国内山能重装为例，目前液压支架立柱外圆高速激光熔覆产业化已形成很大规模，其液压支架立柱激光熔覆面积日均突破 $200m^2$，2020 年实现再制造产值约 2 亿元，是国内最大的高速激光熔覆加工企业。

5) 创新突破液压支架油缸内壁熔覆铜合金再制造关键技术

液压支架油缸内壁熔覆铜合金再制造关键技术开发在国内首次取得创新性突破，油缸内壁修复采用熔覆铜合金技术，严格按照新品标准要求恢复原尺寸，各装配件可实现 100%完全互换，全部采用标准密封。修复后其耐腐蚀性、耐磨性显著提高，能抵抗煤矿井下各类酸、碱性水等腐蚀性物质的腐蚀，可实现 3～5 年以上免维护，寿命提高 3～5 倍，性能完全超过新品。

6) 再制造液压支架整机检验按新品标准出厂

再制造液压支架整机验收出厂，严格按照新品标准执行。检验过程，使用 40000 kN 数控压架试验台进行压架试验，出具实时压架报告。通过恢复原尺寸、表面特殊防腐工艺处理等技术工艺，经再制造后的液压支架可达到新品压架标准，实现了再制造支架达到新机压架标准的规范化检验，并对再制造好的液压支架产品在产品外观明显部位标注标识。编制了采煤机械行业的《液压支架再制造标准》、《液压支架再制造工艺标准》及《液压支架再制造作业指导书》。根据不同的再制造工艺标准可实现支架两年不升井或三年不升井。为将采煤机械装备再制造产业做大做强，更好地服务客户，减低运输成本，提高市场竞争力，采取了走出去的方式开展各项设备的再制造业务，实现了液压支架再制造流动作业，建立了支架再制造移动式作业站，并制定了《再制造外出流动作业标准》。

7.2.3.3　液压支架再制造旧件回收、分类与质量管理

1) 液压支架再制造旧件回收的方式

针对液压支架再制造旧件回收问题，企业依托销售网络，建立了辐射全国的矿井旧件回收及物流体系，形成了与再制造规模相匹配的旧件收集能力，制定了回收流程及管理制度，建立了液压支架旧件逆向物流体系，对矿井服务达到年限的整机及液压支架报废零部件进行统一收购、统一编号、统一产品标识。完善回收体系管理制度，加强了过程控制，从铸造、产品制造、旧件回收、再制造、废件回收铸造等各环节均完善了运作流程及载体，形成了铸造—制造—销售—回收—再制造—废件回

收铸造的循环经济产业链条，同时在逆向物流分选系统的基础上建立了再制造物资回收库，使回收工作更加顺畅、有效，促进了生产、消费过程的减量化，推动了循环经济发展。依托完善的逆向回收物流体系，具备再制造产业发展所必需的原料基础优势。

2) 分类、储存

对液压支架回收产品进行测试分析，并根据产品结构特点以及产品的各零部件的性能确定可行的处理方案，主要评估回收产的可再制造性。对回收产品的评估，大致可分为 3 类：产品整机可再制造、产品整机不可再制造、产品核心部件可再制造。对产品核心部件可再制造的回收产品，要进行拆卸，去除可再制造部件，然后将可再制造的回收产品、不可再制造的回收产品和回收产品中拆卸的部件分开储存。对回收产品的初步分类与储存，可以避免将无再制造价值的回收产品输送到再制造企业，减少不必要的运输，从而降低运输成本。

3) 质量追溯体系

为确保液压支架再制造产品的安全可靠使用，给消费者充分的质量安全保障，为此从每批次再制造订单开始即建立再制造全周期管理，将再制造全过程的拆解、清洗、解体、检测、评估、再制造、评测、装配、生产、销售等进行详细记录，建立液压支架再制造产品质量保障体系，让消费者可实时追溯。

7.2.3.4 液压支架立柱再制造经济效益和环境效益分析

1) 立柱激光熔覆再制造和电镀修复各环节经济效益分析

激光熔覆再制造及电镀修复再制造费用包括拆装、运输、清洗、激光熔覆或电镀、机械加工和净利润，各环节的成本比较见表 7-3。单一激光熔覆环节的成本约为 2000 元/m^2，约为单一电镀环节成本的 2 倍。但由于激光熔覆再制造立柱的使用寿命约为电镀修复立柱使用寿命的 6 倍，因此目前单位表面积激光熔覆再制造立柱的市场售价比电镀修复立柱的市场售价高出很多。普通工况下两种再制造工艺累计通入金额对比如表 7-3 所示。采用激光熔覆进行再制造虽然前期成本较高，但随着年限增加投入成本几乎保持不变，但采用电镀进行修复虽然前期投入小，但后期累计投入要远大于前者。

表 7-3 单位表面积立柱激光熔覆再制造和电镀修复各环节成本比较

(单位：元/m^2)

名称	拆装	运输	清洗	再制造	机械加工	售价	净利润
电镀	500	500	100	1000	200	3800	1500
激光熔覆	500	500	50	2000	450	8000	4500

性价比一般用再制造或修复后的立柱使用年数除以市场售价来衡量，电镀修复立柱性价比基本不随时间变化，保持在 0.4 左右。激光熔覆再制造立柱性价比在年保持在 0.75 左右，之后随时间逐渐增加，到 2022 年达到 1.2 左右。随时间增长，激光熔覆再制造立柱性价比相对电镀修复立柱性价比有绝对优势。

2) 立柱激光熔覆再制造和电镀修复环境效益分析

节能降耗。由于电镀层厚度的限制，一般立柱维修 2 次后，无法再恢复到新品尺寸，故而不能循环使用，彻底报废，报废立柱需要回炉冶炼，耗费大量能源，产生的 CO_2 和 SO_2 造成大气污染。激光熔覆再制造不受修复厚度和修复次数的限制，且使用寿命长，如果立柱均采用激光熔覆再制造技术，基本可避免回炉冶炼的工序。据统计，全国报废液压支架立柱约为 45 t/a。如果采用激光熔覆再制造技术代替电镀，可以节约标准煤 19 万 t/a，显著减少大气污染。

消除水污染。电镀过程中会产生大量含重金属六价铬的废水，且电镀前需要对工件进行酸洗，会产生大量酸性废水和清洗废水，激光熔覆则不会产生污染环境的废水，液压支架立柱若采用激光熔覆再制造取代电镀修复，将极大地减少废液排放量。

液压支架立柱再制造节能、节材，环保效益显著。以每年再制造 2 万件液压支架立柱为例，可实现提供就业 6000 个岗位，利用废旧金属 90000 余吨，减少 CO_2 排放 70 万 m^3，减少电镀 Cr 废液排放 5000 余吨，实现产值 24 亿。

综上所述，与电镀相比，激光熔覆再制造修复液压支架立柱，性价比更高、经济效益更好、环境友好、可循环利用，相对电镀修复产品有着明显的技术优势，发展空间大，具有显著的经济和环境效益[13]。

7.3　航 空 装 备

7.3.1　产业发展概述

航空零部件再制造主要指飞机机体零部件、航空发动机零部件、航空仪器仪表、机载设备、液压系统和附件维修及再制造，其中最有代表性、难度最大、技术含量最高的当属航空发动机零部件再制造。航空发动机零部件长期在高温、高压、高转速、燃气腐蚀等恶劣环境下工作，故障模式复杂、报废量大，其维修及再制造技术一直是欧美发达国家保护和垄断的关键技术。

虽然维修保障处于航空发动机产业链末端，但欧美发达国家均将其作为战略制高点竞相发展和垄断，主要原因在于高技术含量的维修及再制造技术不仅关系到国家战略安全的可持续性，也是获得高额垄断利润的核心竞争力。自 20 世纪 70 年代以来，欧美发达国家非常重视对航空发动机关键重要零部件，尤其是在包括涡轮叶片在内的热端部件修复、强化等再制造技术研究和应用中投入巨额资金，掌握了一批新的修复技术，实现了热端部件的再生使用，保证了热端部件的寿命与可靠性，同时也获得了巨大的经济社会效益。这就是航空发动机零部件再制造的起源。欧美发达国家各发动机原制造商采取合资或独资的形式，组建了从事航空发动机零部件专门的再制造中心和专业厂家。比如世界航空发动机巨头通用公司，其航空发动机压气机转子、静子叶片、蜂窝再制造每年创收 1.5 亿美元；又如另一巨头普惠公司的航空发动机高、低压压气机转子叶片、涡轮导向叶片和涡轮转子叶片的再制造，每年也创收上亿美元；再如新加坡拥有亚洲集中度最大且技术水平最高的航空发动机维修专业厂家，成为全球最大的民航发动机维修基地[14]。

航空发动机零部件再制造的内涵是指对航空发动机废旧零部件进行专业化修复的批量化生产过程。再制造零部件达到与原有新品相同的质量和性能，使用寿命满足一个以上翻修间隔期的要求。

航空发动机零部件再制造既是涉及多学科、多领域的高新技术，又是技术内涵十分丰富的系统工程。航空发动机零部件再制造的主要内容包括零部件可再制造性评价、剩余工作寿命评估、再制造加工、再制造质量检测、再制造考核验证、改造升级六个方面。其中：

（1）可再制造性评价是指对零部件进行再制造之前，从技术、经济和环境的角度对零部件再制造的技术可行性、经济性和对环境的影响进行评估；

（2）剩余工作寿命评估是指综合考虑零部件的工作条件、再制造技术水平，并基于对零部件缺陷扩展的理论模拟结果，来评估零部件经再制造后的剩余工作寿命；

（3）再制造加工是指综合采用各种高新技术对零部件进行再制造；

（4）再制造质量检测包括再制造前零部件的质量检测、再制造加工过程中的在线质量控制和零部件再制造后的检测与评估；

（5）再制造考核验证是指通过模拟发动机零部件工作条件，对新开发再制造技术的安全性和可靠性进行考核；

（6）改造升级是指改进零部件原设计上的不足，采用先进再制造技术使零部件获得比再制造前更高的性能或更换为升级换代产品来提高零部件的性能。

在国内航空发动机零部件再制造领域，由于技术要求高、硬件投入大、质量要求高、考核验证严格，加上国外技术封锁，再制造技术进展较为缓慢。在军用航空发动机领域，国营川西机器厂、中国航发北京航空材料研究院、中国科学院金属研究所等单位较早开始航空发动机零部件再制造技术研究，突破并掌握了一批具有自主知识产权的再制造技术，在航空发动机修理中取得了一定的军事和经济效益。但现已开发应用的再制造技术仅限于部分型号的部分关键重要零部件，距航空发动机零部件现实和未来的再制造需求还存在较大差距。

在民用航空发动机领域，尽管国内已建立和形成部分航空发动机零部件修理能力，但仍缺乏核心再制造技术。虽然现已形成发动机分解、检查、清洗、组装和试车等维修能力，但占发动机维修价值 70% 的核心部件基本送国外再制造。中国民航局批准的航空器部件件号近 9 万项，其中国内维修单位具备修理能力的仅占约 30%，这也是零部件再制造关键技术受制于人的结果。造成这一现状的主要原因是国外原始制造商实行技术封锁，国内民航主管部门对企业自行开发的核心技术缺乏适航审定能力，没有建立相应的技术评估标准和体系。

7.3.2　技术水平及典型案例

虽然航空发动机零部件的损伤模式多种多样，但可修复的典型零部件的故障模式比较集中，其修复工艺也基本固定。表 7-4 和表 7-5 分别是航空发动机典型零部件常见损伤模式及其相应的再制造修复工艺和再制造工艺内容。从表中可见，航空发动机零部件的再制造对象主要包括风扇、压气机、燃烧室和高/低压涡轮单元体，主要集中在热端部件上，所采用的修理工艺主要包括涂层去除与更换修理、高能束焊接、真空钎焊、热喷涂、热处理、热等静压等再制造关键工艺技术[15]。

表 7-4　航空发动机零部件常见的损伤模式及相应的再制造修复工艺

发动机零部件	所涉及的材料	主要损伤模式	再制造修复工艺
压气机和涡轮静子叶片	锻造不锈钢，锻造高温合金及精密铸造镍基或钴基高温合金	热机械疲劳裂纹、表面的高温氧化和高温蠕变损伤、材料弥散强化相粗化	真空钎焊、大间隙真空钎焊、精密氩弧焊、精密等离子氩弧焊、热等静压处理
压气机和涡轮转子叶片	锻造钛基合金、锻造不锈钢，锻造及精密铸造镍基或钴基高温合金	叶片顶部磨损/烧损，热机械疲劳裂纹、高温蠕变形成的晶间空隙、高温表面氧化及弥散强化相粗化	等离子氩弧焊、激光粉末喷涂恢复叶片、特殊手工精密氩弧焊、精密等离子氩弧焊、特殊高温真空烧结工艺、激光及电子束焊、热等静压热处理
风扇叶片	锻造钛基合金	外物冲击变形，局部材料疲劳	激光和电子束焊、真空电子束局部热处理、高温蠕变复形

涡轮叶片既是航空发动机的关键核心部件，又是重要的易损件，还是维修保障的重点和难点。虽然涡轮转子叶片和涡轮导向叶片在设计时精心选用了最优良的材料(比如单晶和定向凝固高温合金)和特殊复杂的气冷结构形式，但在高温、高压、高转速和高负荷等苛刻条件下长期反复工作，往往还是薄弱环节，产生各

种损伤故障在所难免，故障模式复杂且报废量大。下面分别介绍涡轮转子叶片和涡轮导向叶片再制造典型案例。

表 7-5　航空发动机零部件应用的再制造修复工艺

序号	零部件名称	修理内容	备注
1	前机匣	·防冰管修理 ·进口导流叶片修理 ·等离子喷涂	冷端部件
2	1&3 级风扇叶片/盘	·风扇叶片电子束焊接修理	冷端部件
3	高压压气机模块	·高压压气机叶片/盘修理 ·高压压气机静子叶片修理 ·出口导流叶片密封环修理	冷端部件
4	燃烧室模块	·燃烧室衬里涂层修理 ·燃烧室外套修理	热端部件
5	高压导向器组件	·热机械疲劳裂纹修理 ·高温保护涂层修理	热端部件
6	高压涡轮叶片	·高压涡轮叶片叶尖修理 ·热障涂层(TBC)修理 ·叶尖激光强化处理	热端部件
7	低压导向器组件	·热机械疲劳裂纹修理 ·高温保护涂层修理 ·管子/插入件更换	热端部件
8	低压涡轮叶片	·高温保护涂层修理	热端部件

7.3.2.1　涡轮转子叶片再制造

基于高压涡轮叶片有限元计算分析结果，确定叶片再制造范围，进而制定叶片再制造工艺流程。涡轮叶片再制造工艺主要包括接收检查、修理前准备、焊接修理/打磨、焊后热处理、恢复高温防护涂层、清洗、喷丸处理及水流量检查和质量控制测试分析等内容，分述如下。

1) 接收检查

接收检查包括目视检查、尺寸检查、荧光检查、确定零件合金体系、检查冷却孔和确定再制造方案等工序内容。

目视检查：高压涡轮叶片的故障检查，检查叶片的表面质量，是否有局部过热、腐蚀、烧蚀和鼓包现象，初步判断叶片的故障类型，是否在再制造允许修理的范围之内。

尺寸检查：测量涡轮叶片的尺寸，确定叶片是否存在严重变形或尺寸超标故障。

荧光检查：检查零件表面的服役缺陷，确定缺陷的类型、部位和尺寸，根据相关标准判断叶片是否在可修理范围之内。

确定零件合金体系：采用无损检查方法确定待修零件的合金体系，为制定修理工艺提供材料依据。

检查冷却孔：通过水流量试验检查叶片内部的冷却通道是否堵塞，如有堵塞，确定堵塞物的位置并进行疏通。

确定再制造方案：根据前面的分析检查结果，选择合适的再制造技术，确定叶片的具体再制造方案。

2）修理前准备

修理前准备主要包括去除高温防护涂层、焊前热处理、荧光检查、焊前缺陷区域准备、荧光检查、焊接修理前清洗等工序。

去除高温防护涂层：由于再制造修复一般为焊接或钎焊工艺，需要经历比高防护涂层加工温度更高的温度，会造成高温防护涂层的失效，同时在修理区域存在高温涂层还会影响到修理质量，因此，在涡轮叶片修理之前必须去除高温防护涂层。高温防护涂层常采用化学法去除，局部难以去除的涂层可采用机械法去除。

焊前热处理：根据涡轮叶片的不同缺陷状态和修理技术，须进行焊前热处理以将叶片调整到可修理状态，比如对叶片进行固溶处理以便进行熔焊修复。

荧光检查：零件在去除涂层后须进行荧光检查，确定缺陷所在的体位置，为后续焊前缺项区域准备提供缺陷形状、大小和位置相关的信息。

3）焊接修理/打磨

焊接修理/打磨主要包括焊接修理、打磨恢复外型、清洁冷却孔（电火花）、荧光检查和射线检查修复区域等工序。

焊接修理：基于焊接工艺试验确定的焊接工艺参数进行焊接，如果有质控试样要求，还应同时制备焊接试样。对于高压涡轮叶片修理，叶片裂纹常采用氩弧焊或微弧等离子焊接技术进行修理，而其余部位的修理一般采用真空钎焊技术，尤其是大间隙钎焊技术进行修理，也可采用组合焊接方法进行修理。

打磨恢复外型：对焊接修理后的叶片进行打磨加工，去除修复区域多余的焊缝金属，将叶片恢复至正常外型的尺寸。在打磨过程中，必须对修复区域的表面状态加以控制，应达到所要求的表面光洁度。

清洁冷却孔：经历焊接修理过程后，可能会造成叶片冷却通道的堵塞。对于较轻的堵塞，可采用压缩空气进行疏通；对于焊接材料的堵塞，一般采用电火花加工的方法对冷却通道进行疏通。

荧光检查：焊接修理后，采用荧光检查修理区域，确认修理区域的表面完整性。如果发现超过检查标准的尚未修理的缺陷或经历修理过程产生的新缺陷，必须返工重新修理。

射线检查修复区域：对于具有复杂冷却通道的涡轮叶片，在经历焊接修理后必须采用射线检查来确认内部冷却通道有无堵塞、叶片内部有无不可接受的缺陷以及可能的异物堵塞。

4）焊后热处理

焊后热处理主要包括热处理、荧光检查、清洗和尺寸检查等工序。

焊后热处理：涡轮叶片在修理之后，一般要进行恢复组织性能热处理，以恢复叶片的微观组织和机械性能，比如时效处理和回火处理等。

荧光检查：在焊后热处理后，也需进行荧光检查以保证涡轮叶片的表面完整性，同时检查经过热处理过程有无新的缺陷产生。

清洗和尺寸检查：在焊接热处理后应对涡轮叶片进行清洗，以便对叶片进行尺寸检查，检查经历焊接修理和相关热处理后叶片的尺寸是否发生改变以及是否在叶片的尺寸公差范围内。

5）恢复高温防护涂层

恢复高温防护涂层主要包括保护不需涂层区域和恢复涂层两个工序。

保护不需涂层区域：对于叶片上不需要涂层的区域，应设计合适的工装夹具对这些区域进行保护。对于采用真空电弧镀制备涂层的叶片，可设计与保护区域匹配的金属夹具来进行屏蔽保护。

恢复涂层：采用叶片原始涂层的制备工艺恢复高温防护涂层。目前在涡轮叶片上常用的高温防护涂层包括高温渗铝涂层、高温渗铝-硅涂层和真空电弧镀涂层等。一些先进的航空发动机已开始采用热障涂层，常采用电子束辅助物理气相沉积（EB-PVD）工艺来制备。

6）清洗、喷丸和水流量检查

清洗、喷丸和水流量检查主要包括清洗零件需喷丸处理区域、喷丸强化处理和冷却孔水流量检查等工序。

清洗零件需喷丸处理区域：零件进行喷丸处理之前必须进行清洗，以除去附着在零件表面的脏物，保证喷丸处理的效果。

喷丸强化处理：喷丸处理是使叶片表面产生压缩残余应力的重要手段。对于涡轮叶片这样的重要时限件，表面压缩残余应力对于提高涡轮叶片的疲劳强度具有重要作用。叶片上进行喷丸强化处理的区域一般是榫头、榫槽部分。常采用喷铸钢丸来强化叶片表面。目前的新趋势是采用激光表面强化来取代传统的钢丸处理。

冷却孔水流量检查：涡轮叶片内部的冷却通道是否畅通，可通过冷却孔水流量来检查。由于叶片内部的冷却通道的主要作用是在叶片工作过程中形成冷却气膜，因此，畅通的冷却通道对于避免叶片过热、过烧，保证叶片安全可靠工作至关重要。如果水流量检查不合格，必须进行射线检查以确定冷却孔堵塞位置，并采用适当的方法进行疏通。

7) 质量控制(QC)测试

QC 测试是确保涡轮转子叶片再制造质量的重要手段,包括高温持久强度、机械性能、硬度、微观组织和涂层性能等项目。

高温持久强度:由于涡轮叶片的工作环境极其恶劣,同时承受高温和复杂应力的作用,因此,为了确保叶片的修理质量,在确定修理工艺之前必须进行高温持久强度试验,以检查修复组织的高温持久强度是否达到叶片基体材料的要求。

机械性能和硬度检查:对于涡轮叶片的修理,一般检查试样的拉伸强度和硬度,并与基体金属进行对比。

微观组织:一般检查叶片经历焊接修理过程后宏观晶粒度是否发生长大、基体表面的氧化层是否满足相关要求、基体和焊缝的微观组织是否正常,从而保证叶片的修理质量。

涂层性能:在恢复高温保护涂层过程中,检查涂层试样,确定涂层的厚度、微观结构、显微硬度等指标是否满足技术要求。

由于涡轮转子叶片采用等轴、定向和单晶镍基/钴基高温合金精密铸造而成,铸造工艺复杂、加工精度要求高、制造合格率低,因此其价格昂贵。如果对损伤报废涡轮转子叶片采用换件修理,将极大提高维修成本。由于叶片新品备件供应周期往往难以保证,如果不对损伤报废叶片进行再制造实现再生使用,将显著影响航空发动机维修周期。因此,开展涡轮转子叶片再制造具有较好的经济、社会和生态效益。比如单晶高温合金涡轮转子叶片新品单价高达十万元,按 80 件/台计算,再制造成本按三分之一计算,每台航空发动机可节省换件成本五百余万元。

7.3.2.2 涡轮导向叶片再制造

涡轮导向叶片是航空发动机中承受热冲击最大的热端部件,其使用温度较涡轮转子叶片还要高 100℃左右。它主要承受发动机瞬态温度场急剧变化产生的热应力和热应变、高温燃气的气动负荷和气流脉动引起的振动负荷,极易产生热疲劳裂纹、热腐蚀、烧蚀等缺陷且难以修复。

钎焊作为重要的材料连接技术,被广泛应用于涡轮导向叶片制造和再制造。经过几十年的持续研究和不断发展,欧美各主要航空发动机原制造商和专业修理公司开发了具有自主知识产权的涡轮导向叶片再制造技术,主要包括 GE 公司的 ADH 技术、Chromalloy 公司的 SRB 技术、United Technologies 公司的 Turbofix 技术、Howmet 公司的 ESR 技术、Avco Lycoming 公司的 M-Fill 技术和 Liburdi 公司的 LPM 技术等,并建立了从叶片损伤状态评估到修复材料体系设计到修复后使用寿命评定的一系列成熟技术标准。

LPM 是涡轮导向叶片的典型再制造技术，适用于高 Al+Ti 含量、易产生熔焊裂纹的镍基铸造高温合金叶片损伤修复，其典型工艺过程如下：

(1) 涡轮导向叶片常见的裂纹、磨损和烧蚀等服役损伤；

(2) 采用机械法去除叶片表面裂纹、烧蚀等损伤区域，确保全部去除所有薄弱材料；

(3) 将预先制备好的修复专用材料应用在需修复区域；

(4) 叶片真空烧结和真空热处理后恢复原有型面尺寸。

涡轮导向叶片再制造技术的突破点在于：

(1) 设计优化修复专用材料体系的实现叶片近/等强度的无损求原再制造；

(2) 设计制备满足多尺度复杂型面损伤区域修复需求的材料应用形式，包括但不限于灰泥、料浆、箔带、预成形预烧结片等，实现叶片大面积、大孔洞、大间隙和大厚度高质量修复；

(3) 设计合理的钎焊工艺及焊后热处理工艺，实现满足叶片组织、性能技术要求的无损求原再制造。

7.4　动力装备

动力装备主要包括机械、冶金、电力、石油、化工、工模具等领域的装备及零部件的再制造情况。在动力装备领域，激光增材再制造技术应用广泛，该技术主要针对动力装备零件表面磨损、腐蚀、冲蚀、缺损等局部损伤及尺寸变化的废旧零件进行结构尺寸恢复，同时提高零部件服役性能。通过对所有再制造试点申报企业统计分析显示，以冶金动力装备为代表的工业装备是最活跃的再制造行业之一，企业数量分别占我国再制造产业的 21.6%，主要领域如下所述。

1) 高附加值叶片再制造

叶片则是工业轮机中最重要的关键部件之一，是汽轮机的心脏，也是事故最多的关键部件。一台常规工业轮机的叶片多达 1000 余片，虽然其重量不及整机重量的 5%，但加工工作量却占整机的 25%～35%。叶片运行事故约占汽轮机事故总数的 40%，而在叶片失效的事故中，末级叶片的失效占叶片失效的 70% 以上。叶片的寿命和安全性能对汽轮机的经济效益有重大的影响[16]。

叶片的型线非常复杂，制造成本高昂，工作环境极其恶劣，且每一级叶片的工作条件均不相同。初始几级动叶片一般发生高温氧化腐蚀、磨蚀和高温蠕变破坏。末级叶片尺寸较大，在离心力、叶片振动以及水冲刷的复杂应力状态下，往往产生应力腐蚀、腐蚀疲劳、疲劳等破坏，实际失效的叶片常常是上述几种破坏方式综合作用下引起失效。1981 年，英国 Rolls-Royce 公司将激光熔覆技术用于 RB211 型燃气轮机叶片连锁肩的修复。该叶片在 1600 K 温度下工作，由超级镍基合金铸造，过去用 TIG（Tungsten Inert Gas，钨极惰性气体保护）堆焊钴基合金修复，稀释严重，热影响区还常常发生裂纹。采用激光熔覆钴基合金，合金用量减少 50%，变形小，节省了后加工工时，工艺质量高，重复性好，还减少了设备数量。我国应用激光熔覆再制造技术对烟机、汽轮机等多种机组的多类动叶片和静叶片进行了大量再制造（图 7-8），获得了良好经济效益和社会效益[17]。

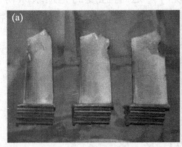

图 7-8　激光熔覆再制造的烟机转子叶片
(a)冲蚀损伤的叶片；(b)再制造后的叶片

2) 轧辊、蜗杆等轴类零件再制造

轴类零件在各种机械设备中占据重要地位。各种轴在运行过程中，一般因磨损原因而造成尺寸减小、表面产生深划痕等失效的情况十分普遍，激光再制造技术在轴类零件的修复与再制造中具有广阔市场和重要的经济与社会效益。图 7-9 为某电厂 20 万 kW 发电机主轴磨损失效情况及其激光再制造加工。

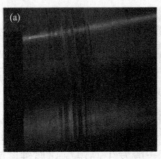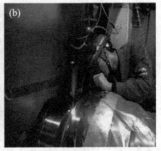

图 7-9　发电机主轴磨损失效情况及其激光再制造加工
(a)主轴磨损失效；(b)激光再制造加工主轴

  鞍山钢铁集团有限公司某重轨轧辊材质为低镍铬无限冷硬铸铁，因表面磨损而使得尺寸精度超差，并出现局部凹坑，沈阳大陆激光技术有限公司采用激光熔覆再制造对其成功进行再制造。激光熔覆再制造过程见图 7-10。武汉钢铁公司某大型型材轧辊(材质为 65 镍铬钼半钢)，通过激光熔覆进行再制造，恢复了精度，显著延长了使用寿命[18]。

  塑料挤压蜗杆和压铸蜗杆的螺纹用激光熔覆制造，可以收到良好效果。螺杆压缩机的转子在运行过程中因轴向移位，造成了阴、阳转子工作面大面积擦伤和磨损，经激光熔覆再制造，不仅可恢复转子的尺寸和形状，还可以提高其表面性能。图 7-11 为激光再制造的螺杆压缩机转子。

图 7-10 激光熔覆再制造实例
(a)鞍山钢铁集团某重轨轧辊的激光熔覆；(b)武汉钢铁公司某大型型材轧辊的激光熔覆

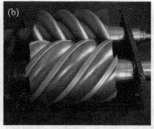

图 7-11 激光再制造的螺杆压缩机转子
(a)转子激光再制造中；(b)再制造后的转子副

3) 模具再制造

  工业模具主要包括：冲压成形模具，如汽车外壳的冲压模；注塑模，如汽车仪表盘注塑模、洗衣机箱体注塑模、计算机软盘注塑模等；陶瓷模具，如建筑陶瓷砖冲压模等。常规冷冲压和冷冲切模具通常采用昂贵的模具钢整体淬火，然后电火花加工出刃口，此过程工序多、周期长、生产效率低、制造成本高。除此之外，还有切料模、木材成形模等精密模具，以及在某些流水线上起模具作用的大型成形工件。图 7-12 给出了采用低温冷焊技术或者激光熔覆技术对磨损模具进行再制造，通过再制造可延长模具寿命，大幅降低制造费用[19]。

图 7-12　模具再制造

4）齿轮再制造

齿轮在运行过程中常出现齿面磨损、疲劳脱层（掉块）甚至断齿等失效现象。堆焊、电镀、喷涂等一般的修复技术难以满足齿轮服役性能要求。因此，齿轮的修复与再制造一直是困扰工业界的一大难题。采用激光熔覆再制造技术可以方便地实现失效齿轮零件的修复与再制造，且效率高、成品率高，再制造的齿轮件性能满足使用要求。天津船坞某设备齿轮在运行中因齿轮啮合面进入异物，造成齿轮 5 处发生崩齿和掉块缺角、4 齿出现裂纹，采用激光再制造技术对该齿轮进行了成功修复，如图 7-13 所示，再制造后的齿轮经装机应用，运行正常[20]。

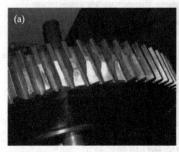

图 7-13　激光再制造的齿轮
(a)掉块缺角的失效齿轮；(b)激光再制造后的齿轮

5）核电动力装备零件再制造

我国核电技术水平和装备制造集成能力相对落后，缺少具有自主知识产权的核心技术，在主机、大件以及关键件上还需要从国外进口。核电站各系统的设备大概有 48000 件，其中机械设备大概 6000 件、电气设备 5000 多套件、仪器仪表25000 多套件。针对核电动力装备系统的生产研制本身就是极具挑战的难题，而针对其中出现的失效问题进行再制造，则更是需要要求极高的技术支撑。

蒸汽发生器是核电站最为关键的主要设备之一，内部包含 U 型管和汽水分离设备,如图 7-14 所示。针对核电用蒸汽发生器的传热管腐蚀及管壁减薄等损伤问题,目前已开展了包括清洗剂、焊接等系统的再制造修复工作。

图 7-14　核电蒸汽发生器

核电汽轮机最常见的失效形式为汽轮机叶片出现的腐蚀及开裂问题。图 7-15 给出了采用焊接技术再制造某核电厂 320 MW 汽轮机静叶片裂纹进行了焊接修复,并对焊接修复的最终质量进行了评定。

图 7-15　核电汽轮机叶片

6) 风力发电机组再制造

风力发电机组主要部件有叶片、齿轮箱、发电机、控制系统、变流器、塔架、偏航系统、轮毂、变桨系统和主轴等几部分组成。风力发电机组中各部分零部件占总装机成本的比例如表 7-6 所示,其中叶片、塔筒和齿轮箱占到总成本的 58.4%,所以这三种零部件可以作为再制造研究的重点对象。

表 7-6　风力发电机组中各部分零部件占总装机成本的比例

部件名称	占总成本比例	部件名称	占总成本比例	部件名称	占总成本比例
叶片	23.3%	塔筒	18.9%	齿轮箱	16.2%
变流器	7.3%	控制器	5.0%	变桨系统	3.9%
变压器	3.59%	发电机	3.4%	轮毂	3.0%
机架	2.8%	主轴	2.2%	偏航	2.0%
机舱罩	1.9%	热交换系统	1.3%	轴承	1.22%
螺栓	1.04%	电缆	0.96%	制动系统	0.6%

水力发电机水轮机主要部件由转子、定子、机架、推力轴承、导轴承、冷却器、制动器等主要部件组成，如图 7-16 所示。其中转子、定子和推力轴承为再制造技术研究的主要对象，这些部件体积大，不易拆卸，拆卸需要停机，所以需要研究再制造技术的在役再制造技术和在役监测技术。

图 7-16　水力发电机转子吊装

高金吉院士提出了在役再制造工程概念。主要针对运行可靠性差、运行效率低、与生产过程不匹配且自适应调控性差，传统维修无法根本改善上述性能的在役机电设备，在役再制造技术适合风力和水力发电装备重要部件再制造[21]。

7) 锅炉管道再制造

锅炉的炉管是承受高温高压的部件，且由于长期在高温高压工况下运行，容易造成管材老化和损伤积累以及突发性事故的出现，如破裂和爆管，如图 7-17 所示。利用热喷涂再制造技术可以修复磨损、腐蚀减薄的管材，同时提高了管壁表面的抗腐蚀、冲蚀能力。从而相应地提高了产品的安全性能，延长了设备的使用寿命，达到了节能的功效，并大大降低了工作成本。

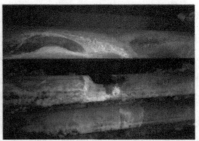

图 7-17　锅炉炉管破裂和爆管

目前采用的喷涂工艺包括氧乙炔粉末喷涂、线材火焰喷涂、电弧喷涂、超音速火焰喷涂和等离子喷涂等。美国在热喷涂技术用于锅炉管道的保护方面走在世界的前列。美国推出的 Densys DS-200 保护涂层材料是一种以 Ni-Cr 合金为基础，加入 Cr_2C_3 金属陶瓷的复合材料，采用超音速火焰喷涂工艺制备的该涂层具有极低的孔隙率、非常细的晶粒、均匀的组织和较高的结合强度和硬度。这种涂层具有很好的抗高温腐蚀性，特别是具有抗粒子高温冲蚀性能，专用于锅炉高温冲蚀严重的部位。

7.5　工 业 电 机

7.5.1　工业电机再制造产业现状

我国电机系统的效率落后发达国家平均水平，80%以上电机的能效低于国外同类产品 5%以上。究其原因，电机是一种耐用产品，更新换代慢，当前在用的电机大多为数年甚至十数年前的老旧产品，整体技术水平不高、效率偏低。统计显示，我国在用电机中，J 系列占 21.8%，Y 系列占 74%，而诸如 YX3 等高效电机的保有量仅占不足 0.3%。据测算，若在用工业电机能效平均提高 1%，可年节电 120 亿 kW·h。在全国推广高效电机，现有电机系统能效有 5%～8%的提升空间，则年节电量可达 600 亿～960 亿 kW·h，相当于减少 4500 多万吨原煤消耗，减少近 1 亿吨二氧化碳排放。如何以高效电机替换淘汰老旧低效电机，已成为中国工业转型升级必须攻克的难题。然而，现有超高效电机的生产成本高(约 500 元/kW)，将在用的老旧电机全部替换的短期投入成本企业普遍难以接受。另一层面，现有老旧电机被汰换后，用作废品进行资源化处理，其产品价值不能得到充分利用，造成了资源浪费、能源消耗以及环境二次污染。系统解决老旧电机能效低、更换新机成本高、废旧电机资源循环利用率低等一系列问题，是亟待解决的重大社会难题。

随着《工业绿色发展规划(2016－2020年)》的实施，我国政府将提升对重点用能的产品的专项监督，电机市场将迎来新的挑战和机遇。电机高效再制造不同于对电机进行维修与返修。对电机维修与返修，是指采用传统方法与一般性能材料对电机实施维修与返修，完成返修后，质量会因厂家的不同而有所差异，而且质量评价时无统一标准，返修后电机的性能会有一定程度的下降。而对电机进行高效再制造是指对低效电机进行重新设计，通过适当的拆解，尽可能地利用原有部件，并对绝缘、轴承与绕组等在内的部件进行更新，利用先进技术与性能更优化的材料，根据相关质量标准，采用严格的检测与分析方法，通过再制造形成新的高效电机，也可以形成专门的节能电机。在完成再制造以后，电机的性能不会降低，而且还能有一定程度的提高。而经过对Y系列电动机统计分析发现，大部分规格的Y系列电动机都可以再制造成高效电动机。而电机种类繁多，数量庞大，对电机实行再制造具有强劲的市场竞争力，通过规范行业标准，消除人们对再制造产品的偏见，市场前景将相当广阔。

7.5.2　工业电机再制造技术

电机在能量转化过程中，本身会产生一些能量的损耗。在电机学原理中，电机的损耗一般分为5个部分：定子铜损耗、定子铁损耗、转子铜损耗、机械损耗和附加损耗。为了降低电机的这五大损耗，高效电机的设计即是通过采用各种相关措施来降低电机的损耗，以达到提高效率的目的。

(1)降低铁芯损耗：电机通常采用的是高损耗的热轧电工，使用低损耗、高磁感的冷轧无取向电工钢或非晶材料替代传统的硅钢片能够降低损耗；

(2)降低定子铜损耗：增加定子有效材料用量、改进线圈结构；

(3)降低机械损耗：改善通风结构、改进风扇结构、减少风扇尺寸；

(4)降低附加损耗：改变定子绕组形式、定转子槽配合、加大气隙等；

(5)降低转子铜损耗：增加转子有效材料用量，亦可对转子结构进行优化，实现感应电机到永磁电机的转变。

我国目前生产和在用的电动机以Y系列为主，占据了近90%的市场份额，其效率平均值为87.3%，而欧洲国家普遍使用的高效电机效率平均值为90.3%，美国甚至已经全面使用超高效电机，其效率平均值达到92%，并且将其列为新建项目的强制准入条件。目前我国电机再制造技术路线主要有三相异步电机再制造成永磁同步电机和三相异步电机两条。下面分别简单介绍两条技术路线及特点[22]。

7.5.2.1　三相异步电机再制造成永磁同步电机

三相异步电机再制造成永磁同步电机分为有鼠笼和无鼠笼两种方案。其中有鼠笼方案是对三相异步电机转子进行永磁化再制造，通过消除转子运行所需的励磁电流，达到降低损耗的目的。同时，保留了原电机的异步启动特性。无鼠笼方案是通过冲压新转子，替换原异步电机鼠笼转子，加装变频器，再制造成无鼠笼永磁同步电机。具体工艺流程如图 7-18 所示。

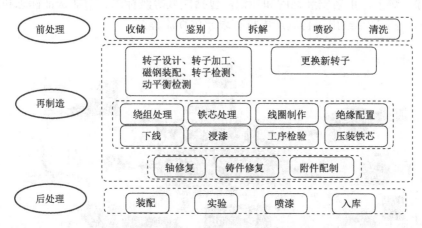

图 7-18　再制造永磁同步电机工艺流程

7.5.2.2　三相异步电动机再制造成三相异步电动机

异步电机再制造成异步电机常用的再制造方案可分为以下四类：①定子铁芯加长，转子报废，更换电动机轴、轴承、绝缘材料、高效风扇和风罩，绕组重新设计，再制造成同功率或低一级功率的高效率电动机。②转子铁芯长不变，更换电动机轴、轴承、绝缘材料、高效风扇和风罩，绕组重新设计，再制造成同功率的高效率电动机。③定、转子铁芯加长，更换电动机轴、轴承、绝缘、材料、高效风扇和风罩，绕组重新设计，降低功率再制造为专用负载的高效率电动机。④定子铁芯更换为低损耗冷轧硅钢片，转子铁芯长不变，更换电动机轴、轴承、绝缘材料、高效风扇和风罩，绕组重新设计，再制造成同功率或低功率的高效率电动机。

异步电机再制造成异步电机的工艺流程为：①首先对三相异步电动机零/部件进行检测，检查电动机的机座、端盖、轴承盖、接线盒等铸铁件或钢板件是否完好。②采用无损、环保和无污染的工艺技术对电机进行拆解，最大限度地利用原电动机的零/部件，同时减少拆解过程中对环境的污染。③电动机定子拆解，使用绕组端部专用拆解机切割绕组端部，用液压设备压出带线圈的定子铁芯，用绕组专用加热机对铁芯进行加热，拉出定子线圈。④对于转子的拆解，采用液压拉马拆卸轴承，使用中频涡流加热设备对转子外表进行加热，根据轴与转子铁芯受热膨胀系数不同分离轴与转子铁芯，根据再制造方案设计，采用热套方法压入加工后的转轴或更换新轴。⑤按新设计的方案重新绕制线圈。⑥半成品进行耐压试验，合格后进入浸漆罐浸漆并用烘箱烘干。⑦机座、定子、转子、端盖、风扇、风罩和接线盒等部件再制造完成后进行装配并测试。⑧整机包装与出厂，采用喷漆设备喷漆、烘干，重新安装铭牌和标识，包括能效等级标志、节能认证标志和再制造标志。图 7-19 给出了再制造电机有限元仿真流程图。

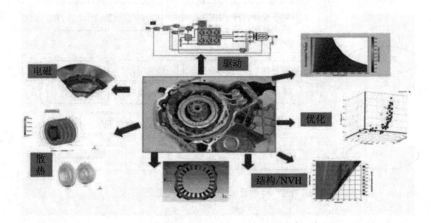

图 7-19   再制造电机有限元仿真全流程

7.6   办 公 设 备

7.6.1   产业发展现状

办公设备再制造是我国再制造产业中一个重要的行业领域。按照当前我国已经开展再制造的典型产品分类，办公设备再制造可分为三个部分：第一部分，办公设备整机，包括复印机和数字式多功能一体机，以及打印机等。一般情况下如若不会引起歧义时可省略"整机"两个字。第二部分，办公耗材与配件，这是一个非常繁杂的产品种类的总称。一般情况下简称办公耗材。第三部分，服务器和硬盘。服务器和硬盘是计算机的重要部件。在工业领域分类中计算机与办公设备不属于一个类别，在本节中将服务器和硬盘再制造放在办公设备项下，是因为该产品多用于办公室，再制造模式有相近之处[23]。

我国的办公设备产品再制造始于 20 世纪 90 年代初，是在设备维护修理、整机翻新改造基础上逐步形成的。经过 30 多年的不断发展，形成了一定的产业规模，已成为我国废旧办公设备处理和再利用的最佳途径及推进资源节约循环利用的重要支撑。但国内整个办公设备再制造行业存在发展基础较薄弱、行业结构雷同，市场无序竞争、产业政策不清晰等问题，行业运行状况处于各自为战和单打独斗的状态，运行效率比较低下，亟需管理部门整合资源、规范市场，领军企业示范带头，向产业化、集聚化的方向发展。同时优化行业结构，淘汰落后产能，提高整个行业的运行水平。

随着科技进步的发展，成像装置所包含的种类已从早期的复印机、传真机、喷墨打印机、激光打印机逐步发展到将这些机器的功能集于一体的多功能一体机。种类繁多的成像装置或使用墨水或使用碳粉作为耗材，并在纸张等介质上形成图像。打印机耗材自 2008 年金融危机后，价格战就开始激烈竞争，无论是国内还是国外市场，行业无序竞争，规范度差。

数据显示，我国有 2000 多万个机构和单位，以及数量更为庞大的家庭用户需要使用打印机，这带动了国内耗材市场以每年 30% 的速度递增，并逐步成为全球最大的打印耗材市场。近些年我国又把激光打印机、喷墨打印机及耗材的生产列为国家电子信息产品鼓励发展的重点项目。国内打印机耗材总体市场容量已经突破 300 亿元，年增长率超过 30%，耗材市场驶入高速发展轨道，市场潜力相当庞大。我国现有耗材生产型企业 1000 多家，行业前 10 家销售额超过全行业 60% 以上，年产值总和超过 200 亿元，占全球兼容耗材市场 60%~80%，由此并扩充到中下游产业发展，已形成巨大产业链群体效应。但整体上来说，无论是设备，还是耗材，都没有摆脱用低价竞争来获得市场份额，多数企业没有真正在研发上去夯实基础，从而造成我国目前为止还没有整机厂商的出现。

办公耗材与配件再制造产品的产量一般以成品数量计算。目前很多企业引入了自动化生产模式，由机械手和机械臂完成高度重复性的精细的作业动作，生产效率很高。一般百人企业可月产鼓粉盒或墨盒上千万支。

7.6.1.1　办公设备整机再制造

目前，办公设备整机再制造主要是针对旧静电成像的复印机及其数字式(静电)多功能一体机开展再制造，少量的针对旧数字式(喷墨)多功能一体机和数字式制版印刷一体化速印机(模板成像)开展再制造。常用的打印机种类比较多，有激光打印机、喷墨打印机、热成像打印机(热敏、热转印和热升华等)、针式打印机等，其多数为 A4 幅面、体积小、构造简单等，再制造的潜质比较低。其中激光打印机的成像方式、工作原理和产品结构与静电复印相同，多功能一体化的打印机一般归类于数字式(静电)多功能一体机。

我国已有办公设备整机再制造企业 20 多家，其中多数是民营企业，有不足 5 家的外商投资企业和合资企业。这些企业多数居于沿海城市，例如北海、威海、福州，也有一些在内地城市，例如苏州、长沙、南京、佛山等。比较知名的外商投资企业有：富士胶片爱科制造(苏州)有限公司(原名富士施乐爱科制造苏州有限公司)、东北理光(福州)印刷设备有限公司等。比较知名的民营企业有：湖南至简复印机再制造有限公司、北海琛航电子科技有限公司、威海康威智能设备有限公司、南京田中机电再制造有限公司、南京悦堃机电再制造有限公司等企业。

根据我国企业规模分类标准，办公设备整机再制造企业均为小型企业，尚无大中型企业。多数企业的员工总数在百人上下。少数企业可达二三百人。直接从业人数总体应不足 3000 人。有的是多种经营企业，其中办公设备整机再制造是其业务之一。

办公设备整机再制造产品选型始终以国际社会流行的较新型号的数字式静电成像多功能一体机为主打产品，包括复印机和打印机。也有少量静电台式复印机或型号比较老旧但深受客户喜爱的激光打印机产品。目前也有企业探索喷墨成像整机产品和模板成像整机产品的再制造。

办公设备整机再制造企业的"原材料"多称为"旧机"或再制造"原材料"。办公设备整机再制造企业的"原材料"多源于进口的旧产品。由于办公设备属于高值耐用型消费产品，我国的办公设备用户从来都不排斥二手产品或旧货。当一手设备使用之后就会"自然地"从高端市场向低端市场顺畅流动。在国内用户中最终能回收的废旧办公设备数量极少，其中品质和价值上适合再制造的数量更少。一直以来我国对旧机电产品进口有企业资质认定等要求，企业能否获得有关部门的正规"进口资质"，直接关系到企业能否办理用于再制造的"原材料"入关。所以，企业进口旧办公设备的资质即是影响产业发展的屏障也是稳定产业发展的保障。

7.6.1.2 办公耗材与配件再制造

目前，我国的办公耗材与配件再制造企业数目难以统计。尽管办公耗材与配件属于高新技术产品，但是再制造的入门门槛不高。在我国从事办公耗材与配件再制造绝大多数是民营企业，多数居于珠三角地区，而在长三角、北部湾和京津冀地区也有分布，甚至在江西和贵州等地也有一些企业。整个办公耗材与配件再制造的总产值年均几千亿元人民币。

我国从事办公耗材与配件再制造的企业大中小微型均有，总体从业人数有十几万。公开资料显示外商投资企业有富士胶片爱科制造(苏州)有限公司(原名富士施乐爱科制造苏州有限公司)和伟翔环保科技发展(上海)有限公司，这两家企业同时开展整机和办公耗材与配件再制造。比较知名的股份制企业和民营企业有：纳思达股份有限公司、珠海天威飞马打印耗材有限公司、珠海联合天润打印耗材有限公司、珠海宝利通耗材有限公司、珠海汇聚办公耗材有限公司、珠海韶运打印耗材有限公司、中山威骏办公用品有限公司、北海绩迅电子科技有限公司、北海琛航电子科技有限公司、上海宜达胜临港打印耗材有限公司等。

办公耗材与配件再制造与办公设备整机再制造产品类型相比,涉及的产品种类更多更繁杂。一般桌面的小型打印机的零件就有近千个,较大型复印机和多功能一体机的零部件多达上万个,其中大部分零件还可以通过挑选和甄别,通过修复或修理,或改制后再利用,或用于再制造。但是,鉴于生产成本和检验检测技术等原因的限制,大部分还没有开展再制造。

目前我国办公耗材与配件再制造产品选型以紧扣国内外社会上正在运行的产品型号,包括静电复印机、激光打印机和数字式(静电)多功能一体机的鼓粉盒(成像卡盒)、显影器、粉筒、刮板、充电辊、定影部件与定影辊与定影膜、清洁带与清洁纸等,喷墨成像产品的喷墨墨盒、针式打印色带,以及各种办公设备整机中需要定期更换和维修用的多种零部件等。

办公耗材与配件再制造企业的"原材料"有国内回收和进口两个渠道。办公设备在使用过程中不断消耗耗材,就需要定期或不定期补充耗材和更换零部件,所以,办公耗材与配件再制造空间更广阔,需求量更大。在我国迄今为止尚未有上层设计的组织有计划地开展回收废旧耗材与配件的活动。但一些回收企业和再制造企业都在长期的营销活动中逐步建立了逆向回收的渠道。我国也有很多外贸型办公耗材与配件再制造企业主打进口旧耗材的再制造,加工后再返销到进口地,产品主要集中于(静电成像)鼓粉盒和喷墨墨盒。一直以来我国对旧鼓粉盒进口有年度备案的要求,企业取得备案审核后就可以办理"原材料"入关和出口手续。一般进口"原材料"以支和重量对应计量。

7.6.2　技术水平

7.6.2.1　打印耗材再制造技术

围绕制约打印耗材再制造产业绿色发展的特种材料、关键技术和核心工艺装备瓶颈,珠海天威飞马打印耗材有限公司开展了一系列创新研究,填补了国内产业和技术空白,打破尖端技术垄断,提高绿色化水平。耗材再制造关键技术的创新突破主要包括以下几个方面。

1)充电辊(PCR)再生关键技术

充电辊(PCR)的重涂技术:每年公司回收的废旧粉盒达 200 万之多,一个粉盒一根 PCR。这 200 万根 PCR 有 40%可再制造使用。该重涂技术主要工艺流程为:将旧 PCR 除油→去除旧 PCR 的防护层→外观检验→外径检验→圆跳动度检验→电阻测试分类→清洗→表面活化处理→加新防护套管→切边→收口→成品检验→成品包装。同时开发了回收充电辊(PCR)自动清洗设备,如图 7-20 所示。

图 7-20　回收充电辊(PCR)自动清洗设备

通过对充电辊(PCR)的再生技术,其利用率提高到目前的 74.4%。珠海天威飞马打印耗材有限公司重涂的 PCR 品质已经通过了测试,并且在车间的使用合格率达到95%以上。

2)磁辊(MR)再制造关键技术

磁辊是激光打印机重要配件之一,通常由带有涂层铝套、插置在其内的磁芯和紧配在磁套端的导电支架和两端塑胶隔套组成,其再制造工艺流程如图 7-21 所示。

磨削铝管的加工精度控制、磁辊(MR)表面粗糙度控制技术、导电涂液的配方研制是磁辊再制造的关键技术,图 7-22 给出了磁辊表面导电涂液喷涂装备。从环境效益来看,通过对回收 MR 进行喷砂处理,利用率提高 40%,这意味着减少 40%的 MR 报废,从而减少对环境的污染。

3)刮刀修复技术

刮刀由金属刀架和 PU 膜片制成,它在鼓粉盒打印运转过程中清洁感光鼓表面残余的碳粉,此性能直接影响打印质量,PU 膜片在使用中会出现不同等次的损坏,若直接废弃,刮刀金属刀架又未能达到其寿命终结期。将鼓粉盒回收拆分出来的刮刀进行分拣选出需修复品,通过烘烤去除表面的 PU 膜片,对于生锈的回收铁架再进一步作防锈处理,最终将分切的新膜片点胶固化在刀架上。

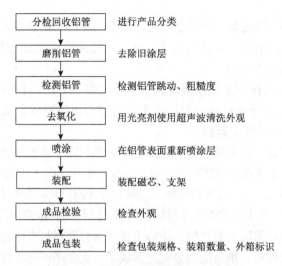

图 7-21 磁辊再制造主要工艺路线

图 7-22 磁辊表面导电涂液喷涂专用设备

4) 出粉刀修复技术

出粉刀与刮刀结构类似，都是由金属刀架和 PU 膜片制成，它在鼓粉盒打印运转过程中控制上粉量和碳粉的带电量，此性能直接影响打印质量。其修复技术与刮刀修复技术相同，都是更换新胶片到原有的刀架上。选择合适的胶片是保证产品品质的关键。

5) 感光鼓转换技术

感光鼓 (OPC) 是碳粉盒的核心部件，由表面光导体材料涂层和铝管组成。再生生产厂家回收大量的各种型号的回收碳粉盒，由此产生大量 OEM 回收感光鼓。目前市场主流产品的感光鼓铝管的直径基本上只有 Φ24 mm 和 Φ30 mm 两种，外观差异主要为铝管的长度和齿轮及支架不同。利用 PDT-2000LA 感光鼓检测系统对直径相同的 OPC 的光电性能进行对比，让不同品种的铝管换上相应的齿轮和支架后，应用在其他品种的激光碳粉盒上，使不同品种的感光鼓之间可以相互转换。

6) 废碳粉回收再生技术

废碳粉回收利用技术是通过采用特殊的工艺制造方法，利用废弃碳粉作为原料，与特制的功能高分子材料一起加工生产出符合市场要求、质量完全能够达到 OEM 技术标准的环保再生碳粉。

废旧碳粉的回收、再生循环利用技术要求较高，需专业的人员处理废旧碳粉。碳粉再生循环利技术难点：废碳粉的分级。废碳粉中除了有未用的成品颗粒碳粉外，还有纤维纸屑、SiO_2、灰尘及各种杂物。国际同行普遍研究较多的方法是将废碳粉过筛，该法虽然可以得到未用的成品碳粉颗粒，但无法保证碳粉带电量的均匀性，考虑到粉末颗粒不均匀，需要重新分级。珠海天威飞马打印耗材有限公司创造性地采用将过筛后的粉作为原料，重新造粒分级，形成了一套生产工艺流程：回收旧粉盒中的废碳粉→初筛→精选→成分检测→再生混合→熔融挤出→冷却初粉碎→微粉碎分级→表面处理→过筛→成品检测→包装入库。通过以上关键技术，碳粉再生循环利用率达到 91.14%，图 7-23 给出了碳粉再生的工艺流程。

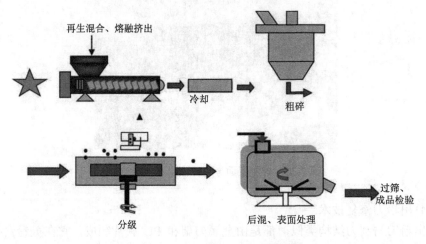

图 7-23   碳粉再生关键工艺流程图

7) 再生喷墨盒技术

对用户使用后的墨盒，通过各类仪器设备，经分拣、清洁、功能恢复、点胶、重注墨水、测试等先进技术处理，保证产品质量。其再制造过程关键技术为喷墨再生打印头真空灌装技术，该技术主要对回收打印头进行负压处理，排除打印头内气体，自动控制装置控制再生打印头真空度，以及通过水位仪精确控制墨水填充量，使墨水自动注入再生打印头内。

喷墨再生产品的改进工艺包括：墨水除气工艺、热风烘棉工艺、负压烘棉工艺、负压灌清洗液清洗工艺、整体溶解墨垢工艺等。

该技术的回收再生产合格率可由初期的 20%～30%提高到 90%以上。整个技术无二次污染。该技术适用于 HP、Lexmark、Canon、Epson、Samsung、Xerox 等品牌打印机用墨盒，再制造的主要零件包括：墨盒芯片、打印头、回收盒等。

7.6.2.2　面向再制造的智能芯片技术

由于 OEM 原装的专利封锁，以往回收鼓粉盒中的芯片大部分只能丢弃，造成很大的资源浪费，项目通过研制开发打印耗材智能芯片，以适用多种打印机耗材产品，实现与打印机主体的识别通信，存储打印机需要的信息数据。从而达到芯片升级方便，维护简单，具有运算快速、功耗较低的要求。重点技术包括：打印机与芯片通信协议的研究；通信数据的结构研究，算法的校验与实现；密码推算或逆向提取；实现高速运算和超低功耗之间的平衡；规避 OEM 在专利和版权上的保护要点。

7.6.2.3　再制造关键工艺设备

通过对激光鼓粉盒再制造产品关键零部件的特性检测来保证、提高回收产品的合格率，如对充电辊/磁辊/显影辊介电松弛检测、感光鼓光敏特性的检测、感光鼓的接受电荷能力和暗衰特性、感光鼓的涂层厚度、碳粉带电量和粒径分布测试、碳粉流动性及软化点测试、清洁刮刀和出粉刀弹力测试等。

刮刀缺陷自动检测工艺：刮刀缺口会引起打印黑条，此类缺陷出现频率较高，为避免出现这种缺陷，自主创新设计制作自动检测工装，通过电脑自动检测判定缺陷，给出合格或不合格信号。公司自主开发完成刮刀缺口自动检测仪，其利用视觉传感原理，采用高分辨率、高摄像速度和高数据处理速度的 CCD 工业相机，代替人眼进行检测，使刮刀检测的合格率提高近 20%，检测准确率达到 99.9%，图 7-24 为刮刀缺口检测过程。

图 7-24　刮刀缺口自动检测仪过程

刮刀弹力检测仪,采用电子定位系统、高精度弹力测试仪,对回收刮刀弹力进行检测,检测精度达到±0.01 N,图7-25为刮刀弹力检测仪。

图 7-25   刮刀弹力测试仪

感光鼓/充电测试工艺:电荷接受水平、涂层厚度、暗衰特性、充电电位、曝光度、残余电位等特性对感光鼓的品质好坏起决定性作用,为对感光鼓进行高效检测,引进感光鼓/充电测试系统,该系统可通过各测试设备参数的设置实现对以上各特性的检测,系统如图7-26所示。

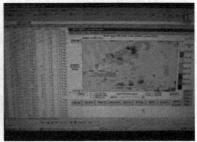

图 7-26   PDT-2000LA 感光鼓检测系统

无纸打印测试技术:粉盒感光鼓、充电辊、磁辊、刮刀、碳粉等关键零部件在测试和研发过程中需要进行寿命测试,测试是否能满足激光碳粉盒的打印页数要求,这是再生粉盒关键指标之一。原始的方法是直接利用打印机,打印消耗页测试,此举消耗了大量的纸张。与提倡绿色环保的今天,尤其是再生企业的理念有些背道而驰。珠海天威飞马打印耗材有限公司自主研发了无纸打印机,如图7-27所示,该设备可将激光碳粉盒感光鼓上打印的碳粉转印到一个循环机构上,通过自动清洁系统后,可周而复始地打印,而不再需要打印纸。

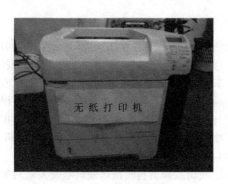

图 7-27　无纸打印机

　　打印耗材绿色清洗与无损拆解工艺：自主研发的回收零部件全自动清洗线，如图 7-28 所示，该生产线实现了放入待清洗零件到自动烘干全过程的自动控制，并通过遍布机器内部的各种传感检测和控制仪器，对清洗液的浓度、清洗池的水温、烘干时间、温度、速度进行全方位实时检测控制。

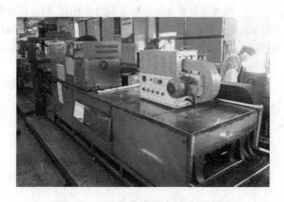

图 7-28　回收零部件全自动清洗线

　　零件损伤修复的增材再制造工艺装备：以高性能聚酰胺(PA)、聚碳酸酯(PC)为原料，开展面向 3D 打印成型和工程应用的材料改性技术研究；研究基于熔融沉积快速成型(FDM)原理的连续纤维 3D 打印方法和原理，研发高性能聚合物专用打印设备。已研制出 18 款机型及配套 3D 耗材，如 FDM 桌面型、工业级全系列 3D 打印机 11 款，数字光投影 DLP 3D 打印机 3 款及金属 3D 打印机等，可用于打印耗材零件损伤修复的增材再制造。

参 考 文 献

[1] 史佩京. 中国汽车零部件再制造产业技术发展现状及趋势[J]. 表面工程与再制造, 2021,

21(6): 27-30.

[2] 徐滨士. 新时代中国特色再制造的创新发展[J]. 中国表面工程, 2018, 31(1): 1-6.

[3] 徐滨士. 绿色再制造工程导论[M]. 哈尔滨: 哈尔滨工业大学出版社, 2019.

[4] 梁秀兵. 汽车零部件再制造设计与工程[M]. 北京: 科学出版社, 2017.

[5] 孙晓峰, 史佩京, 马世宁. 再制造技术体系及典型技术[J]. 中国表面工程, 2013, 26(5): 117-124.

[6] 张伟. 装备再制造拆解与清洗技术[M]. 哈尔滨: 哈尔滨工业大学出版社, 2019.

[7] 任仲贺, 武美萍, 龚玉玲, 等. 机械零部件可再制造性评价模型研究与应用[J]. 机械科学与技术, 2019, 38(2): 244-252.

[8] 周新远, 李恩重, 张伟. 我国盾构机再制造产业现状及发展对策研究[J]. 现代制造工程, 2019, 8: 157-160.

[9] 赵新合. 盾构再制造技术与实践[J]. 建筑机械化, 2014, (3): 94-96.

[10] 陆豪杰. 盾构主轴承再制造技术应用[J]. 建筑机械化, 2017, 38(3): 58-62.

[11] 张佳兴. 盾构机主驱动密封跑道再制造[J]. 机电工程技术, 2018, 47(9): 170-173.

[12] 董世运, 徐滨士, 王志坚, 张晓东. 激光再制造齿类零件的关键问题研究[J]. 中国激光, 2009, 36(1): 134-138.

[13] 姚建华. 激光表面改性技术及应用[M]. 北京: 国防工业出版社, 2011.

[14] 陈全义, 胡芳友, 卢长亮. 激光再制造在航空维修中的应用[J]. 科技促进发展, 2011, (S1): 4.

[15] 杨洗尘, 李会山, 刘运武. 激光再制造及其工业应用[J]. 中国表面工程, 2003, 61: 43-46.

[16] 张松, 康煌平, 朱荆璞. 鼓风机叶片激光熔覆的应用研究[J]. 中国激光, 1995, 22(5): 395-400.

[17] 朱蓓蒂, 曾晓雁, 胡项, 等. 汽轮机末级叶片的激光熔覆研究[J]. 中国激光, 1994, 21(6): 526-529.

[18] 闫世兴, 董世运, 徐滨士, 等. Fe314 合金激光熔覆工艺优化与表征研究[J]. 红外与激光工程, 2011, 40(2): 235-240.

[19] 朱胜. 柔性增材再制造技术[J]. 机械工程学报, 2013, 49(23): 1-5.

[20] 徐滨士, 董世运, 朱胜, 等. 再制造成形技术发展及展望[J]. 机械工程学报, 2013, 48(15): 96-104.

[21] 王庆锋, 高金吉, 李中, 等. 机电设备在役再制造工程理论研究及应用[J]. 机械工程学报, 2018, 54(22): 1-7.

[22] 京津冀再制造产业技术研究院. 中国再制造产业技术发展[M]. 北京: 机械工业出版社, 2019.

[23] 徐滨士. 绿色再制造工程及其在我国的应用前景[R]. 中国工程院《工程科技与发展战略》咨询报告集, 2002.

第 8 章
再制造对碳减排的贡献分析

　　气候变化是危及人类生存的共同挑战，其中温室气体排放导致全球升温而引发气候灾害频发的问题最为突出，成为近 30 年以来全世界各国关注的焦点问题。基于此，低碳发展和控制温室气体排放成为全世界各国的政治共识，是全球公共治理的共同挑战。随着《京都议定书》《巴黎协定》《格拉斯哥气候公约》等法规的签订和生效，世界各国陆续做出碳减排承诺，并提出了实现"碳中和"的时间表。截止到 2021 年 4 月，超过 130 个国家和地区提出了"零碳"或"碳中和"的气候目标。中国现已成为全球范围内碳排放总量最大的经济体，面临着巨大的碳减排压力[1]。中国也积极采取措施推进节能减排工作，制定相关政策，并承诺力争 2030 年前实现碳达峰，2060 年前实现碳中和。实现碳中和是我国现代化建设的重要内容，对加快促进生态文明建设、保障能源安全高效、推动经济转型升级、引领应对气候变化都具有重大意义[2]。

　　在全球范围内，碳足迹还是一个相对陌生的概念。中国在提出"双碳"目标后，在 2021 年又出台了碳达峰、碳中和"1+N"政策体系，实现"双碳"目标已经成为国家社会经济变革的新牵引力，所有行业在"双碳"目标指引下都将嬗变。对此，《企业碳中和倡议书》提出呼吁：开展碳足迹核查，摸清"碳家底"。开展企业生产经营全过程、全方位、全要素碳核查，将碳足迹核查落实到每一个过程、每一件产品、每一个岗位。随着越来越多的公司开始接受碳足迹评估，中国减少温室气体排放的能力也将不断得到加强和改善，评估碳足迹是企业采取自觉行动应对全球变暖的第一步。

8.1　背景与意义

　　人类在享受科技文明的便捷同时，也在以前所未有的速度消耗地球资源。研究表明，当前材料循环利用的原材料价值仅占全部价值的 5%，材料和能源在第一次使用周期后会流失 95% 的价值。全球如果仍按当前的模式发展，材料和能源的巨大浪费难以遏制，资源枯竭终将难以避免。改革开放四十年，中国已成为全球第二大经济体。中国生产了世界一半的钢铁和水泥，是世界上最大的高铁、汽车、工程机械、手机和住房市场，也是最大的二氧化碳排放国。

再制造是实现可持续发展的重要途径，是循环经济的最佳模式之一。再制造打通了"资源－产品－报废－再制造产品"的循环型产业链条，构筑了可持续的工业绿色发展模式。再制造实现了高附加值保留的循环制造，极大延长了产品的寿命，显著降低了产品全寿命周期费用。

2018 年 10 月 23 日，联合国环境规划署国际资源小组发布了《重新定义价值-制造业革命：循环经济中的再制造、翻新、维修和直接再利用》报告，指出再制造可节省 80%～98% 的新材料，采用这些"价值保留流程"还有助于将某些行业的温室气体排放量减少 79%～99%，具有极大的潜力实现温室气体排放的消减[3]。

8.1.1　循环经济与再制造

2019 年，美国罗彻斯特理工学院戈利萨诺可持续发展研究所的纳比尔•纳斯尔(Nabil Nasr) 教授出版的专著《循环经济中的再制造》[4] 中提出了"产品价值保留过程的体系框架"，如图 8-1 所示。

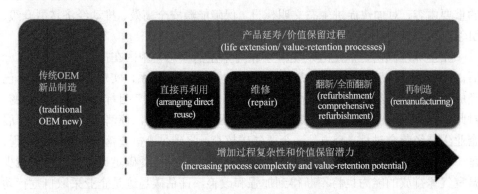

图 8-1　产品价值保留过程的体系框架

纳比尔•纳斯尔教授认为：直接再利用、维修、翻新/全面翻新、再制造，不同于传统 OEM 新品制造过程，属于产品的价值保留过程(value-retention process，VRP)，对于改善工业系统的循环性至关重要。

其中，直接再利用是指通过回收、检测、清洗及再装配成产品后重新进入特定市场的活动(图 8-2)。直接再利用的产品通常不会进行零部件的拆解、更换或维修，仅需进行快速简便的外观恢复。这类产品一般不能达到原型新品的性能要求，无法提供与新品一样的保修，通常以较低的价格提供给市场。

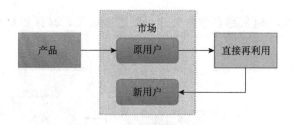

图 8-2　直接再利用的流程示意图

维修是指对废旧产品的特定故障进行修理和对废旧产品的损伤零部件进行更换,从而使废旧产品恢复原有功能的的活动(图 8-3)。维修可使产品完成其原预期使用寿命,同时,维修还包括对产品的维护,从而保障产品的使用寿命不降低,或者其功能不会受到限制。

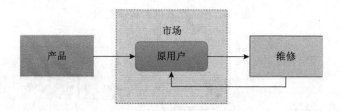

图 8-3　维修的流程示意图

翻新是指对废旧产品进行改造,以提高或恢复其性能和/或功能,从而使废旧产品满足适用的技术标准或服役要求的活动。全面翻新是指在工业或工厂环境中进行的全面、高标准的翻新活动。部分产品的全面翻新流程示意图如图 8-4 所示。全面翻新使得产品的使用寿命几乎达到了全新的水平[4]。

再制造是对废旧产品即再制造毛坯进行专业化修复或升级改造,使其质量特性不低于原型新品水平的过程。其中质量特性包括产品功能、技术性能、绿色性、经济性等,再制造过程一般包括再制造毛坯的回收、检测、拆解、清洗、分类、评估、修复加工、再装配、检测、标识及包装等[5],再制造流程如图 8-5 所示。

再制造具有突出的资源环境效益,与新品制造相比,可节约成本 50%、节能 60%、节材 70%,几乎不产生固体废物,大气污染物排放量降低 80%以上;再制造不仅是发达国家发展循环经济的普遍共识和行动,更是我国实现碳达峰、碳中和目标最有利、最直接的措施之一;再制造产品生命周期不同于一般新品,为实现再制造产品碳减排定量分析,需要构建一种面向再制造产品全生命周期、统一、可量化的核算通则来分析再制造的碳减排潜力和贡献。对再制造企业而言,再制造不仅实现了资源循环利用,而且具有显著碳减排效益,是生产方式向低碳转型的有效途径。因此，越来越多学者关注再制造碳政策、减排核算和碳交易等问题的研究[6]。

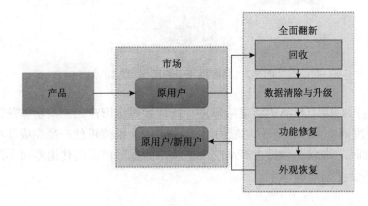

图 8-4　全面翻新的流程示意图

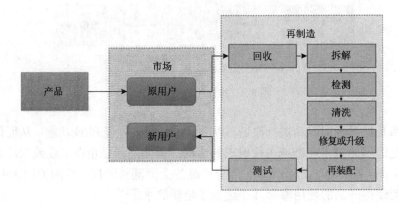

图 8-5　再制造的流程示意图

8.1.2　价值保留过程的环境影响

在对价值保留过程(VRP)的评估中，联合国环境规划署国际资源小组重点关注以下五个环境指标：

新材料需求量(kg)；

原材料开采和加工过程的固化能耗(MJ)；

原材料开采和加工过程产生的隐含碳排放量(t CO_2e)；

基于"门到门"模式下生产活动的过程能耗(MJ)；

基于"门到门"模式下生产活动的直接碳排放量(t CO_2e)。

国际资源小组通过对美国不同领域产品的价值保留过程(VRP)与传统主机厂

(OEM)新品制造在材料利用率、能耗及排放等方面进行了研究与分析，重点对数码打印机、重载机械、汽车零部件等产品进行了数据收集与计算，其中重载机械的不同价值保留过程与新品制造相比(即按照新品制造为 100%进行计算)，在新材料需求量、固化能耗、隐含碳排放量、过程能耗及直接碳排放量 5 个影响指标数据如图 8-6 所示。

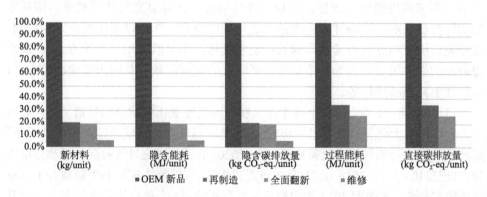

图 8-6　重载机械不同价值保留过程环境影响

8.2　政策与标准

8.2.1　国际协议与国家政策

8.2.1.1　"双碳"相关国际协议

目前，与"双碳"相关且有约束力的国际协议主要有：《联合国气候变化框架公约》、《京都议定书》及《巴黎协定》。

(1)1992 年 5 月，联合国政府间谈判委员会就气候变化问题达成了《联合国气候变化框架公约》，于 1992 年 6 月 4 日在巴西里约热内卢举行的联合国环发大会(地球首脑会议)上通过。《联合国气候变化框架公约》是世界上第一个为全面控制二氧化碳等温室气体排放，以应对全球气候变暖给人类经济和社会带来不利影响的国际公约，也是国际社会在对付全球气候变化问题上进行国际合作的一个基本框架。该公约具有法律约束力，旨在控制大气中二氧化碳、甲烷和其他造成"温室效应"的气体的排放，将温室气体的浓度稳定在使气候系统免遭破坏的水平上。

(2)1997 年 12 月，在日本京都由联合国气候变化框架公约缔约方第三次会议制定了《联合国气候变化框架公约的京都议定书》(以下简称"《京都议定书》")，《京都议定书》是《联合国气候变化框架公约》的补充条款。其目标是

"将大气中的温室气体含量稳定在一个适当的水平,进而防止剧烈的气候改变对人类造成伤害"。《京都议定书》于 2005 年 2 月 16 日正式生效。这是人类历史上首次以法规的形式限制温室气体排放。为了促进各国完成温室气体减排目标,《京都议定书》允许采取以下四种减排方式:①两个发达国家之间可以进行排放额度买卖的"排放权交易",即难以完成削减任务的国家,可以花钱从超额完成任务的国家买进超出的额度;②以"净排放量"计算温室气体排放量,即从本国实际排放量中扣除森林所吸收的二氧化碳的数量;③可以采用绿色开发机制,促使发达国家和发展中国家共同减排温室气体;④可以采用"集团方式",即欧盟内部的许多国家可视为一个整体,采取有的国家削减、有的国家增加的方法,在总体上完成减排任务。

(3)2015 年 12 月,195 个国家在《联合国气候变化框架公约》第二十一届缔约方会议巴黎大会上通过《巴黎协定》。这是国际社会在气候问题上多年"博弈"后产生的应对全球气候变化新协议,为 2020 年后全球应对气候变化行动作出安排。《巴黎协定》于 2016 年 11 月 4 日正式生效。《巴黎协定》的生效填补了《京都议定书》第一承诺期 2012 年到期后一直存在的空白,使得国际上又有了一个具有法律约束力的气候协议。按照这一协定,各方将共同加强应对气候变化威胁,使全球温室气体排放总量尽快达到峰值,以实现将全球气温控制在比工业革命前高 2℃以内,并努力控制在 1.5℃以内的目标。《巴黎协定》还规定,从 2023 年开始,每 5 年将对全球行动总体进展进行一次盘点,比如中美两个大国都做出了自己的减排承诺。中国提出二氧化碳排放 2030 年左右达到峰值,并争取尽早达峰,单位国内生产总值二氧化碳排放比 2005 年下降 60%～65%等自主行动目标。美国承诺到 2025 年在 2005 年的基础上减排温室气体 26%～28%[7]。

8.2.1.2　我国"双碳"政策

中国距离 2030 年达峰不到十年,"十四五"是实现碳达峰的关键期和窗口期,意味着主要的政策、顶层设计都会在"十四五"阶段逐步落地。自 2020 年 9 月以来,中国出台的涉及"双碳"的政策已经超过二十项。

2021 年 1 月,生态环境部发布了《碳排放权交易管理办法(试行)》,该管理办法适用于全国碳排放权交易及相关活动,包括碳排放配额分配和清缴,碳排放权登记、交易、结算,温室气体排放报告与核查等活动,以及对前述活动的监督管理。

2021 年 3 月,生态环境部印发《企业温室气体排放报告核查指南(试行)》,规定了重点排放单位温室气体排放报告的核查原则和依据、核查程序和要点、核查复核以及信息公开等内容。

2021 年 7 月,生态环境部办公厅发布《关于开展重点行业建设项目碳排放环境影响评价试点的通知》，组织部分省份开展重点行业建设项目碳排放环境影响评价试点。

2021 年 10 月，国务院发布《国家标准化发展纲要》指出，建立健全碳达峰、碳中和标准，这可以帮助我们准确评估生产、生活中能源使用情况、碳排放情况，也能全面客观评估各区域、各行业的碳排放情况，制定更为科学的实现"碳达峰、碳中和"的战略和路径。

2021 年 10 月，新华社发布《中共中央　国务院关于完整准确全面贯彻新发展理念做好碳达峰碳中和工作的意见》（以下简称《意见》）。《意见》是"双碳"的指导性、纲领性文件，对碳达峰、碳中和这项重大工作进行了系统谋划、总体部署。从顶层设计上明确了做好碳达峰、碳中和工作的主要目标、减碳路径措施及相关配套措施，为日后碳达峰、碳中和行动方案、各重点领域及行业政策措施和行动提供政策支撑。

2021 年 10 月，国务院发布《2030 年前碳达峰行动方案》指出，促进汽车零部件、工程机械、文办设备等再制造产业高质量发展，加强资源再生产品和再制造产品推广应用。

8.2.2　"双碳"相关标准

目前，全球已有 50 多个国家实现碳达峰。以美国、欧盟、日本为代表的发达国家和地区在达峰后进一步提出 2050 年前实现碳中和。英国、瑞典等 6 个国家已将碳中和列入实质性立法[8]。而大部分发展中国家（包括中国）仍处于碳排放增长阶段。欧美等发达国家和地区利用经济和技术上的发展优势已经在可再生能源、能源管理和节能、温室气体管理等领域提前布局国际标准，并占据了产业链顶端和技术设备市场。碳达峰、碳中和国际标准将对国际贸易等产生重大影响，现已成为各国关注的焦点。

8.2.2.1　国际标准

碳达峰、碳中和是全球应对气候变化所提出的温室气体控制目标，涉及工业、农业、建筑、交通等多个行业，覆盖新能源与可再生能源、能效提升、循环经济、生态环境、负碳与碳汇以及市场机制等多个领域。截至 2021 年 9 月，国际标准化组织（ISO）已发布的 23988 项国际标准中有 1083 项与气候变化相关，涉及气候变化监测、温室气体排放量化和环境管理等方面。截至 2020 年 12 月，国际电工委员会（IEC）已发布的 8211 项国际标准中有 1770 项与气候变化相关，所占比例达 22%，涉及可持续性、智能制造、防灾、智慧城市、智慧能源、智慧交通等[9]。

从国际标准数量看，至 2021 年 9 月，在碳达峰、碳中和领域，ISO 和 IEC 共发布了重要的国际标准 730 项,在研国际标准 333 项。其中,在可再生能源方面,由 ISO/TC 180、IEC/TC 88 等 12 个 TC 或 SC 制定了相关国际标准 347 项,在研国际标准 183 项,涉及太阳能、风能、氢能、生物质能、海洋能源、智慧能源、可再生能源电力系统等。在能源管理和节能方面,由 ISO/TC 301、ISO/TC 163、ISO/TC 205 等 7 个 TC 或 SC 制定了相关国际标准 254 项,在研国际标准 110 项,涉及能源管理和节能、建筑环境的热性能和能源使用、建筑环境设计、电能效率产品等。在电池方面,由 IEC/TC 21 和 IEC/TC 105 制定了相关国际标准 74 项,在研国际标准 18 项,主要涉及二次电池以及燃料电池等。在电动汽车方面,由 ISO/TC 22/SC 37 制定了相关国际标准 28 项,在研国际标准 11 项。在温室气体管理方面,主要是由 ISO/TC 207/SC 7 陆续完成了 13 项国际标准,涉及核算方法、核查程序、项目减排量、碳足迹、信息披露以及碳金融等,在研国际标准 6 项,其中关于温室气体核算方法标准(ISO 14064-2:2019)和产品碳足迹标准(ISO 14067:2018)最为重要。在碳捕集、运输与封存方面,由 ISO/TC 265 制定了国际标准 11 项,在研国际标准 4 项,涉及碳捕集、运输、地质封存、量化与验证等。在可持续金融方面,由 ISO/TC 322 发布国际标准 1 项,在研国际标准 1 项[9]。

8.2.2.2　国内标准

目前,我国碳达峰、碳中和相关标准主要涉及 27 个 TC 或 SC,涵盖了新能源与可再生能源(太阳能、风能、氢能、生物质能、海洋能源等)、能源管理和节能、燃料电池、电动车辆、温室气体管理、绿色金融、环境保护、循环经济等重点领域。截至 2021 年 9 月,我国已发布碳达峰、碳中和相关国家标准 870 余项。从标准占比看,能源管理和节能、太阳能、风能、氢能、生物质能等可再生能源领域标准数量占比最高,温室气体管理和循环经济领域标准数量占比较低。温室气体管理领域发布相关国家标准 16 项,正在制修订有 30 余项标准,涉及碳排放管理术语、统计、监测,区域碳排放清单编制方法,企业、项目层面的碳排放核算与报告等方面。环境保护领域发布相关国家标准 89 项,涉及清洁生产、环境管理体系、生命周期评估、环境意识设计、固废资源化利用等。循环经济领域发布相关国家标准 20 项,主要涉及循环经济评价、绩效评价、废弃物回收利用规范等[9]。

2021 年 12 月 22 日,中华人民共和国工业和信息化部发布了《工业和信息化部 2021 年碳达峰碳中和专项行业标准制修订计划》,其中包括了石化化工、钢铁、建材行业等支撑工业和信息化领域碳达峰、碳中和工作的行业,本批项目均为支撑工业和信息化领域碳达峰、碳中和工作的重点标准,重点支持石化化工、钢铁、有色、建材等重点行业基础通用、核算核查、技术与装备类等标准。

8.3　再制造碳减排

8.3.1　概念

碳排放即为温室气体(greenhouse，GHG)排放，一般而言，碳排放反映了某一产品系统在生命周期内累积排放的温室气体总量。

产品碳足迹(product carbon footprint)通常是指某个产品在其整个生命周期内的各种温室气体排放，即从原材料一直到生产(或提供服务)、分销、使用和处置/再生利用等所有阶段的 GHG 排放，其范畴包括二氧化碳(CO_2)、甲烷(CH_4)和氮氧化物(N_2O)等温室气体。产品碳足迹是从生命周期的角度，将产品从原材料、运输、生产、使用、处置等阶段所涉及的相关温室气体排放进行调查、分析和评论。

再制造产品碳足迹(remanufactured product carbon footprint)即再制造产品从旧件回收、拆解、清洗、检测、修复加工、装配、检验、包装、销售、使用至报废处置等阶段全生命周期内的温室气体排放。

再制造产品碳减排(remanufactured product carbon emission reduction)是指再制造产品生命周期碳排放量与新品生命周期碳排放量的差值。

8.3.2　再制造碳减排核算流程

开展再制造碳减排核算和报告的工作流程可参照国家推荐标准 GB/T 32150－2015《工业企业温室气体排放核算和报告通则》与 GB/T 33760－2017《基于项目的温室气体减排量评估技术规范通用要求》等的要求进行，如图 8-7 所示，主要可分为以下五个步骤：

(1)根据开展核算和报告工作的目的，确定再制造温室气体减排量的核算边界，并识别再制造与新品制造所包含的温室气体源、温室气体种类等信息；

(2)进行再制造碳减排量计算，具体包括：①选择核算方法；②选择与收集温室气体活动数据；③选择或测算排放因子；④分别计算再制造与新品制造温室气体排放量；⑤计算再制造温室气体减排量。

(3)再制造温室气体排放监测；

(4)数据质量管理；

(5)再制造碳减排评估报告编制。

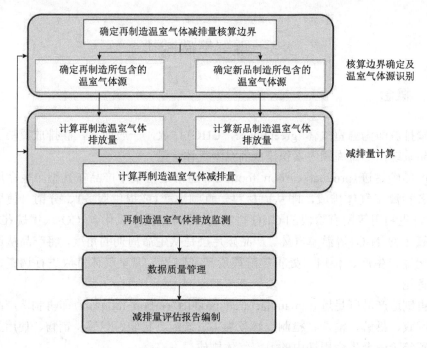

图 8-7　再制造碳减排的核算和报告工作流程

8.3.3　再制造碳减排核算边界

开展温室气体排放核算的报告主体是指具有温室气体排放行为的法人企业或视同法人的独立核算单位[10]。再制造碳减排核算的报告主体一般为再制造生产企业，再制造企业开展再制造碳减排核算，首先应确定再制造温室气体减排量核算边界与涉及的时间范围，明确工作对象。

2009 年由世界可持续发展工商理事会(WBCSD)与世界资源研究所(WRI)共同发布的《温室气体核算体系》(GreenHouse Gases Protocol，简称"GHG Protocol")将碳排放根据来源分为三个范围，为盘查/核查提供指导。

范围 1(直接排放)：企业直接控制的燃料燃烧活动和物理化学生产过程产生的直接温室气体排放。典型的范围 1 涵盖燃煤发电、自有车辆使用、化学材料加工和设备的温室气体排放。

范围 2(间接排放)：企业外购能源产生的温室气体排放，包括电力、热力、蒸汽和冷气等。

范围 3(价值链上下游各项活动的间接排放)：覆盖上下游范围广泛的活动类型。

《温室气体核算体系》示范地列出了常见的碳排放活动，如图 8-8 所示。

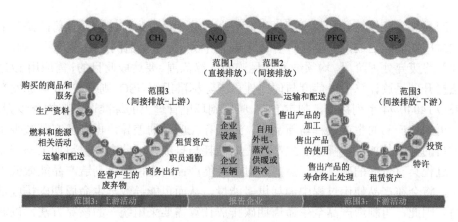

图 8-8　常见的碳排放活动

8.3.4　再制造碳减排核算方法

温室体系核算体系并不是一个单一的核算体系，由一系列为企业、组织、项目等量化和报告温室气体排放情况服务的标准、指南和计算工具构成，这些标准、指南、工具相互独立又相辅相成，是企业、组织、项目等核算与报告温室气体排放量的基础，以帮助全球达到发展低碳经济的目的。《温室体系核算体系》中温室气体涵盖《京都议定书》中的六种温室气体，能为企业或者减排项目提供温室气体核算的标准化的方法，从而进一步降低核算成本；同时也为企业和组织参与自愿性或者强制性的碳减排项目提供基础数据以及核算方法。

《温室气体核算体系》的组成中最主要的是以下的三大标准：《温室气体核算体系：企业核算与报告标准(2011)》、《温室气体核算体系：产品寿命周期核算和报告标准(2011)》、《温室气体核算体系：企业价值链(范围三)核算与报告标准(2011)》。

温室气体核算方法主要包括：

(1)生命周期评估法(life cycle assessment，LCA)。生命周期评估法是一种自下到上的计算方法，是对产品及其"从开始到结束"的过程计算方法，计算过程比较详细准确。

(2)IPCC 碳排放法。通过所使用的能源矿物燃料排放量计算的 IPCC 碳排放法是联合国政府间气候变化专门委员会编写的温室气体清单指南，其在计算过程中全面考虑了温室气体的排放。

(3)投入产出法(IO)。投入产出法是一种自上到下的计算方法，利用投入产出进行计算，计算结果不精确。

(4)Kaya 碳排放恒等式。Kaya 碳排放恒等式通过一种简单的数学公式将经济、政策和人口等因子与人类活动产生的二氧化碳建立起联系。

产品碳足迹核算标准基本都以生命周期评估(LCA)为方法论,评价的是产品全生命周期的碳足迹,不仅包括产品的某个阶段,更需要追溯至原料开采、制造,以及最终废弃处理阶段,均须纳入碳足迹的计算范围。要达成此目的,需应用LCA方法提升碳足迹计算的可信度与便捷性。国际标准组织(ISO)则于1996年起发布了ISO 14040/44系列标准,制定LCA应用到环境管理上的标准评价架构及步骤。

再制造产品的生产过程与新品生产过程存在明显的差异,再制造产品减少了原材料的开采与加工,降低了生产过程的能耗与排放,因此在原材料加工与产品生产过程具有更低的碳排放。然而,对于耗能产品而言,如再制造产品能效低于新品,将会在产品使用过程中消耗更多能量,从而可能导致全生命周期碳排放量更高。因此,再制造产品全生命周期碳排放计算需要采用统一的核算方法,以此核算再制造的节能减排效益,衡量对碳达峰的贡献。

开展再制造产品碳足迹核算工作,首先应确立核算的产品和目标,并确定再制造产品生命周期评估边界,然后识别排放源、选择计算方法、收集排放数据,最后计算碳排放量。

1) 再制造产品碳排放核算清单

计算再制造产品的碳排放量应采用生命周期评估技术,主要应考虑旧件回收阶段、再制造产品生产阶段、再制造产品使用与维护阶段以及报废处置阶段涉及材料、活动及过程的温室气体排放量,分别为:

(1) 旧件回收与物料运输阶段碳排放量。旧件回收与物料运输阶段包括再制造旧件回收运输、再制造原材料供运输、再制造产品销售运输等。

(2) 再制造产品生产阶段碳排放量。再制造产品生产阶段碳排放涉及加工过程能耗排放、现场排放等生产排放。

(3) 使用与维护阶段碳排放量。使用阶段与服务阶段碳排放主要是能量消耗产生的环境影响排放,以及维护过程中所需的维护零部件的材料消耗。

(4) 报废处理阶段碳排放量。使用阶段与服务阶段碳排放主要是能量消耗产生的环境影响排放。

2) 新产品碳排放核算清单

新产品生命周期碳排放量主要考虑原材料开采与加工阶段、物料运输阶段、新产品生产阶段、产品使用与维护阶段以及报废处置阶段涉及材料、活动及过程的温室气体排放量。

3) 再制造产品碳减排量计算

根据再制造产品类型,选取再制造产品生命周期碳排放核算范围,计算再制造产品碳排放量。选取对应新产品生命周期碳排放核算范围,计算新产品碳排放量。再制造产品碳减排量为再制造产品碳排放量与新产品碳排放量之差,按式(8-1)计算。

$$RCER = NCE - RCE \tag{8-1}$$

式中，RCER 为再制造产品碳减排量，NCE 为新产品碳排放量，RCE 为再制造产品碳排放量。

8.3.5 典型案例

京津冀再制造产业技术研究院与清华大学苏州环境创新研究院共同发起，率先在国内成立了"再制造产品碳减排足迹核算小组"，核算再制造对碳减排的贡献，并在积极开展相关标准编制工作。

鉴于再制造涉及行业领域多，产品类型杂，为便于数据收集与简化计算，本次碳减排核算重点针对制造或再制造过程中物料及加工两个主要碳排放环节，通过对新品物料能耗、新品加工能耗、再制造物料能耗、再制造加工能耗分别进行数据收集、统计与换算，并对新品制造与再制造碳排放总量进行差值计算，由此计算再制造产品的碳减排数值，主要围绕工业装备、机床、盾构机、汽车及工程机械零部件等 5 大类 20 余种典型产品制造与再制造碳排放，图 8-9 给出了典型产

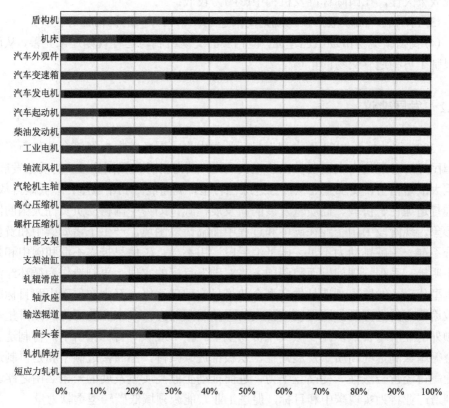

图 8-9 产品再制造碳排放(灰色)/再制造碳减排量(黑色)占制造碳排放比率

品的再制造减排数据，可以看出，再制造减排效果十分显著，可减少碳排放约
70%～99%。

8.4　问题与建议

8.4.1　存在的主要问题

　　再制造是制造业的重要组成部分，是落实《循环经济促进法》和推动经济发
展方式转变的重要措施，是促进资源节约型、环境友好型社会建设的有效手段。
再制造企业是落实碳中和战略的实践主体，是我国履行"2030 碳达峰、2060 碳中
和"承诺的关键环节，但是再制造碳减排工作目前还存在以下问题：

　　(1)再制造过程与新品制造过程有明显差异，针对再制造碳足迹与碳减排相关
的研究还相对较少；

　　(2)再制造产品碳减排标准体系建设不全面不完善，关键标准亟待制定，标准
实施效果欠佳，在国际标准及机构中影响力较低；

　　(3)再制造产品碳减排认证规则尚未建立，第三方认证机构相对较少；

　　(4)我国碳交易市场虽已建立，但相应的交易机制与运行规则还未完善，从而
也限制了再制造碳交易的市场化。

8.4.2　发展建议

　　"2030 碳达峰、2060 碳中和"目标是党中央、国务院根据经济全球化新形势
和国民经济发展的内在需要做出的重大承诺，成为新时代我国企业"高质量发展"
的重大战略指引，要求企业积极推进绿色转型，提高能源利用效率，降低碳排放，
共同打造绿色、协调、高质量发展的新发展模式，助力中国树立负责任大国的国
际形象。现阶段中国企业在碳中和过程中面临诸多困境，产生了诸如碳中和责任
划分不准、碳减排动力不足、碳抵消手段运用不当、碳信息披露不清和碳中和效
益不明等一系列管理问题而阻碍国家"双碳"目标的实现。再制造作为循环经济
的典型代表，发展再制造是生产型企业早日实现碳达峰，努力实现碳中和目标的
有效途径；另一方面，因再制造强大的产品固碳能力，未来企业可将碳减排量作
为额外的经济增长点，减少碳关税贸易壁垒。在"双碳"目标指引下，再制造企
业遵循国家制定的高质量发展路径，积极推进碳减排，不断接近碳中和是再制造
企业赢得经营合法性、提高竞争力，进而推动企业高质量发展的一条必由之路。
再制造产业将为实现碳中和目标，促进工业、能源领域低碳转型贡献力量。

参 考 文 献

[1] 贾明，向翼，刘慧. 中国企业的碳中和战略：理论与实践[J]. 外国经济与管理，2021：1-18.

[2] 全球能源互联网发展合作组织. 中国 2060 年前碳中和研究报告[M]. 北京：中国电力出版社，2021.

[3] Russell J D, Nasr N Z, Panel U. Re-Defining Value-The Manufacturing Revolution: Remanufacturing, Refurbishment, Repair and Direct Reuse in the Circular Economy[R]. United Nations Environment Programme, 2018.

[4] Nasr N. Remanufacturing in the Circular Economy[M]. Beverly MA, Scrivener Publishing LLC, 2019. https://std.samr.gov.cn/gb/search/gbDetailed?id=71F772D7F9CCD3A7E05397BE0A0AB82A.

[5] GB/T 28619-2012. 再制造　术语[S]. 北京：中国标准出版社，2012.

[6] 陈玉玉，李帮义，柏庆国. 碳交易环境下再制造企业生产及减排投资决策[J]. 控制与决策，2020，35（3）：695-703.

[7] 王文堂，吴智伟，邓复平. 企业碳减排与碳交易知识问答[M]. 北京：化学工业出版社，2017.

[8] The Energy and Climate Intelligence Unit. Net Zero Emissions Race[EB/OL]. 2021. https://eciu.net/netzerotrackr.

[9] 丁爽，姜玲玲，林翎，等. 我国碳达峰碳中和标准化发展现状及对策研究[J]. 中国标准化，2022，（1）：63-70.

[10] GB/T 32150－2015. 工业企业温室气体排放核算和报告通则[S]. 北京：中国标准出版社，2016.

第 9 章

再制造产业面临挑战

9.1 再制造产品与再制造产业内在核心逻辑

再制造产品受诸多因素影响，既与设计、制造相关，也与再制造及其产业链相关，尤其是在核心技术、经济学、商业模式、规模效应、市场效应、产业链生态效应、人才等方面，有其独有的特殊性。

很多类型的再制造产品具备较高的附加值，高附加值产品的技术密集度、市场需求度和品牌知名度高，产品质量优异，其本质特征是经济效益好。其中，品牌知名度能为产品或服务所产生的消费者价值提供担保和承诺。以欧洲汽车零部件为例：欧洲国家，汽车零部件再制造产业基本是在品牌汽车零部件制造商和品牌整车制造商的主导下发展壮大起来的，这种类型的企业完全具备自主设计与制造能力，处于行业、产业的主导地位，在零部件再制造生产、物流回收体系以及销售等各个领域都积累了丰富且成熟的运营经验，其成功商业模式的根源在于：核心技术+产品质量+品牌信任，可以说，没有核心技术、没有高质量产品、没有品牌信任，就没有再制造产品的需求。

如果说，一般产品的商业成功通常表述为：专利+产品+量产能力+商业模式。那么，对应地，可以将再制造产品的商业成功表述为：核心技术支持+高质量、长寿命产品+量产能力+商业模式。再制造产品、再制造产业的核心逻辑见表 9-1。

表 9-1 再制造产品、产业发展的核心逻辑分析

序号	分析视角	主要内容分析
1	物理学逻辑（可行性）	产品有长使用寿命，产品核心功能是基于一个稳定或缓慢发展的技术。产品可以拆卸、修复、重复使用，只有相对较少的部分需要更换
2	核心技术能力	产品在制造环节的核心技术(和内在附加值)移植到再制造环节，再制造企业能够掌握和开发对应的再制造核心技术
3	经济学逻辑（驱动力）	再制造产品往往具备高附加值，再制造后可以获得足够利润，产品的保留与材料成本相比具有较大的保值、增值空间(包括劳动力、能源、资本设备等成本的保值，值得再制造)
4	品牌服务	为再制造回收足够的核心品牌旧件，旧件价格合理，再制造后继续服务于品牌客户

续表

序号	分析视角	主要内容分析
5	规模效应 （生产）	再制造产品生产的规模足够大，比修理更具竞争力。成本控制基本上取决于实现规模经济
6	市场效应 （认购）	足够多的买方有足够的购买动力，认为购买再制造产品的风险小于购买新品
7	产业链 生态效应	具备旧件来源、产品客户旧件物流体系、再制造厂家、再制造产品销售与服务的完整生态链，支持再制造产业链和再制造商的运作
8	人才（谁来干、 谁能干）	具备接受再制造关键技能培训的合格劳动力。高附加值的高端产品需要高端多技能人才

9.1.1　物理学逻辑

首先，产品本身需要具备高质量、长寿命等特征，才有后续开展再制造的可行性。再制造产品本质上是基于一种稳定或较成熟的技术，拆卸、修复产品，仅对相对较少的部分进行更换，保留较高比例的自身材料。

以传统车用发动机为例，品牌发动机质量高，寿命较长，金属件约占零部件数量的 70%，占零部件质量的 90%以上。汽车发动机的几大件，包括机体、缸盖、曲轴、连杆、凸轮轴都是金属件，仅有一些管路、密封件、罩盖、线束以及部分进气歧管等是非金属件。汽车发动机第一个生命周期一般可以达到 15 年左右，质量好、保养好的话甚至用 20 年也毫无问题。因此，像发动机这类质量优、寿命长的产品就极其适合开展再制造，经过再制造后的产品可以延续生命周期。

一款拥有良好品牌和信誉的产品，如果具备前述的适宜再制造的特性，设计上如果可以承受多次再制造，那么，利用再制造技术往往可以延长一次或几次产品生命周期，还能实现与新机一样的质保服务，必然能获得消费者的青睐。换而言之，原始旧件的质量高，再制造技术过硬，最终的再制造产品就可能达到新品的水平。

9.1.2　核心技术

9.1.2.1　再制造技术是制造技术的再创新

再制造产品在有效保留了产品内在的价值的同时提升了产品附加值。产品附加值是指通过智力劳动（包括核心技术、知识产权、管理经验等）、人工加工、设备加工、流通营销等创造的超过原辅材料的价值的增加值，生产环节创造的价值与流通环节创造的价值皆为产品附加值的一部分。再制造产品属于高附加值产品，高附加值产品指智力创造的价值在附加值中占主要比重，具有较高的价值增长与较高经济效益，商品拥有高额利润。相对来说，低附加值产品指智力创造的价值在附加值中占次要比重。

再制造是将专有技术从制造过程转移到再制造的过程，制造能力决定着再制造能力。再制造产业发展水平的国家排序对应的是高端制造能力的国家排序，如欧洲、美国再制造产业主要集中在航空航天、重载和越野车辆、工程机械、汽车零部件(如发动机、变速箱)等领域，这些领域对应的产品技术多为高端制造，技术水平高，产品附加值高，可以说如果没有具备相应的高端制造能力，再制造是无法开展的。

再制造科技是制造科技创新的另外一种表现形式。基于制造技术的再制造创新反过来又可以进一步提高制造技术的水平、反哺制造设计，因此，再制造过程的技术积淀对于原始制造商提高新产品设计与制造水平来说弥足珍贵。例如，重载和越野车辆(HDOR)再制造商采用轻量化的喷涂、焊接和激光熔覆，在磨损部位的零件表面添加少量金属来修复零件[1]，而后，再制造环节的技术成果可以在新产品制造工艺中得到应用，一些以往用多余材料设计和生产的新零部件不再以传统方式生产，原始设备制造商在设计新产品时就考虑到后期的再制造，使制造和再制造团队之间密切合作。再制造商可以开发独特的先进技术，尤其是磨损零件的表面修复技术，而制造商可以在新产品设计、制造中充分借鉴来源于再制造的新技术，从而促成制造和再制造团队之间的合作研发、共同努力和双赢进步。

再制造产品、再制造产业背后的支撑往往是(高端)制造科技，是产业核心技术能力、创新能力，尤其是核心制造技术、与制造技术密切相关的再制造技术。再制造产品不仅有效保留了旧件核心中内在的材料价值、材料加工费用、人工费用等价值，还有核心技术的附加值，包括技术研发、产品设计、制造工艺等多方面的价值。通常情况下，无论是制造商还是再制造商，都必须进行广泛的研发，以保持核心能力，持续改善制造和再制造过程。

核心技术可以用很多指标来衡量，常用的两个指标是有效专利数量和研发经费投入占比，分别代表一个国家、地区、企业、产业的技术创新相对投入。对于大型制造企业、再制造企业尤其如此，可以从侧面反映核心技术的积淀程度。

核心技术能力是企业的核心竞争力，往往对应着高级别的发明专利，支撑产品制造的核心技术往往是大量高级别的发明专利技术群，而再制造技术与制造技术密切相关，在技术创新的同时，根本离不开原有制造技术的支撑、支持，尤其是在备件保障、设计文件、工艺文件、测试技术等方面。

具备核心技术能力的企业能够成为产业链的控局者、主要参与者，没有掌握核心技术能力的企业只能是一般参与者、追随者、边缘人。产业核心技术能力、技术创新能力对于从事制造与再制造的企业都至关重要。

从技术底层梳理技术创新的概念和评价方法，TRIZ(TRIZ 是拉丁语首字母缩写，翻译为创新问题解决方案理论)的创始人根里奇·阿奇舒勒按照难易程度将技术发明分为五个等级[2]，对于开展再制造方向的技术创新有借鉴作用，如表9-2所示。再制造产业涉及诸多行业与产品，如航空发动机、汽车发动机、重载和越野车辆、工程机械等，在最初的发明阶段，技术成果往往都是高级别的发明，基本能够达到4级、5级的发明级别，后续随着产品的完善和成熟，相关技术发明的等级随时间的变化逐步降低，出现很多3级甚至是2级的专利。高端、高附加值的产品往往有着深厚的技术积淀，其中涉及的发明专利多为3级、4级甚至是5级。

表9-2 技术创新与发明的5个等级

发明的级别	具体说明	评价
1级发明	多数为参数优化类的小型发明，一般为通常的设计或对已有系统的简单改进。主要凭借设计人员自身掌握的知识和经验。占所有发明专利总数的32%	不算创新
2级发明	通过解决一个技术矛盾对已有系统进行少量改进。主要采用行业内已有的理论、知识和经验。占所有发明专利总数的45%	革新
3级发明	对已有系统的根本性进行改进。主要采用本行业以外的已有方法和知识，设计过程中要解决矛盾。占发明专利总数的18%	革新
4级发明	采用全新的原理完成对已有系统基本功能的创新。主要是从科学的角度而不是从工程的角度出发，充分控制和利用科学知识、科学原理实现新的发明创造。占发明专利总数的4%	创新
5级发明	罕见的科学原理导致一种新系统的发明、发现。主要是依据自然规律的新发现或科学的新发现。占所有发明创造或发明专利总数的1%以内。一个完全新的技术系统，成功之路和被社会接受的道路艰难和漫长	高等级发明

在技术创新过程中，如果企业遇到技术矛盾或问题，可以先在行业内寻找答案。如果解决不了，再向行业外拓展，寻找解决方法。若想实现突破创新，尤其是重大的发明，就要充分挖掘和利用行业外、领域外的知识、理论。产品的核心技术能力可以从一系列高级别的发明专利方面(包括数量和质量)得到体现。目前，世界上发展稳健的再制造产品、产业背后是积淀多年的核心技术发明和核心技术创新能力，不掌握高端制造，也难以开展高端制造产品的再制造。

9.1.2.2 再制造核心技术能力评价

再制造产品背后的核心技术能力：有足够的技术能力实施再制造(旧件的拆解、诊断和恢复的难易程度)，再制造产品背后是制造环节的深厚技术积淀。而原始制造商对于核心技术具备控制力，产品在再制造环节，其核心技术来源于制造，因此对应的再制造技术也具备对应的技术等级。

在当今时代，从纯技术角度上讲，很多品牌产品"再制造"的技术门槛很高，尤其是对于高技术复杂性的高附加值产品。再制造业务与早期的制造密切相关，开展再制造非常需要了解整个产品的设计与制造工艺。在再制造过程中，复杂的清洗和修复都需要非常专业的设备，需要不小的投资。同时，关键零部件的修复如同精密的医学手术，需要深厚的技术储备和长期的积累。随着材料、工艺和电子技术的进步，再制造商也需要在再制造技术上持续进步，持续保持在评估、维修和升级技术方面的先进性，才能确保最终产品与新产品的性能相匹配。这包括能源效率，新材料、新工艺和将更多的电气/电子系统整合到传统的机械产品中。

以发动机再制造为例：虽然发动机的运转大体上保持不变，但技术上已经有了显著的进步，发动机变得越来越复杂。由于发动机的复杂性和可靠性的提高，再制造发动机也变得越来越困难。这导致第三方发动机再制造稳步下降，并且在可预见的未来这一趋势可能会持续下去。此外，电子零部件使用的增加意味着再制造商需要投资引入相关能力，与其他公司合作，或增加研发资源，以跟上这一发展步伐。当产品的进化速度增加时，由于跟上发展的相关成本相应提高，再制造变得越来越困难。

从制造环节看，专利与研发投入非常关键，专利可以从一个侧面来反映创新的强度，而从"专利+研发"两个方面评价核心技术能力更为全面。从2020年度全球持有专利最多的前100家企业名单中(表9-3)，可以发现：航空、汽车、工程机械领域入围企业数量高达23家，每个企业拥有的专利数量为数千项到上万项，都是专利大户。这些企业中绝大多数都有对应的再制造业务部门并且在持续开展再制造业务，也可以这样理解：从事再制造的大企业，背后有着强大的核心制造科技支撑。再制造技术与制造技术密切相关，如果再制造理念、再制造设计和相关技术没有融入原始制造，开展再制造时会因为缺乏再制造设计而变得十分困难。

表9-3 2020年度全球持有专利最多的前100家企业中的航空、汽车、工程机械领域入围企业[3]

排名	公司	总部所在地	领域	专利数量
5	博世(Robert Bosch GmbH)	德国	包含汽车配套	28235
10	西门子(Siemens AG)	德国	电子电气(专攻汽车电子)	22373
11	丰田汽车(Toyota Motor Corp)	日本	汽车	22157
16	雷神技术(Raytheon Technologies Corp)	美国	国防合约商——通用航空业领导者	20800
21	福特汽车(Ford Motor Co)	美国	汽车	17905
22	通用汽车(General Motors Co)	美国	汽车	17384
23	大众汽车(Volkswagen AG)	德国	汽车	17269
27	本田汽车(Honda Motor Co Ltd)	日本	汽车	15307
32	霍尼韦尔(Honeywell International Inc)	美国	航空航天、汽车和工程材料	14163

续表

排名	公司	总部所在地	领域	专利数量
33	电装(Denso Corp)	日本	汽车配套	14144
34	三菱电机(Mitsubishi Electric Corp)	日本	电机电子	13751
43	波音(Boeing Co)	美国	航空	11966
47	大陆集团(Continental AG)	德国	汽车配套	10909
51	空客(Airbus SE)	荷兰	航空	10027
53	现代汽车(Hyundai Motor Co)	韩国	汽车	9773
58	法雷奥(Valeo SA)	法国	汽车配套	9279
59	赛峰(Safran SA)	法国	航空航天	9252
86	威瑞森(Verizon Communications Inc)	美国	汽车	6197
87	日产汽车(Nissan Motor Co Ltd) (2020 年上半年日产所属雷诺日产与三菱联盟销量位居世界第三)	日本	汽车	6160
89	卡特彼勒(Caterpillar Inc)	美国	工程机械和矿山设备生产、燃气发动机和工业用燃气轮机	5936
97	舍弗勒(Schaeffler AG)	德国	汽车供应商	5301
99	雷诺(Renault SAS)法国		汽车	5109
100	宝马集团(Bayerische Motoren Werke AG)	德国	汽车	5102
合计	23 家			

　　结合专利数量指标，再从研发投入方面来评价创新的强度。研发过程中除了专利的输出，还会积累大量的隐性知识和经验，包括工业技术体系。这些宝贵的知识和经验可以以模块化、模型化和软件化的方式进行固化。分析 2019 年全球创新企业 TOP50 研发投入数据统计表(表 9-4)，世界主要汽车企业全部入围。这些企业在研发方向每年投入巨资。其中，大众集团的研发投入远超其他汽车企业的投入。主要汽车企业均开展了大规模的再制造业务，而再制造商背后的技术支撑是数量巨大的核心专利技术群、隐性知识与经验，还有海量的研发投入。

表 9-4　2019 年全球创新企业 TOP50 研发投入数据统计表[4]

排名	公司	国家	2018 年排名	行业	2019 年研发投入/百万欧元
1	Alphabet	美国	1	软件及计算机服务	23160.1
2	微软	美国	3	软件及计算机服务	17152.4
3	华为	中国	5	硬件及设备	16712.7

续表

排名	公司	国家	2018 年排名	行业	2019 年研发投入/ 百万欧元
4	三星电子	韩国	2	电子及电子设备	15525.0
5	苹果	美国	6	硬件及设备	14435.6
6	大众	德国	4	汽车及零部件★	14306.0
7	Facebook	美国	11	软件及计算机服务	12106.1
8	英特尔	美国	7	硬件及设备	11894.3
9	罗氏	瑞士	8	制药及生物技术	10753.2
10	强生	美国	9	制药及生物技术	10107.7
11	戴姆勒	德国	10	汽车及零部件★	9630.0
12	丰田	日本	13	汽车及零部件★	9057.9
13	默克	美国	12	制药及生物技术	8234.8
14	诺华	瑞士	14	制药及生物技术	7713.2
15	吉利德	美国	41	制药及生物技术	7393.6
16	辉瑞	美国	17	制药及生物技术	7373.2
17	本田	日本	19	汽车及零部件★	6834.8
18	福特	美国	15	汽车及零部件★	6587.1
19	宝马	德国	16	汽车及零部件★	6419.0
20	博世	德国	20	汽车及零部件★	6229.0
21	西门子	德国	21	电子及电子设备★	6086.0
22	通用汽车	美国	18	汽车及零部件★	6053.1
23	赛诺菲	法国	22	制药及生物技术	6015.0
24	思科	美国	23	硬件及设备	5854.5
25	拜尔	德国	26	制药及生物技术	5628.0
26	阿里巴巴	中国	28	软件及计算机服务	5488.5
27	甲骨文	美国	25	软件及计算机服务	5400.6
28	百时美施贵宝	美国	24	制药及生物技术	5373.9
29	葛兰素史克	英国	34	制药及生物技术	5068.0
30	艾伯维	美国	30	制药及生物技术	4813.1
31	高通	美国	27	硬件及设备	4805.1
32	阿斯利康	英国	29	制药及生物技术	4795.3
33	IBM	美国	33	软件及计算机服务	4767.7
34	戴尔	美国	31	硬件及设备	4741.9

续表

排名	公司	国家	2018 年排名	行业	2019 年研发投入/ 百万欧元
35	日产	日本	35	汽车及零部件★	4444.0
36	诺基亚	芬兰	36	硬件及设备	4411.0
37	Uber	美国	112	软件及计算机服务	4304.8
38	SAP	德国	43	软件及计算机服务	4283.0
39	松下	日本	32	消费电子	4230.9
40	菲亚特克莱斯勒	荷兰	40	汽车及零部件★	4194.0
41	博通	美国	49	硬件及设备	4180.2
42	电装	日本	38	汽车及零部件★	4142.6
43	索尼	日本	39	消费电子	4073.0
44	标致	法国	42	汽车及零部件★	4061.0
45	武田制药	日本	54	制药及生物技术	4014.2
46	腾讯	中国	53	软件及计算机服务	3871.4
47	雷诺	法国	45	汽车及零部件★	3697.0
48	爱立信	瑞典	46	硬件及设备	3681.6
49	安进	美国	50	制药及生物技术	3663.9
50	大陆	德国	47	汽车及零部件★	3596.6

注：前 20 名中有 7 家汽车企业，前 50 中有 15 家汽车企业，见★

　　技术与产品研发投入的方向在哪里？核心技术的进化方向(技术理想化方向)就是研发投入的方向，包括产业界高度期待的高可靠性和环境友好性，遵守更严格的环境法规，将资源、能源消耗保持在更低水平，保持高生产质量和生产率。再制造产业的发展高度符合核心技术的发展方向、进化方向，值得企业界、产业界持续加大投入。因此，美国、德国、日本等主要国家的整车制造商和零部件制造商在研发投入上才能够毫不吝惜。

　　从事再制造也是高附加值产品核心能力的构建过程，更是进一步支持制造能力从局外到入局的有效途径。再制造过程通过拆卸和分析单个部件及其相互作用来推断产品设计过程，相当于逆向工程。在具备长远目标的规划下，在再制造方向的适度投资可以产生高回报，包括人才培养、技术积淀到高附加值产品的制造能力入局。

　　产品再制造可以是企业发展的第一阶段，中高附加值产品制造能力入局阶段，在产品再制造中消化吸收产品技术。第二阶段，企业努力成为掌握核心技术的制造商并且能够具备特色优势，原因在于，易于再制造的产品也将易于制造，易于再制造拆解的产品也将易于新品的制造与装配。第三阶段,企业制造自主设计的新产品(在新产品设计中融入再制造的理念,新产品具备利于维修、维护与再制造的特性),成为中高附加值产品的原始设计制造商。第四阶段,打造企业自己的品牌,成为自有品牌、原始设计制造商与再制造商,实现自主设计、制造的品牌产品的再制造,努力实现产品多生命周期的再制造与服务。

9.1.3　经济学逻辑

经济学逻辑(驱动力):制造产品中很多中高端、高附加值产品,值得开展再制造。再制造商可以结合市场需求在量产中获利,而产品的技术水平影响着产品的性能以及附加值。

产品的再制造能力和再制造产品的质保服务可以促进新品的销售,帮助制造商获得更大的市场份额和利润,提高产品的总体市场占有率。客户购买新品时,新品未来对应的再制造产品选项,具备比较低的价格和与新品相同的质保服务,这一选项对于很多客户有吸引力,可以为客户购买新品的决策加分。再制造产品为新品提供了可靠的后期备件服务保障。再制造与制造的密切协同使得对应产品更有市场竞争力,从而助力扩大产品的市场总份额。再制造商从制造商处采购零部件也可以帮助制造商进一步获利,并且使制造商专注于新品的生产,不必保留部分生产设备用于老式产品的备件生产[5]。

再制造业务与制造业务密切相关,再制造业务往往是基于制造能力的服务。再制造商认为:以服务为基础的业务比"制造和销售"业务的利润率更高。再制造业务需要长期投资,是资本密集型产业,研发回报周期长,对一些公司来说风险很大。再制造将旧产品保留,与材料成本相比,具备在劳动力、能源、资本设备等成本方面的保值优势。

英国布拉德福德起动机和交流发电机(独立再制造商)案例与分析:该公司是英国旋转电器最大的独立再制造商和供应商,具备独立再制造商的核心能力,可以完成各种汽车品牌电机的再制造,如奥迪、宝马等。在再制造过程中,起动机和发电机首次被诊断为经济上可再制造和不可再制造。没有经济效益的旧件被废弃或卖给回收公司。再制造的产品有2年的保修期,比原始设备(OE)的保修期要长。目标客户主要是英国售后市场。再制造产品的价格差异显著取决于市场[6]。

9.1.4　品牌服务

商业模式本质是什么?有多种认知,如:一群利益相关者(生产企业、终端用户、流通企业等)把自己的资源能力投进来,形成一个交易结构;如:在企业现有资源情况下，企业家解决如何赚钱、赚多少钱、如何持续性赚钱的经营问题，需要通过商业模式的设计创造一套为客户持续创造价值的盈利模式。没有一个可行的商业模式，再制造也无法进行。

服务型制造是全球产业分工和信息技术变革的进化产物，它契合长期经济发展中"以客户为本"的思想，在智能化产品和产业互联互通大行其道的今天，企业与客户沟通和提供服务的方式、与客户的价值连接都发生了根本的变化。

如何为客户持续创造价值？产品品牌得到客户认可往往是最为关键的因素。通过再制造可以实现继续服务于品牌客户。再制造本质上可以理解为基于品牌产品的后续服务。为此，在客户的品牌信任下，回收足够的核心品牌旧件实施再制造，旧件价格合理，再制造产品让利益相关者都能获得收益，最终形成基于品牌服务的商业模式。品牌产品再制造是一种服务型制造，是品牌产品制造商提供给品牌客户的服务。

而建立有效的逆向物流渠道，回收足够多的合格品牌旧件是再制造企业成功的关键。原始设备制造商为了确保旧件回收而建立合理的商业模式，主要包括基于租赁和服务的产品，这往往会促进建立更好的客户关系，导致供应链的重新配置以服务于新的商业模式。

再制造对原始设备再制造商的好处很多：可建立更广泛的市场吸引力、提供产品失败模式的反馈以改善产品设计。建立帮助顾客返还旧产品的回收中心，使再制造商回收到足够的核心旧件，且旧件价格合理。收集足够的旧件，数量需要达到某种盈利阈值，使规模再制造成为可能。原始设备制造商提供的售后服务，包括保修、租赁和服务合同，成为其争取尽可能高的市场份额战略的一个组成部分，也为旧件的来源提供了鼓励和激励。

丰田材料处理瑞典公司商业模式案例与分析：大多数叉车都来自市场上不同类型的租赁车型，租赁合同从1个月到10年不等。通常，新制造的叉车以长期租赁合同形式出售，然后以短期租赁方式出售数次，直至作为二手叉车出售或报废，最后只返还材料价值。这种商业模式的好处主要在于公司可以在多次使用和重复使用的同时保持对叉车的控制，能够与客户保持良好关系。然而面对的挑战是，该公司比传统销售承担了更多的风险，例如使用叉车的公司破产。通过为市场提供再制造叉车，公司获得了新的细分客户，不愿意购买新叉车的公司可能是新创立的公司，不愿意在设备上投入太多。因此，合理的商业模式非常重要[7]。

英国最大的压缩机再制造公司之一 ACES(承包/独立再制造商)商业模式案例：大多数情况下，所有再制造的压缩机都是以交换的方式获得[8]。

荷兰 ARP 供应商(独立再制造商)商业模式案例：惠普激光碳粉盒再制造中间商收集空的激光碳粉盒，ARP购买后进行拆解，可以重复使用的部件被清理干净，关键部件将被更换以保证质量。碳粉盒再次充满墨水，并与清洗后重复使用的部件和新部件重新组装到碳粉盒中。碳粉盒可以再次售卖给(通常是企业对企业)消费者。在此模式下，再制造碳粉盒的售价可以达到初始价格的60%~80%[9]。

英国 ATP 工业集团有限公司(原始设备制造商/再制造商)商业模式(图 9-1)案例：OEM 从最终用户那里收集可再制造的核心件，然后把核心件送到 ATP 进行再制造，再制造的产品将返回给 OEM，OEM 返回给最终用户并附加费用。

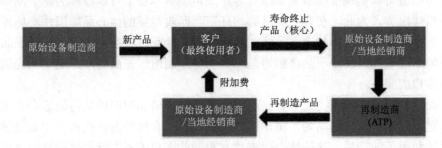

图 9-1　英国 ATP 工业集团有限公司商业模式[10]

9.1.5　规模效应

规模效应极其重要。为什么美国拥有世界上最多元化和最发达的再制造产业部门，其原因在于美国的工业革命和随后的大规模生产模式的发明。20 世纪初，福特生产和销售了数百万辆 Model-T 汽车后，大量的新品制造引出了再制造——创建单独的设施来重新制造失效的发动机，还有一个分销系统来支持福特客户使用经济实惠的新发动机和服务部件，巨大的制造规模效应成就了与之对应的再制造规模效应。

规模效应(需求规模和生产规模)：旧件毛坯通过再制造设施进行再制造可实现获利，但没有足够的规模不能获利，也无法支撑规模生产。旧件来源的规模与再制造零部件需求规模、产品销售规模密切有关，新品销售规模越大，在有利的商业模式下，再制造旧件的来源也越多。再制造产品的需求越大，其生产规模也会足够大。再制造产品在成本上是否比修理更具竞争力，基本上取决于能否实现规模生产。

汽车零部件的再制造规模与新车的销售规模密切相关。分析 2021 年世界 500强中汽车企业营收数据发现：世界级整车企业营收规模巨大，新车销量巨大的整车企业同时也是零部件再制造的大户。排名前十的企业分别是：丰田汽车公司、大众公司、戴姆勒股份公司、EXOR 集团(意大利)、福特汽车公司、本田公司、通用汽车、三棱株式会社、宝马集团、上海第一汽车集团股份有限公司。而世界级整车企业都开展了大规模的零部件再制造业务,不过,再制造业务的总体量无法与新车生产规模相比,数量方面一般占到新车销售总量的10%以内。再制造产品的生产规模与汽车存量规模密切相关,汽车现有存量越大,再制造零部件的潜在需求和再制造毛坯供应越多,再制造业务的规模就会越大。

以大众为例:截止到2008年,大众汽车集团累积销售汽车接近1.2亿辆,累计完成再制造发动机770万台(占比车辆销售总量的约6.4%)、变速器280万台以及零部件6800万个。截止到2019年,大众汽车集团累积销售汽车约为2.23亿辆,累计再制造发动机1600万台(占比车辆销售总量的7.17%,最近11年内再制造发动机数量达到830万台,平均每年约75万台,总数超过2008年以前的总和)。2015年以来,欧盟的产业政策起到巨大推动作用,大众汽车发动机再制造业务得到显著增强,成为汽车后端市场业务中的一个关键支撑。2020年全球汽车集团前十强中大众集团夺冠,全年新车销售931万辆,为后期车辆零部件开展再制造奠定了基础(大众集团2020年研发费用高达136.12亿欧元,研发经费平均到每辆车为1462.08欧元)。

大众汽车集团数据分析:全球持有专利最多的前100家企业中,大众汽车集团位列第23名,是典型的专利大户,汽车企业营业收入排名第2名,500强研发投入排名第6。与生产规模对应,大众同样也是再制造业务大户。2021年7月,大众汽车集团发布2030战略规划提出:在未来的技术发展中各子公司的协同效应、规模和成本是其巨大的优势。

通用公司数据分析:2005年美国通用汽车全球销量达920万辆;同年,再制造零部件销售量约为250万件。

再制造产品成本控制取决于实现规模经济,否则单个部件的再制造等同于定制并不能实现盈利,只有足够规模的产品回收支持,开展规模再制造才能真正降低成本,低于一定的规模,再制造不能盈利。

市场效应(认购):应具备消费者购买再制造产品的需求,以及客户充分认同再制造产品两个必备因素。再制造产品的购买量与新产品的销量、车辆存量的维护是密切联系的,足够多的买方有足够的购买动力,认为购买再制造产品的风险小于购买新品。

从2021年世界500强之中汽车企业营收数据(表9-5)可以看出:企业新品销量巨大、营业收入巨大,随着未来品牌车辆使用时间的积累,车辆的维修需求、备件需求和零部件的再制造潜力也将十分巨大。

丰田公司数据分析:丰田为汽车产业排名第1的专利大户,汽车企业营业收入和净利率排名第1,世界500强中研发投入排名第12,同时也是再制造业务的开展大户。日本汽车生产商负责技术研发、设计并负责回收处理报废车。

表 9-5　2021 年世界 500 强中汽车企业营收数据[11]

企业	排名	营业收入/百万美元	利润/百万美元	净利率
丰田汽车公司	9	256721.7	21180.1	8.30%
大众公司	10	253965	10103.5	4.00%
戴姆勒股份公司	24	175827.3	4132.8	2.40%
EXOR 集团(意大利)	37	136185.9	−34.2	0.00%
福特汽车公司	47	127144	−1279	−1.00%
本田公司	48	124240.6	6201.6	5.00%
通用汽车	49	122485	6427	5.20%
三棱株式会社	51	121542.7	1627.7	1.30%
宝马集团	54	112794.1	4301.4	3.80%
上海第一汽车集团股份有限公司	60	107555.2	2961	2.80%
中国第一汽车集团有限公司	66	101075.8	2866.5	2.80%
现代汽车	83	88155.7	1207.5	1.40%
东风汽车集团有限公司	85	86856.3	1115.5	1.30%
日产汽车	116	74169.5	−4232.7	−5.70%
北京汽车集团有限公司	124	72147.3	339.8	0.50%
广州汽车工业集团有限公司	176	57723.9	576.2	1.00%
起亚公司	215	50155.1	1261	2.50%
雷诺	219	49536.4	−9124.7	−18.40%
浙江吉利控股集团	239	47191	1352.3	2.90%
沃尔沃集团	327	36754.3	2097.9	5.70%
印度塔塔汽车公司	357	34012.8	−1812.4	−5.30%
特斯拉	392	31536	721	2.30%
铃木汽车	412	29980.8	1381.2	4.60%
马自达	449	27187.2	−298.6	−1.10%
斯巴鲁	459	26698	721.7	2.70%

　　典型再制造企业案例分析：日本爱信精机公司是丰田整车的变速箱供应商之一[12]，世界 500 强企业。2021 年 4 月，爱信精机与其生产汽车变速箱的核心子公司爱信 AW 株式会社[13]合并。日本爱信变速箱通过一家名为 AWTEC 的子公司(成立于 1988 年，位于美国密歇根州普利茅斯)为美国市场提供再制造变速箱。对于其他一些公司来说，在美国生产新的机动车零部件可能没有经济意义，由于节省了运输成本，再制造机动车零部件的理由可能更有说服力。在北美区域，AWTEC 负责爱信变速箱再制造业务。三十多年来，AWTEC 为整个北美的爱信和丰田汽

车提供再制造自动变速器的保修更换。从三速和四速前驱动变速驱动桥开始，AWTEC 在其系列中增加了变速器列表，包括八速前驱动变速驱动桥、后驱、四轮驱动，与柴油发动机一起用于重型作业的重型车变速箱和无级变速器(CVT)，混合动力车也加入了这一行列。最初，AWTEC 只对丰田汽车上使用的爱信变速器进行再制造，后来逐步为 15 个不同的原始制造商客户提供 60 多个型号和 400 多种零件的再制造。目前，AWTEC 为丰田、通用、福特、斯泰兰蒂斯、五十铃、沃尔沃、萨博、日产、马自达等汽车制造商提供产品。

9.1.6　再制造生态链效应

再制造需要具备从新产品销售、售后服务、旧件来源、旧件物流体系、再制造厂家、再制造产品销售与服务的完整再制造产品、产业生态链，才能有效支持再制造商和再制造产业的运作。从生态角度来看，新产品制造商、销售或代理商、用户、再制造商、再制造产品销售或代理商可以形成一种生态关系，这种生态关系是一种共生(如同两种不同的植物通过合作共同生长发育)而不是从属关系，要么大家都好，要么大家都不好。生态关系中的企业有一个共同的目标，共同给顾客创造价值，统一服务于顾客。

再制造模式与制造模式有着巨大不同。再制造面对着动态和不可预测的多种因素。如客户需求的不稳定，在变化复杂和高度全球化的市场上，特别容易受到世界范围事件(如经济危机)的影响，不能直接沿用制造模式的诸多方法，包括供应链模式和对应的商业模式。如何规划、建立、分析再制造产业生态链？可以借鉴生物学的相关模型。

既然自然生态系统中可以没有浪费，那工业化系统也一样可以形成封闭的循环，使废物转为新的资源加入到新一轮的运行中去，从而实现可持续发展。

作为可持续发展的案例，再制造已有百年历史。准备开展再制造的旧件毛坯成为新的资源起点，加入到新一轮的"再制造"流程中带动工业系统的良性运转，形成了封闭的循环。

再制造概念的提出早于"工业生态学"，是一个全面、严格、标准的工业过程，通过可控的、可复制的和可持续的运营过程，将先前出售、租赁、使用、磨损或失效的产品或零部件从质量及性能上恢复到像新件一样，或比新件更好的状态。再制造模式与流程是非常接近自然生态系统的"工业生态系统"。

卡特彼勒的"再制造"业务之所以能够长久推行下去，是因为该业务给企业带来了商业上的正向收益，但是要实现这一点却并不容易。卡特彼勒的"再制造"业务是商业模式的成功，是生产模式(面向产品)与服务模式(面向客户)的有机融合，是其再制造产品生态系统、再制造业务"生态链"的成功。"再制造"业务对企业供应链有着相当高的要求，卡特彼勒每年回收处理 7 万多吨旧件，通过代理商向客户提供 7600 种零件号的再制造成品，最大限度地为客户提高生产效率并降低设备拥有及运营成本，同时也节约了原材料，减少了制造过程中产生的能耗以及浪费。

卡特彼勒与所有的代理商都建立了一种长期、稳定的合作共生关系。从 1925 年到现在，卡特彼勒和代理商有着 90 多年的战略合作伙伴关系，不管经济周期如何起伏变化，彼此同舟共济、朝着一个方向努力。卡特彼勒与代理商之间形成了共存共生的命运共同体关系，就是一种独特的生态关系。

卡特彼勒选择代理商的标准比较严格，一般都是当地的中小型企业。这些企业熟悉当地情况，接近客户掌握需求状况，能为客户提供快捷的服务，确保机器的正常运转，使停机时间缩短到最低程度，可以在 48 小时内获得所需的更换零件和维修服务。在设备的整个生命周期内，从保养到维修，卡特彼勒代理商为客户提供设备管理、故障诊断与排除、部件大修、整机翻新等售后服务，最终设备以二手机出售或置换一站式的整体解决方案让客户全程无忧。在服务客户的同时，代理商与客户建立起极其密切的联系，最终使卡特彼勒、代理商、客户三者之间形成了类似生态链上的命运共同体关系，达到一种很独特的生态关系的境界。

卡特彼勒的代理商一般都具有一定的经济基础、信誉良好，他们买断卡特彼勒的产品，然后再卖给客户。这样做可以保证代理商对机器和用户的高度负责，同时分担了卡特彼勒公司的风险，保证卡特彼勒的现金流，使公司财务处于健康的运行状态。除了提供产品和零部件外，卡特彼勒还帮助代理商向用户提供分期付款等信用，同时在存货管理和控制、物流、设备维护工作程序等方面支持代理商。公司每年都要出版多种书面技术材料供代理商参考，并且随时按照代理商的需要提供培训服务，包括如何制定企业计划、如何预测市场、如何管理电子信息系统、如何从事营销和广告活动。卡特彼勒通常更愿意与家族企业代理商打交道，在他们看来，家族企业比公众企业在政策上更具有连贯性。卡特彼勒的产品寿命一般在 10～12 年，有些长达 20～30 年。

卡特彼勒与代理商的密切合作能够保证为用户提供专业的、稳定可靠的服务，从新产品生产、销售、租赁产品使用期间的咨询、维修、技术支持、融资支持用户，到产品后期更新换件、旧件回收与再制造的各个方面。卡特彼勒围绕产品生产、服务与再制造具备了完善的供应链、生态链，该模式值得再制造企业、再制造行业学习借鉴。

卡特彼勒成功的关键可以总结为：专利（卡特彼勒拥有其行业领域内最多的专利储备，还有与专利相关的关键技术储备）+产品（具备高质量、长寿命的产品值得再制造）+量产能力（本领域内营收最高的企业、最大生产规模企业、最大生产规模的再制造企业、最大数量的旧件回收与再制造能力）+商业模式（有足够多的旧件供应、完善的服务体系、有效运行的再制造生态链）。在重载和越野车辆行业，是成熟的品牌原始制造商，引领着本领域内再制造产品业务和市场，成为难以替代的再制造商。

传统制造业从设计、生产到销售如同一条流水线，追求规模效应，即设计标准化产品，尽量控制生产成本，扩大销售量，从而为企业创造规模效应。过去，制造业归制造业，服务业归服务业。今天，进入了数字化时代，商业结构逐渐转变为多边平台，追求生态效应，变得开源开放、共享共生。产品设计不是公司工程师关在屋子里设计出来的，而是用户和设计师之间的有效连接和强烈互动。全生命周期管理的变化不再是制造业归制造业、服务业归服务业，而是变为"制造即服务"。企业和工厂的围墙被打破，生产者和消费者的界限没有了，既是生产者也是消费者。制造就是一种服务，服务与制造密切相关，再制造成为支撑新产品销售的一项核心服务。

9.1.7　人才

需要有关方面的专业人员。高附加值的高端产品尤其离不开核心技术，而核心技术具有高投入、高风险、高门槛、长周期、人才密集等特征。核心技术是掌握在人的手里，掌握核心技术的人才是实施高端产品制造、高端产品再制造的关键。国家间竞争的焦点已由过去的自然资源、原材料的争夺，转向对掌握核心技术的高素质人才的争夺。再制造需要高水平工程师、多技能人才，具备接受过再制造关键技能培训的合格劳动力队伍，再制造产品越高端，人才要求越高。

以汽车为例：对于高附加值汽车零部件，再制造商面临的挑战来自于高昂的劳动力成本、再制造核心毛坯的稀缺性以及日益增加的设计复杂性。产品的复杂性对于再制造从业人员提出了非常高的技能要求，电气化和机电一体化使得车辆难以有效进行成本评估、诊断、拆卸和维修。与原始(新)零件制造相比，再制造的拆卸、分离、清洁和维修操作所需的劳动力成本可能是原始(新)零件制造的数倍，再加上来自低成本原始替代品的竞争，使得某些情况下再制造在经济上丧失吸引力。

成功的再制造产业需要同时具备以下关键条件：中高端技术(具备高附加值)+长寿命产品+量产能力(旧件回收系统、生产规模、营收能力)+特色商业模式+满足要求的人才。

9.2　再制造面临的不确定性和复杂性

9.2.1　旧件在数量、质量、复杂性上的不确定性

有效开展再制造，企业必须克服多种不确定性和复杂性的挑战。再制造从无到有，很大的推动力来自于解决材料短缺和资本密集型产品维护问题。为了使再制

持续获得利润，再制造公司必须使对再制造产品的需求与可用的旧件供应相匹配。除了数量，时间、质量、定价和产品规格等都必须考虑在内，这往往非常困难。

实施再制造的旧件在数量和质量上存在高度不确定性，有时完全不可预测。客户需求的多样性、动态市场竞争以及物流基础设施是否便利等因素使可用旧件的数量非常不确定。一方面，如果没有足够质量的旧件返回，再制造商甚至可能会使用新产品来满足需求；另一方面，核心库存过剩增加了库存成本和过时的风险。最终，上述不确定性会导致资源规划的复杂性，增加加工时间的不确定性，并为控制再制造操作付出不必要的努力。

高质量核心旧件的可用性也阻碍了再制造的发展。再制造操作的效益在很大程度上受所收集旧件质量的影响。以车辆为例，由于车辆的使用环境、强度和条件千变万化导致旧件核心质量在一定程度上不可预测，造成了核心旧件质量的不确定性。此外，在不断发展的排放法规的推动下，发动机技术每两到三年就会发生一次变化。发动机设计变得越来越复杂并与电子设备集成增加了再制造操作的复杂性，需要掌握更先进技能的人员。因此，只有原始制造商有足够能力开展面向多生命周期的产品再制造设计和再制造。

9.2.2　供应链、生产流程的不确定性

再制造旧件的不确定性将造成生产线产能需求和工艺产量的变化。由于旧件的数量和质量的不确定性，再制造常常面对如下难题：

(1)缺乏原始设备制造商产品的技术信息：针对再制造产品，非原始设备制造商往往难以获得原始设备制造商产品的技术文件；

(2)没有再制造设计：很多产品在原始设计中没有考虑再制造；

(3)缺乏合格的技术人员：再制造从业者技能不足，缺乏满足要求的多技能、高技能技术人员和操作人员，难以有效开展产品的再制造；

(4)低成本产品的恶意竞争：假冒再制造产品的销售会显著削弱再制造产品的市场份额；

(5)逆向物流：物流成本高可能从整体上影响一些类别产品的再制造；

(6)产品技术升级换代速度快：如果希望再制造产品能够达到与新产品相当的性能，在产品技术快速升级换代的背景下，再制造商在技术上需要持续进步以便在产品能源效率、新材料应用、机电一体化、信息化技术融合方面达到要求。

对于上述问题，大多数原始制造商在制造环节往往碰不到，唯有解决这些问题才可能释放出再制造的增长潜力。

再制造通过重复使用零部件减少原始生产的材料、能源和工艺成本来降低总

成本，但与新产品的自动化批量生产和完善的分销网络相比，再制造很多时候是一个具有不确定供应链的技能和劳动密集型过程。成本优势和劣势在很大程度上取决于这些问题平衡。

再制造产品的费用分析：人力成本（高）+资本成本（高）+生产成本（低）+额外环节成本（高）。不同产品其费用结构可能差异巨大。

9.2.3　生产流程不确定性的解决方案探讨

再制造产品的不确定性决定了很多时候，再制造流程难以组织自动化批量生产，如何有效解决该问题？比亚迪模式（半自动化+人工）的出现值得借鉴，比亚迪模式对于应对生产流程的不确定性可以给我们很多启发。

比亚迪股份有限公司（简称"比亚迪"）成立于 1995 年 2 月，公司现有员工超过 22 万人，业务横跨汽车、轨道交通、新能源和电子四大产业，在香港和深圳两地上市营业收入和市值均超千亿元。

给一个复杂新产品建一条生产线，面对着巨大的不确定性。生产线规划设计与实施是一个巨大难题。围绕新建生产线的技术方案，比亚迪的创始人王传福拥有独特的解决之道，其"制造秘诀"是"半自动化+人工"，也有人称"小米加步枪"，其本质是技术人员协同与组织模式的再造。

"比亚迪制造模式"不但大幅降低了成本，而且将技术的消化吸收和工艺改进自始至终地融入制造的各个环节。他们发现："半自动化+人工"的准确率并不比全自动化低，而且避免了批量加工出错后的大规模召回难题，可靠又灵活。"半自动化+人工"可能很适合于诸多再制造工序。

对人工和技术研发的极度推崇让比亚迪格外注重产业链的"垂直整合能力"。只要客户提出要求，他们就能提供从方案设计到最终生产的一站式服务。通过代工牵引，比亚迪在持续构建自己的全方位能力。从事某一项新品类产品的再制造，表面上是产品工程，本质上更是人才能力提升工程。

中国再制造产业发展在借鉴欧美模式的同时，也需要充分结合自己的国情走好自己的路。中国企业在发展中要充分释放技术人员的创造力。王传福曾说"我觉得中国企业家很幸运，上帝照顾了我们，把这么优惠的东西放到我们这边来。而我们过去只懂得管工人，不懂得怎么把工程师组织起来"。利用好中国的高级人才和低级人才，让他们淋漓尽致地发挥才是"中国制造"的真正优势[14]。

比亚迪实现了生产线模式、技术人员组织模式的再造难能可贵。针对再制造产业供应链、生产流程的不确定和相关问题的破解，我们非常需要发挥自己的优势，勇于创新和善于创新。

9.3　再制造市场与商业模式

9.3.1　再制造产品——提供给原始制造商忠实客户的质保服务

随着经济全球化将工作岗位跨国转移到劳动力成本较低的国家和地区，发达国家的制造业企业在国际成本竞争中获胜的难度越来越大。因此，企业都在寻求实现更高附加值的途径，而产品服务为实现这一目标提供了手段。

制造业公司尤其是发达国家的制造业公司正在努力增加其业务中的服务部分。促进服务化的因素包括以下几个方面：

（1）服务的利润率高于前期产品销售；

（2）服务提供更稳定的收入来源对经济周期的低谷具备抵御能力（经济低潮期间，客户没有资金购买新品，而较低价格购买再制造产品和服务可以帮助客户在困境中坚持下去，有助于渡过难关）；

（3）服务一般很难模仿，可以将竞争对手拒之门外；

（4）提供服务和定制产品可以培养客户忠诚度；

（5）服务可以满足客户特殊需求；

（6）服务业对资本的依赖度较低。

再制造产品的核心吸引力：与新品一样的质保服务。然而，并非所有市场的所有消费者都接受再制造产品作为新产品的替代品。工业客户比消费者更了解再制造过程，他们更愿意接受再制造产品作为新产品的替代品。因此，对于客户开展宣传培训、普及再制造的理念、知识很有必要。

以卡特彼勒为例，用户购买卡特彼勒再制造产品的价格包括两个部分：再制造产品的价格（通常比新品价格低40%～50%）及旧件押金。如果用户能够归还一个相同品类的旧件可返还旧件押金。以某款用于大型发动机的再制造水泵（10RXXX9）为例，再制造件价格为16101元（人民币），如有合格旧件返还只需支付9272元，可节省42%的采购成本。这种"一对一交换"的商业模式在为客户服务的同时，也确保了拥有充分的原材料来开展再制造。更重要的是再制造对于环境、用户乃至社会发展的益处极大。卡特彼勒再制造产品的商业模式很典型，非常具备借鉴作用，而一般的消费者对于再制造可能还不够了解。

其他再制造产品的后市场服务也相似。大众再制造发动机采用置换模式进行销售，当客户需要换发动机时，4S店会提供一个选择"再制造"发动机的机会，如果选择更换"再制造"发动机，经过检验合格后，会对车上的旧发动机会进行"再制造"置换，价格方面，如果原本计划更换全新EA888发动机新机的价格约6万元，那么置换旧发动机后，客户只需要再交 3 万元即可换装达到新机标准的再制造 EA888 发动机。

产品是功能的实现，产品的核心价值是功能价值。罗尔斯·罗伊斯是英国著名的航空发动机公司，简称罗罗公司，也是欧洲最大的航空发动机企业。目前，罗罗公司航空发动机市场占有率仅次于通用电气 (GE)。作为波音、空客等飞机制造企业的供货商，罗罗公司并不直接出售发动机，而以"租用服务时间"的形式出售并承诺：在对方的租用时间段内承担一切保养、维修和服务。

罗罗公司本质上出售的是基于发动机功能的服务。发动机一旦出现故障，发动机公司在每个大型机场都驻有专人负责提供服务。服务内容包括一系列项目：保养、维修和检修，旧部件制造和集成新部件以及提高性能以跟上技术进步的步伐。发动机的再制造过程包括将发动机或部件从飞机上移到车间拆卸、检查、修理和更换部件重新组装，经过严格的三坐标测量机程序测试后返回。很难确切界定航空航天部门的再制造过程是什么，但一般而言，大多数再制造活动被描述为"修理"或"大修"而不是"维修"。这样发动机公司得以在发动机市场上精益求精，飞机制造商也"落得轻松"。也正因为如此，廉价航空公司才有发展的空间，不用专门养一批发动机维修队伍。

多年来，罗罗公司通过改变运营模式，扩展发动机维护、发动机租赁和发动机数据分析管理等服务，通过服务合同绑定用户。公司销售的现代喷气发动机客户中多数都签订了服务协议，增加了服务型收入。

罗罗公司 2018 年航空发动机销售收入是 167 亿元，而服务收入是 221 亿元，服务收入约为设备销售收入的 1.3 倍。

罗罗公司根据产品的服务绩效收费，这几乎是罗尔斯·罗伊斯的首创。这家公司最早在行业中针对其航空发动机产品推出包修服务，按飞行小时收费，确保航空公司的飞行可靠性和在翼飞行时间。这样，顾客购买的是发动机的功能——飞行可靠性和在翼飞行时间，而不是发动机本身。这里，发动机的制造、再制造与服务已经紧密联系在一起。

9.3.2　再制造——典型的制造服务业

在传统概念中，制造业和服务业是相互独立的。随着经济的不断发展，现代制造业已不再是传统的制造业，现代服务业也不再是传统的服务业。制造业和服务业之间正在越来越多地互动，呈现出相互依存、相互影响、相互支持的关系，制造已向服务化发展成为制造服务业。

制造服务业是面向制造业的生产性服务业，或者是向产品生产制造过程和产品使用过程所提供的各种形式服务业的总称。生产制造和加工装配开展的设备成套、供应链管理、设计研发、管理咨询、会计审计、培训以及电子商务等,均属于制造服务业的范畴,制造与服务发生了深度联系和融合。

进一步讲,制造服务业发展的过程也就是制造业服务化的过程,它具有知识、技能、信息密集型的特征,是当今全球制造业发展的规律以及大趋势。欧美发达国家的过往实践证明:通过促进制造服务业高质量发展,可以起到加快制造业转型升级,进而促进制造业不断走向全球价值链高端,提高制造业国际竞争力,拉动经济发展和促进结构调整、吸纳青年人才就业等作用。而再制造是非常典型的制造服务业。

服务型制造(如针对航空发动机产品的包修服务)摆脱了传统制造的低技术含量、低附加值的形象,使其具有和以往各类制造方式显著不同的特点:在价值实现上,强调由传统的产品制造为核心向提供具有丰富服务内涵的产品和依托产品的服务转变,直至为顾客提供整体解决方案;在作业方式上,由以产品为核心转向以人为中心,通过有效挖掘服务制造链上的需求实现个性化生产和服务;在组织模式上,主动参与到服务型制造网络的协作活动中;在运作模式上,强调主动性服务,主动将顾客引入产品制造、应用服务过程,主动发现顾客需求,展开针对性服务。再制造的这种服务越来越体现在高技术含量、高附加值产品的售后保障上,为顾客提供整体解决方案,实现个性化服务,强调主动性服务。

制造服务业不是制造业的简单延伸,而是制造业的发展,其发展趋势是制造服务业的产业化。数百年来以产品为中心的制造业正在向服务增值延伸,制造业的结构也从以产品为中心迈向以提供产品和增值服务为中心。再制造业务的开展也进一步促进了制造业水平的提升和价值创造。

根据中国工程院院士卢秉恒的统计,全球 500 强企业共涉足 51 个行业,其中28 个属于服务业。从数量上来看有 56%的公司在从事服务业,更有两成的跨国制造业企业的服务收入超过总收入的 50%。在发达国家普遍存在两个"70%现象"即服务业增加值占 GDP 比重的 70%,制造服务业占整个服务业比重的 70%。

对中国的制造业巨头来说,要缩小与国际竞争对手的差距,从制造业向现代制造服务业转型是根本途径。要实现这种转型,涉及产业链延伸、业务结构调整、人员队伍调整、资源配置调整、技术重心调整、管理模式调整、强化标准管理等多个方面的复杂系统转型。未来制造业将把服务作为产品商业模式的重要组成部分,而再制造产品服务将成为制造商提供给客户的一项关键服务。

9.3.3　服务化减轻再制造的障碍

随着企业的发展越来越快,制造业和服务提供商之间的界限越来越小。制造业企业发现，最重要的业务不再是尽快生产和销售尽可能多的产品，而是维护一套核心现有资产，并以优化的方式分配其功能。制造与服务化的融合趋势为企业提供了机会，不仅可以增加利润，还可以减轻再制造的障碍。再制造面临的以下四种障碍可通过服务化方式缓解：

(1) 旧件收集难的障碍：服务化使旧件归还变得更容易，特别是当原始设备制造商保留产品所有权时效果尤其明显。

(2) 再制造过程控制的障碍：服务化使原始设备制造商能够轻松监控产品的使用情况，从而根据资产健康数据优化服务间隔。这种优化将故障降至最低，从而降低再制造的强度，减少交货期、劳动力成本、材料和能源消耗。如果产品是直接销售给客户，他们不会允许监控使用情况，即使这些数据对他们而言没有直接价值，但将数据传输回生产商的操作会被认为是侵犯他们的隐私权。如果原始设备制造商保留了产品所有权，那监控就相对容易得多了，通常在协议中注明即可。当客户拥有产品所有权时，如果涉及预防性维护等有价值的服务，他们也可能会接受使用监控，因为这将利于再制造。

(3) 顾客接受度的障碍：服务化使顾客更加关注产品所提供的功能而非产品本身。新产品的吸引力没那么大了，他们更有可能接受再制造的产品。

(4) 原始制造商动机力的障碍：服务化鼓励原始制造商对整个产品生命周期负责(而不仅仅是产品销售前的阶段，企业可以开展产品多生命周期规划)，因为这样做有助于降低成本和提高运营效率，当原始设备制造商保留产品所有权时，效果尤为明显。再制造为原始设备制造商降本增效、提高盈利能力提供了动力。原始设备制造商在解决再制造障碍方面比独立再制造商有明显优势，激励原始设备制造商开展再制造至关重要。然而，现实中，原始设备制造商经常担心再制造产品多了会使新产品的销售量下降，因此他们把独立再制造商视为竞争对手，有时甚至积极努力减少产品再制造。同时，他们认为再制造产品的利润不如新产品的销售利润高，当然也就没动力开展再制造。在这种情况下，原始设备制造商变成了阻碍者而不是促成者。反之，如果原始设备制造商有动力开展再制造，他们可以通过实施再制造设计和开发有效流程来释放再制造的巨大潜力，从而大幅降低再制造成本。前提是再制造成本必须低于新产品制造成本[15]。

9.3.4　再制造——基于产品制造能力的服务

再制造是服务型制造的重要组成。由生产型制造向服务型制造转型是全球制造业发展的大趋势。未来装备制造业要从满足市场发展到引导消费市场需要，产品和设备更需要企业提供一整套解决方案，包括选择、维护、保养、回收、再制造等。不发展服务型制造的制造企业将很难在国际竞争中占据优势。服务型制业也仍然是制造业而非服务业，核心竞争力归根结底还是在产品和制造模式上。

再制造使原始设备制造商可以向客户提供与新制造产品功能相同但成本更低的再制造产品。可见，服务化与再制造两种流程相辅相成，服务化便于再制造，同时再制造利于服务化。两者的结合是社会实现可持续的、高价值的工业系统的关键之一。

中国的产业结构转型明显，服务业占比迅速提升。但以制造业为代表的实体经济却出现了许多困难，制造业效率提升不足，出现了产业结构"转型"未"升级"的现象，而再制造技术向制造技术的转移可以促进制造的升级。其中一个重要原因就是，制造业服务化发展不够高端，服务能力不足。高端服务的一个基础是高端再制造，而高端再制造是基于高端制造能力的高端服务，高端服务能力不足本质上还是高端制造能力的不足。

9.4　再制造影响因素

9.4.1　再制造产品设计因素

设计在决定产品再制造的适宜性方面起着重要的作用。设计师在设计产品时需要考虑到未来的再制造，实现循环经济的一个关键起点是循环设计，即充分考虑制造、再制造和配套服务的设计。未来开展产品再制造，需要有针对性地重新设计，使它们能够使用更长的时间，充分考虑到修理、升级、再制造或最终回收而不是丢弃(如在垃圾填埋场)和简单的更换，制造工艺必须使产品具有可回收利用的能力。创新的商业模式必须在公司和消费者之间建立新的关系，如通过产品服务系统，公司销售产品的功能而不是实际产品，将价值来源从产品的处置和替换转移到维持产品的功能上来。例如，销售成像设备的功能是通过一些副本，而不是销售一个物理复印机，客户只为设备在规定时间内的运行能力付费，而不是为设备本身所包含的材料和能源付费[16]。

设计在决定产品再制造难易程度上起着关键作用。现有很多产品在再制造过程中出现问题，根本原因在于新品设计和制造环节根本没有再制造设计，造成再制造过程中出现诸多困难。例如，不合适的接头设计会显著增加拆卸过程的难度，有时需要采用破坏性拆卸，最终造成产品可回收价值的损失。如果总结再制造过程中出现的问题，在新产品设计中变更接头设计方式，将包含解决方案的新设计方案融入后续新品的设计与制造，未来再制造过程中的诸多问题将不复存在。

如果希望更好地开展再制造，需要原始设备制造商从设计阶段就充分考虑产品的可回收性与再制造性能。目前，企业普遍缺乏对再制造设计潜在好处的充分认识，另一方面，原始设备制造商也担心再制造设计会使独立的再制造商受益，最终后者会在售后市场上成为强大的竞争对手。所以，一些原始设备制造商在产品设计中甚至采取专门措施防止第三方开展再制造。当然，也有少数企业已经主动采用再制造设计来提高产品的可再制造性，如卡特彼勒公司从设计阶段就开始充分考虑产品的可回收与再制造性能，其卖出的产品能够以旧换新，旧机回收后开展再利用、再制造，该公司 20% 以上的产品均属于再制造产物。

卡特彼勒再制造典型技术专利案例与分析：旧缸套、面罩和旧缸套总成的再制造方法[17]。

案例基本情况：典型内燃机的工作条件非常苛刻，缸套承受极端的温度、压力和一些变量相对较大的波动。因此维修后从发动机上拆下的缸套磨损或变形超出原始规格的情况很常见，在某些情况下，缸套可能会损坏（例如开裂）。长期以来，标准做法是报废所有缸套。在再制造领域要重复使用的零件通常首先要与新零件一样好或比新零件更好，然后才能重新投入使用。

关键问题：对各种零部件在使用过程中所经历的磨损、应力和应变等故障模式和现象普遍缺乏了解。问题的根源：气缸套具有消除残余压缩应力的圆角，该圆角在疲劳敏感位置，围绕缸套的中心轴周向延伸并与径向突出的缸套法兰相邻。

解决方案思路：内燃机工作条件恶劣，缸套设计要符合再制造策略，使得缸套的某些特征对疲劳敏感。考虑到使用过程中的疲劳诱导条件，新专利所述气缸套上的圆角通常是预应力的，将残余压应力施加到形成圆角的气缸套材料基体上从而延长其使用寿命。

专利技术核心内容：采用压缩形成圆角的缸套材料基体，通过材料基体的塑性变形重塑圆角的非均匀轮廓，通过塑性变形恢复圆角的残余压应力。在后续再制造中：具有裂纹圆角的缸套在检查阶段通过检查、评估或测试或者直接报废。具有无裂纹圆角的缸套可从检查阶段转至再制造阶段。裂纹的存在与否，是将可修复缸套与不可修复缸套，或仅可修复缸套进行分类的一个有利标准。在其他情况下，缸套可能具有无裂纹圆角，但由于其他原因不适合将圆角恢复到与新品相同或更好的规格，因此以替代方式重新制造或报废。鉴于缸套在使用过程中所经历的条件变化，即使在同一台内燃机中，当缸套用于再制造时，任何给定组中的所有缸套都可能具有独特轮廓圆角。换句话说，任何给定组缸套中的圆角，都可能具有不同类型和程度的不均匀性，在重新制造后，圆角将趋向于重新成形，以便通过材料基体的塑性变形，使其在每个气缸套内以及整个气缸组内的旋转轮廓不均匀性降低。

总体分析：该项专利设计充分考虑到了新品制造环节和旧件的再制造环节，技术设计中融合了再制造设计的理念。

再制造设计通常不是典型的设计，企业在新品设计中要么忽略了它，要么专门排除它。由于缺乏考虑和过分强调成本效益，再制造商往往难以处理质量低劣的退货产品，或者很难找到经济上的理由，因为潜在的可回收价值不足，为单一生命周期设计的产品开展再制造所需工作巨大。因此，非常有必要鼓励开展多生命周期设计，国家在产业政策方面需要有配套支持，才能有效推进再制造设计的主动运用。

9.4.2 政策、监管和准入因素

有利的政策、监管将鼓励再制造。2015 年，欧盟委员会通过的《欧盟循环经济行动计划》[18]中 4 次提到了再制造：

(1)拟议的行动：在价值链的每一步都支持循环经济——从生产到消费、修复和再制造、废物管理以及反馈到经济中的二次原材料。

(2)产品设计：更好的设计可以使产品更耐用，或更容易维修升级，或再制造，可以帮助回收商拆卸产品以回收有价值的材料和组件，可以帮助节省宝贵的资源。

(3)再制造：是另一个高潜力领域，它在某些行业已经是常见的做法，如车辆或工业机械，也可以应用于新的部门。

(4)"地平线 2020"计划涉及范围：支持与循环经济相关的创新项目涉及再制造等领域。

再制造被官方认可，认为是促进循环经济行业的一个重要方向。

《欧盟循环经济行动计划》有助于从所有原材料、产品和废物中提取最大价值和使用量，促进节能和减少温室气体排放，并将得到欧洲结构和投资基金(European Structural and Investment Funds，ESIF)、地平线 2020、欧盟结构基金(EU Structural Funds)和国家级循环经济投资的财政支持。

欧洲欧盟委员会发布的几项强制性的法律指令对近几年再制造的发展起到了很大的推进作用。欧盟逐渐将再制造列入循环经济范围中以刺激欧洲向循环经济过渡，促进可持续经济增长，创造新的就业机会，促进再制造产业的发展。可见政策制定对于产业发展的巨大影响和推动。

2019 年 3 月 4 日，欧盟委员会通过了一份《欧盟循环经济行动计划》实施情况的综合报告[19]。该报告介绍了实施行动计划的主要成果所有的 54 项措施，包括法规和其他措施。欧盟的循环经济正全力向前推进。该报告强调从线性经济转向循环经济，通过几年的实践，循环经济行动计划已全面完成。实施循环经济行动计划加速了欧洲向循环经济的过渡，这反过来又帮助欧盟重新走上了创造就业的道路。

该报告强调循环设计和生产过程，产品生命周期开始时的设计对于确保循环性至关重要。随着 2016～2019 年生态设计工作计划的实施，欧盟委员会进一步推动产品的循环设计以及能效目标。

欧盟委员会于 2020 年 3 月通过了新的《循环经济行动计划》(以下简称《计

划》[20]。《计划》强调：要实现再制造和高质量回收，它是欧洲可持续增长新议程"欧洲绿色新政"的主要组成部分之一。欧盟向循环经济的过渡将减轻对自然资源的压力，并将创造可持续的增长和就业机会，这也是实现欧盟 2050 年气候中和目标和遏制生物多样性丧失的先决条件。

新的行动计划宣布了产品全生命周期的举措。它针对产品的设计方式促进循环经济进程，鼓励可持续消费，旨在确保防止浪费并将使用的资源尽可能长时间地保存在欧盟经济中。自 2019 年 12 月公布《欧洲绿色协议》以来，欧盟先后出台多项举措推动经济社会实现绿色转型。与 2015 年的旧版相比，新版《计划》将推动欧洲循环经济从局部示范转向主流规模化应用。新版《计划》指出将在未来 10 年内减少欧盟的"碳足迹"使可循环材料使用率增加一倍。欧盟委员会执行副主席、《欧洲绿色协议》负责人蒂默曼斯表示目前欧盟仍停留在"生产－消费－丢弃"的传统线性经济模式，只有 12% 的二手材料得以循环利用。新版《计划》的实施有望改变欧盟产品的制造方式，鼓励消费者做出更可持续的选择，而更多的再制造产品就是更可持续的选择。

2021 年 7 月 14 日，欧盟委员会公布到 2030 年减排 55% 的计划，这是 2050 年实现"碳中和"的第一步[21]。

美国于 2015 年 10 月通过《联邦汽车维修成本节约法案 (2015)》，再制造受到立法认可和鼓励。该法案要求每个联邦机构的负责人鼓励使用再制造的车辆部件（如发动机、起动机、交流发电机、转向架和离合器）来维护联邦车辆，前提是使用此类部件可以在保持质量的同时降低维护这些车辆的成本。在进出口方面，美国对再制造件没有任何限制，再制造件可以以任何形式和方式进出口和使用[22]。受到美国影响，加拿大也对再制造完全没有限制，新件和再制造件不做任何区分，对再制造件可以以任何形式和方式进出口和使用。

不同部门、产品类型、材料存在一系列特有的监管障碍。例如《控制危险废物越境转移及其处置巴塞尔公约》（以下简称《巴塞尔公约》）适用于工业数字打印机的案例。受《巴塞尔公约》影响，维修、翻新和再制造的工业数字打印机在签署国（如美国）和既是签署国、又是缔约方的国家（如德国）之间的流动需要额外的程序[23]。

9.4.3　市场因素

市场的本质是大众购买力与大众需求的结合。市场因素涉及社会规范、消费者偏好、消费习惯、消费档次、关联消费能力、概念成熟度、品牌成熟度、产品外观、产品功能、价格、相关标准、信息不对称等多方面。

关于价格折扣：价格常常被用来表示"质量"，较高的价格往往意味着较高的质量和较高的投入，较低的价格往往意味着较低的质量和较低的投入。在这种情况下，再制造商可以以合适的折扣去吸引愿意为产品支付相应费用的客户，包括支付较低价格的客户。不过这种方式可能影响再制造商生产过程中获得更多的利润，也会降低再制造产品的成本优势。

关于消费习惯：由于资源与消费能力的限制会让部分消费者逐步认可"维修与翻新"。但是消费者如果已经对"维修和翻新"有了较为深刻的印象，折扣模式将对"再制造"产业的发展造成一定阻碍，很多消费者对于再制造产品的信任不足，可能会低估再制造产品的质量，难以形成一贯的消费习惯，这会让很多企业在进入再制造行业或开展相关业务时感到犹豫和困扰。

关于再制造产品品牌：再制造商往往使用原始制造商有品牌的核心旧件，这样就有了再制造版本和新品两个版本，原始设备制造商不仅非常担心再制造产品会影响新品的销售，还担心它们会损害市场对产品品牌的信誉和信心。因此，再制造产品的品牌效益非常关键。在这种情况下，就需要保证再制造产品和新品的质量完全相同，从而达到再制造产品可以完美替代新品。

关于标准与认证：缺乏标准、认证以及"糟糕体验"的情况普遍存在，使客户对于再制造产品缺乏信任。为此发展再制造无疑需要提供必要的标准、认证以及给客户提供"良好体验"的机会。

为了让客户充分了解翻新与再制造的区别，认可再制造产品，未来需要加强宣传和教育的工作。行业和政府可以充分发挥作用(重要的机会点无疑是标准、认证以及"体验")，政府关注消费者利益和安全保证，行业对应的通过制定标准、认证和配套系统来落实，这些系统将为客户和决策者提供真正的保障。随着市场需求的日益增长，再制造产品完全可以成为可行的替代品。

9.4.4　技术因素

再制造技术的持续进步是再制造商保持技术能力的关键。再制造技术与掌握技术的人才密不可分，人才是最为关键的资源，留住掌握核心技术的人才才能确保技术能力。

第二次世界大战后，科学技术每十年都有一次大发展。科学技术从发明到应用的速度越来越快，特别是电子技术问世后，其发展变革的速度明显加快。很多产品的生命周期越来越短，尤其是电子产品更新换代速度过快，很多电子和数字技术新产品从上市到死亡或许就是2～3年，有的产品时间更短，只有2～3个月就要面临被淘汰。在行业快速变化和创新的背景下，信息技术部门需要不断更新设备、改变结构、转变使命，使得信息技术产品在面对再制造选择时挑战巨大。信息技术产品主要包括个人电脑(PC)、服务器、主板、调制解调器等。与其他行业相比，电子和信息技术产品面临着更为特殊的压力。在许多情况下，比较旧的产品难以支持与最新产品同等的升级，难以充分发挥产品的功能潜力。大多数信息技术产品具有高度复杂性和专有性，产品技术升级速度非常快，原始设备制造商的新产品业务在产品市场总份额中占比更大，再制造业务只占原始设备制造商收入的小部分。对于独立再制造商，虽然能够独立获取、再制造和销售其自己的产品，但由于与原始设备制造商构成了直接竞争，他们往往难以得到原始设备制造商的认证和及时的技术支持，这将显著影响客户对独立再制造商产品的信心。

再制造商如果希望保持能力，需要在技术上持续取得进步以确保最终产品与新产品的性能指标、系统功能相匹配。这里包括能源效率、新材料以及将更多的电气/电子系统纳入过去的机械产品再制造业务中，再制造商在技术能力、对应的人才能力上需要持续跟上新产品、新技术的变化要求。

当再制造商中的设计人员、技术人员和操作人员在设计方法、产品知识、工艺知识和技能水平方面达不到要求时，很多再制造工作将无法开展，生产能力会显著受限，相关的潜在经济和环境效益也将受到限制。

荷兰 Ace 再利用技术公司（独立再制造商）案例分析：该公司专门从事机电引擎驱动的再制造，专注于重新设计、修理和再制造，再制造的驱动器产品相当于新产品性能，或比新产品更好。由于新的功能和更低的价格，再制造设备具有市场竞争力。荷兰 Ace 再利用技术公司有着与原始设备制造商进行合作的良好记录。通过再制造，可以对机电引擎驱动系统进行一系列操作，从而实现成本节约。但是，再制造通常需要高技能的劳动力，很多岗位需要的是资深技术人员，这要求他们拥有比较深厚的专业技术背景和训练经历。Ace 再利用技术公司为劳动力技能发展提供了有利的培训机会，以支持公司持续开展再制造工作[24]。

9.4.5　旧件回收体系

再制造生产首先要求具备获得足够旧件的能力，通过旧件回收体系为再制造生产提供足够的旧件至关重要。如果旧件回收不足或旧件回收体系效率低下，就无法满足再制造生产者的输入需求。

通过再制造创造的大部分经济和环境效益都与原始生产材料和工艺有关，需要足够的、可行的"核心"旧件。产品或组件达到终止使用条件，可能会被引导到回收处置的寿命终止选项中——如果存在旧件回收体系，也可能被引导到二级市场，开展维修、直接再利用、翻新或者实施再制造。

再制造依赖于产品旧件的转移和收集作为流程的输入，虽然个别公司可能已经建立了自己的网络和回收体系，但这可能会给公司带来低效且巨大的成本负担，甚至是不堪重负。再制造产业发展亟需建立公共的网络和回收体系，为更多的企业、行业服务。建议由政府或行业组织设立专项资金支撑旧件回收体系建设。

利用逆向物流和再制造的闭环系统可以创造出重大环境和经济效益,从线性工业经济模式向更具再生能力的循环系统过渡,客户、最终用户和消费者是逆向供应链中的关键点。而全球竞争加剧、产品生命周期缩短、环保立法和更为宽松的商业回收法规等因素无疑会为提高产品回报率带来新机会。在这项工作中,质量与数量的平衡以及供需的匹配最重要。质量和时机会影响全球市场的经济利润率,回报增加与风险共存。然而有效的市场和物流规划将有助于将这一风险降至最低[25]。

9.4.6 进口因素

再制造需要足够的高质量毛坯,很多时候再制造毛坯数量不够需要进口。如果禁止进口可用于再制造的旧设备或对其征收重税,那么对应产业的再制造将受到抑制,尤其是核心毛坯件必须从国外进口的情况。

缺乏广泛认同的再制造法规、定义和再制造产品的相关认证,将影响再制造产业的发展。在国际贸易中,再制造产品经常被归类为"使用过的",许多国家限制"用过的"产品的进出口,以尽量减少废旧产品的贸易,避免管理这些废旧物的经济和环境成本。然而这些政策限制了再制造在更大范围内的增长。在较小的范围内,缺乏再制造的定义和标准,也导致不同市场的再制造产品质量和性能与原始(新)产品的质量和性能不一致。有些公司将产品作为"再制造"来销售,目的是利用"再制造"一词的性能内涵,而这些产品实际上只是重复使用或维修过的。消费者购买了假冒品牌的产品并很快出现了故障,可能会认为再制造产品总体上是"低质量"的。在这方面,需要一个被广泛接受的再制造定义、检验、恢复和测试标准,以及新的等效性能认证模型。

在过去的几十年里,有许多法律和法规支持报废产品的处置,如《报废车辆指令》、《废弃电气和电子设备指令》(Waste Electrical and Electronic Equipment,WEEE),以及《关于在电子电气设备中限制使用某些有害物质指令》(The Restriction of the use of Certain Hazardous Substances in Electrical and Electronic Equipment,RoHS 指令)。虽然它们为再利用、再循环和回收设定了现实的目标,并将生产者的责任更全面地延伸到产品生命周期,但它们也在某些方面限制了再制造。例如,ROHS 指令,规定欧盟市场上可能用于电子产品和电子元件的铅(Pb)含量,这可能会阻止再制造商重复使用含铅的部件,迫使他们处理这些部件(处置过程中不可避免都会造成环境暴露),并用无铅部件代替它们(导致提高再制造成本并造成更大的经济障碍)。另一个例子,医疗行业再制造设备的具体性能标准,重新认证是必要的,但会增加额外的成本限制或阻止再制造。这不仅会扼杀再制造的发展,也意味着,医疗保健提供者往往满足于只进行设备维修(不需重新认证),造成频繁的停机,影响人类健康和经济效率[24]。

9.5　利益攸关方对再制造的影响

发展再制造产业，需要的不仅仅是那些已经活跃在制造业和再制造业中的公司，在产品全生命周期内涉及的公司、组织、机构、人员都应该参与其中。因此，在产品设计、销售和生命周期服务(包括生命周期结束)中的组织也都要考虑到，再制造选项涉及紧密合作的利益攸关方，其中也包括政策制定者、行业组织者、科学研究与技术创新者和再制造产品的消费者等。

社会发展很重要的一个方面是人才能力、技能的持续成长，创造价值能力的持续成长。从这个角度看，发展再制造产业能够创造更多的高技能岗位、多技能岗位、培养更多的跨学科人才，整个社会都可能成为潜在的受益者，或相关的受益者。因此，再制造产业可以持续创造就业，这对于未来的社会发展意义重大。尤其是，再制造提供了一个平台，可以持续创造高技能的就业机会和岗位，是一个难得的专业人才的成长平台与机会。除了显著的环境、经济等综合效益，发展再制造更具有长远的社会价值和意义。再制造是循环经济计划中的一项重要战略，采取适当的政策，促进再制造业的发展，提高再制造在制造业中的比重，将有利于推动制造业迈向循环与可持续发展道路。

9.5.1　生产者的影响

9.5.1.1　原始设备再制造商

原始设备再制造商——再制造自己产品的原始设备制造商。原始设备再制造商在再制造环节是重新制造自己公司的产品，尤其是对于高附加值的大型复杂产品，开展再制造的优势是不言而喻的。

原始设备再制造商重新制造来自逆向物流的产品，他们拥有关于原始产品设计、零部件技术工艺和服务的所有必要信息。再制造过程可以与制造过程整合或分离，再制造产品的部件可以用于制造，例如富士施乐(富士胶片)案例，原始设备再制造商也可以被看作是进行再制造的业务单位。

原始设备再制造商决定对其产品实施再制造之前，关心的问题主要有：再制造技术和潜在成本、再制造产品的市场接受度、二手产品采购物流、环境考虑、品牌保护、竞争格局、同类竞争和市场扩张等方面。开展再制造业务首先需要了解整个产品的设计工艺，这对开展再制造的第三方(独立再制造商)而言无疑困难重重，对于复杂的高端产品，如果没有足够的设计知识和原始技术文件，难以开展再制造。

　　再制造部门的许多参与者对他们再制造产品的设计几乎没有控制权。独立再制造商在缺少或没有产品信息时开展再制造会面临很大困难。即使是原始设备制造商的再制造部门和研发部门之间的跨部门沟通，也存在信息交流障碍，而有效的信息流可以支持更好的再制造设计实践。为了更好地开展再制造设计，不同职能团队之间的协作至关重要。

　　原始设备再制造商具有获得和拥有设计知识、备件和服务方法的优势。从事再制造的原始设备制造商拥有最大的权力和机会，有足够的能力开展再制造设计。如果存在设计缺陷导致过度磨损或破损，原始设备制造商可以纠正这些缺陷，提高其旧产品的性能以及改进其新产品设计。为了再制造而不得不拆卸产品的流程迫使公司采用既便于维修又便于再制造的设计方法，这对公司和客户都有好处。原始设备制造商在使用过程中了解产品的问题所在，在再制造过程中能够进一步了解产品对应的问题所在，这些经验可以用来改进未来的新产品设计，并可以持续将再制造过程中的技术积淀有效反馈到新品设计中，设计出可以防止出现类似问题的修改方案。在经济衰退期间，公司的再制造部门往往可以成为帮助企业减少亏损，甚至是免于亏损的关键部门。

　　原始设备制造商从事再制造案例分析：橙色盒子(Orange box)是办公家具设计和制造领域的市场领导者。橙色盒子的产品非常适合再制造，选择耐用材料精简部件和集成功能，便于手工拆卸以促进有效的再制造。这种高效的拆卸和重新组装是创新设计的特点，允许有限的紧固件固定椅子背部与框架。此外，脚轮以及座椅泡沫可以很容易地移除和更换。通过后续产品开发，企业不断完善其再制造设计方法，目标是在不损害其设计和开发产品耐用性的情况下，在材料效率之间取得平衡。再制造可以延长产品寿命 4～6 年，实现接近两倍的材料和资源密集度降低[26]。

　　飞利浦医疗保健公司(原始设备制造商)案例分析：飞利浦医疗保健是皇家飞利浦母公司的一部分。它将再制造视为在创新和增长中释放新商机的一种手段。飞利浦以可承受的价格为客户提供先进的再制造医疗系统，实现整个价值链上的双赢。Allura Xper R7 FD20/10 介入 X 射线系统是一种最大限度重复使用材料(约80%)的升级系统。可靠性设计是其首要关键设计方法，以此开发并设计了一个基于材料再利用的升级系统。通过系统升级，飞利浦医疗保健可以减少高达 80% 的材料消耗，提高其资源效率和减少总体浪费。再制造系统的售价相当于新系统价格的 60%～85%，具体取决于产品的生产和其生命周期的发展情况。系统升级的方法可以节省高达 50% 的材料升级费用。升级为飞利浦提供了一种新的销售和服务合同，并获得新的收入方式，产品的剩余价值通过提供给客户的折价机制得到资本化。飞利浦公司向客户销售或租赁一系列再制造产品，提供后续客户服务和完整的保修。通过再制造实现新的商机，核心是以可负担的价格提供高质量的设备(保证与新设备的质量相同)[27]。

9.5.1.2　签约再制造商

签约再制造商将再制造作为原始设备制造商的服务来执行。原始设备制造商通常拥有产品并将再制造产品作为其商业模式的一个组成部分,但不执行实际的再制造过程。对于签约的再制造商而言,这意味着可能会有相当稳定的业务流,具有供应链优势、较少的营运资本要求和风险,公司可以期望从原始设备制造商处获得更换零件、设计和测试规范方面的支持。

UBD 清洁技术公司(签约再制造商)案例分析:该公司为欧洲汽车制造商的售后市场提供再制造服务,这些制造商负责向经销商网络供货。为了让柴油车以安全舒适的方式运行,它们需要在一定的里程数或一定的时间后进行维护。如果汽车行驶的距离较长,柴油粒子过滤器会自动清洁,但仍然需要在再制造过程中进行适当的更换和清洁以便再次安全使用。UBD 清洁技术公司开发了一种专利方法,可以重新制造过滤器并将其恢复到至少 95%的原始性能。该公司的关键资源包括员工、电力、独特的再制造程序,以及带回再制造旧件核心的能力。UBD 清洁技术公司制动卡钳再制造系统内的物料流见图 9-2。面临的挑战是再制造工艺流程开发使得核心件能够达到更高的利用率。

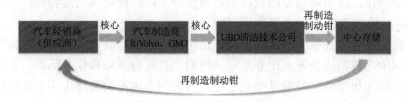

图 9-2　UBD 清洁技术公司制动卡钳再制造系统内的物料流[28]

9.5.1.3　独立再制造商

独立再制造商与原始设备制造商很少或根本没有接触,必须经常从最终用户那里购买或收集旧件。独立再制造商无法轻易获得有效再制造产品所需的知识,通常必须自己购买零部件和开发产品知识。这种类型的操作是一种综合性的操作,即它购买再制造旧件并以自己的名义(而不是利用 OEM 品牌)或为其他公司的自有品牌进行营销。

ACES 英国高级压缩机工程服务有限公司(独立再制造商)商业案例分析:ACES 是英国最大的压缩机再制造公司之一,为制冷和空气调节行业的承包商提供再制造的压缩机。承包商直接为终端用户(超级市场、商店、办公室、铁路、船舶以及任何使用压缩机提供制冷和/或空气调节的地方)服务,再制造公司极少与最终用户打交道。在大多数情况下，所有再制造的压缩机都是以交换的方式提供，公司从库存中提供一台压缩机，然后用旧的(坏掉/报废的)压缩机作为交换或者收取附加费。如果公司没有特定的压缩机库存，承包商会将损坏的压缩机退回给ACES重新制造，在某些情况下ACES可以在现场进行再制造。

该公司业务模式的主要挑战：为不再生产的压缩机寻找零部件，并寻找特定的压缩机机体，以替换那些无法经济修理/或报废的压缩机机体。公司在再制造过程中使用了旧件中的铸件，因此节省了大量资金，这取决于压缩机的尺寸/价值，压缩机机身铸造的尺寸越大，价值就越大，有时新压缩机60%以上的成本可以在再制造过程中实现。从客户的角度来看，再制造压缩机的好处是经济性(节约成本)，顾客得到的再制造产品和新制造的产品一样好，并且保修期相同。公司视再制造人员及设施为其主要资源，例如，优质装配工、达标的电动复卷机、设施内的重型设备及机械、重型起重设备如叉车、架空起重机等[8]。

在某些情况下，原始设备制造商通常将独立再制造商视为竞争对手。即使原始设备制造商本身不进行再制造，由于担心价格相对较低的再制造产品会蚕食原始设备制造商产品的销售市场，原始设备制造商故意通过不兼容的设计或抑制性市场机制限制再制造行为。

然而在某些情况下，独立再制造商能够改变其商业模式，努力开始与原始设备制造商合作，而不是与原始设备制造商竞争，以此促进再制造物流，这样他们最终实际上会转变成为一个签约再制造商。

数据显示，过去很大一部分再制造是由独立再制造商完成的。独立再制造商的营业额中，再制造业务占比非常高。他们主要参与维修和保养活动，是从事再制造活动的理想企业，前提是他们已经对与再制造相关的关键工作，如维修工作有了透彻了解，其技术、技能经过长期积淀已经实现能力达标。

从全球范围看，技术创新的速度越来越快，再制造变得越来越困难，导致第三方独立再制造商会持续减少，并且在可预见的未来这一趋势仍将会持续下去。

如果独立再制造企业技术能力不够，缺乏产品再制造专业方面的技术，仅仅能够将新品制造技术简单应用或堆砌，即使他们拥有应用技术的想法，但是缺乏原始产品技术资料，缺乏理论支撑，缺乏专业人才，无力持续采用先进的技术开展工作，又面临生存压力，为了极力压缩成本往往导致其最终的再制造更接近于简单的产品翻新。

9.5.2 消费者的影响

市场需求始终是任何行业增长的决定性因素。原始设备制造商和第三方生产商参与再制造的决定往往取决于市场动态：一个产品的再制造版本是否有市场？

在什么价位上再制造产品是可行的？

原始设备制造商和第三方生产商通常为再制造产品提供折扣价格点，在适当的折扣上，客户将接受不同的再制造产品[29]。在服务业务模式下，客户可能对再制造产品更加开放，客户只租赁产品并从租赁公司获得全面的收费服务。

再制造产品的出口机会对许多发达经济体意义重大，出口机会为再制造生产商创造增长潜力，但这些机会往往受到国外市场监管壁垒的限制。国际贸易、再制造产品和部件交换面临的主要障碍是缺乏公认的标准，许多国家担心废弃副产品带来的风险，限制旧件和再制造用旧件的流动，无意中阻碍了产品旧件的贸易机会[30]。

9.5.3 收集者的影响

再制造产业的规模和提高资源利用率的能力与再制造商从市场上回收产品的能力密切相关。原始设备制造商或政府往往没有动力承担回收费用负担，对于较大的原始制造商，从事再制造具备有效的回收系统，如全球再制造重载和越野车辆设备零件具有高回收率(约 93%)，然而收集者必须教育和激励使用者以确保产品回到收集系统而不是去填埋。在再制造的情况下，生产者通过为产品的返还提供奖励性付款，或在购买时对产品收取定金来实现旧件的回收。通过适当的教育和奖励措施，整个系统的用户和代理人能够更好地提高回收率和提高逆向回收系统的效率，以便将再制造旧件重新送回[30]。

9.6 典型循环制造探索实践案例

未来再制造产业如何发展，再制造产业如何作为核心产业有效支撑循环经济的高质量运行，充分借鉴已有的成功模式意义重大。再制造产业发展过程中有不少成功模式和实践探索值得我们深入分析、研究，以便吸取经验与教训，更好地面向未来。

富士施乐公司(Xerox)目前是全球最大的数字与信息技术产品生产商，是复印技术的发明公司，具有悠久的历史。施乐公司在产品设计、专利策略、产品再制造策略等多个方面的经验值得我们学习借鉴，尤其是其创造出的再制造模式。

1. 循环制造与资源循环型产线的出现

1950 年，施乐公司推出实用阶段的静电复印机。
1991 年，富士与美国施乐公司合资，全面进入低端打印机市场。

1996 年，以"零废弃"为目标，将再生回收的零件重新投入到生产线（成为新品的一部分），这也是第一条资源循环型生产线，具备循环制造的特征。

2000 年，富士施乐在美国范围内构筑零废弃系统，实现资源循环率 99.97%。

2008 年，富士施乐在中国苏州落成并投产了资源循环系统，对回收来的废旧复印机、数码多功能机以及硒鼓进行拆解和循环利用。资源循环工厂自 2008 年 1 月运营后，年处理能力为 1.5 万台设备和 50 万个硒鼓。2009 年 3 月公司的废旧设备循环再生率超过 96%[31]。

2. 产品中融合再制造理念的产业实践

目前，再制造产品主要是在很多产业的后市场发挥着作用。而在复印机行业，原始设备制造商在新机制造中大胆采用再制造零部件，再制造商提供了大量高质量、高可靠性且价格较低的再制造复印机。

施乐出售的复印机价格昂贵，是重要的固定资产投资。大型复印机只能放在公司的某个固定地点，工作方式被称为"集中复印"。由于操作复杂，需要安排专人进行管理和操作，想要复印，就要不辞辛苦地前往复印机前，工作方式不仅麻烦而且保密性不好。施乐在成功中麻木了，忘记去解决客户存在的痛点。

佳能于 1982 年推出世界首创的硒鼓方式小型复印机"PC-10/PC-20"，小型复印机产品覆盖面广、使用量大，从政府机关与企事业单位，到遍布街头的文印店，需求数量惊人。为了避免被资金和技术占优的施乐斩杀，佳能与东芝、美能达、理光等企业联合生产。

技术发明被称为"创新性毁灭"，每一项新技术都有可能成为领先者的拐点，也可能成为追赶者的跳板。佳能公司和理光公司在产品性能上展现竞争力，将市场目标定位为拥有巨大潜力的小企业，将安装外包给竞争力很强的独立经销商网络，以较低的成本出售小规模复印机，在墨盒技术上大做文章。佳能公司申报了大量墨盒技术专利，使墨盒的再制造、再利用能力和制造能力（包括便于维护、拆卸、组装、操作、更换、清洁等）显著提高，成为企业盈利的主要来源。

佳能公司在制造、使用和维护方面，掌握了施乐复印机产品的优点，并融入自身产品的设计、制造、使用和再制造、再利用中。从一个指标中（数据来源于截止到 2022 年 5 月底的美国专利数据），可以看出佳能成功的合理性。佳能 2021 年获得了 3021 件美国专利（佳能官方公告 3022 件），排名第三。同时，佳能是日本公司在美获取专利数连续 17 年排名第一。与再制造相关的专利方面，佳能公司的专利（特指在美国申请的专利）数量（为 527 项，专利总数为 83686 项）显著多于施乐（与再制造相关的专利为 216 项，专利总数为 35404 项）以及其他同行企业（理光与再制造相关的专利为 166 项，专利总数为 27539 项）。而随着佳能公司在产品再制造方向的深入研究，最终受益更大的一定是设计部门(更好的设计专利)、制造部门(便于制造、组装、检查，更多的制造专利)以及使用、维护、服务和后期开展再制造服务的部门，佳能公司在新品制造中融入了更多的再制造理念，在学习与创新中超越了对手。

市场、客户对于再制造产品的需求在新的发展背景、经济背景、政策背景下可能迎来巨大增长，企业要做的是努力创造机会和抓住机会，而市场需求永远是最为关键的因素，对于再制造也是如此。"碳中和"目标给再制造产品、再制造产业带来了千载难逢的激励和助力，如果再制造产品能够确保与新品一样的性能和质量，具备足够的规模，再加上有竞争力的较低价格，再制造产业的未来将充满强大竞争力与无限可能。

3. 循环制造案例的细节分析与思考

复印机行业是一个将服务和再制造完美融合的典型行业。复印机原始制造商建立一个产品和服务相结合的商业模式。原始制造商保留机器的所有权(这一点非常重要，是未来有效开展多次再制造以至于循环制造的关键)，客户只需在规定的时间内支付使用费，这样可使客户免除硬件的巨大成本，而原始设备制造商的收入更多的来自产品功能，直到可以完全依靠产品功能。为了支持这些商业模式，复印机制造商已经开展再制造多年。

富士施乐有限公司从 20 世纪 90 年代开始开展再制造，紧随其后的是行业竞争对手理光和佳能公司。在全球面临"碳中和"目标的当下，这一商业模式越来越有其存在的价值和优势，原始制造商保留机器的所有权或机器最终的处理权，有助于由原始制造商或原始再制造商持续开展多次的再制造。

以理光和佳能为例，翻新旧产品的零部件，制造完全再制造的机器。这种方式扩大了潜在的市场基础，以至于在许多情况下，再制造机器的利润大于原始机器的利润，因此尽管存在一定程度的竞争，商业模式仍然可行。

相比之下，富士施乐一方面按照质量保证标准流程，实现了零部件的循环使用，同时将再制造的零部件整合到新产品中，这无疑是一个极具特色的突破和进步，再制造的零部件整合到新产品中，是从产品制造、产品再制造走向产品循环制造的重要一步，可以说，初步开启了零部件到整机的循环制造历程。

施乐公司"碳粉盒的再制造方法和再制造碳粉盒"专利[32]分析(表 9-6)：以一个施乐公司典型专利为例，分析其在产品设计中包含的再制造设计核心方法。

富士施乐的运行模式为商业运营与保护环境之间的平衡提供了先进的模式参考，是一个可以充分借鉴的范例。

表 9-6　施乐"碳粉盒的再制造方法和再制造碳粉盒"专利分析

专利描述	对应的再制造设计
打印机包括一个容器或墨盒新鲜碳粉,从该容器或墨盒分配到打印机中。为了提供小型紧凑型盒带并提供易于取出的盒带,盒带通常具有紧凑的形状	有利于部件拆解、取出、使用维护,便于实施再制造
碳粉盒的再制造方法包括:更换感光鼓、清洁刀片和密封件中的一个或多个	更换独立模块有利于维护和实施再制造
服务成本占印刷机运行成本的很大一部分。某些组件是最可能需要服务的组件。通过提供一种容易更换部件的方法,操作员可以自己更换部件,从而避免维修技师的人工成本	便于更换独立模块有利于用户使用、维护
特定部件整合在一个外壳内,客户可以轻松更换。外壳通常称为客户可更换单元(CRU),通常包括碳粉、清洁刀片、充电装置(或偏压充电辊)和感光器	用户可以轻松更换独立组件
在复印机的使用寿命内,CRU 会更换几次,CRU 内部部分组件会被消耗,但许多组件可以重复使用。CRU 经常进行再制造而不是更换。再制造包括用新碳粉重新填充CRU,检查所有磨损部件,更换磨损的部件	组件可以重复使用、持续多次开展再制造,实现了循环制造
重新制造碳粉盒的方式克服了无法调整机器中任何静电复印设定点的限制,提供了影响售后的解决方案	在再制造过程中,成功找到了关键技术问题的有效解决方案
碳粉设计可用并正在开发中,以便与第三方售后组件供应商一起重新制造一体式碳粉盒。其中,一些碳粉盒是非磁性、单组分结构,特定碳粉设计用于与售后组件配合使用,可以获得与原始设备制造商碳粉相同的流动性能和充电性能,即悬浮聚合	有利于第三方开展循环制造
在第三方售后服务安排中,第三方采购组件如感光器、清洁刀片、密封件等并开发再制造流程,包括说明书、夹具和手动工具以及碳粉,提供打印机中使用碳粉盒的再制造解决方案	支持第三方开展再制造有利于商业模式的有效运行

　　在施乐模式中几乎所有的新产品中都可能包括再制造部件,从而消除了新产品和再制造产品之间的区别,消除了公司内部的竞争,这一实践探索有着巨大的示范效应和多方面的参考价值。经过多年实践,在这一领域获得的专门知识有可能使再制造在未来成为商业实践的新规范,再制造产品成为用户市场的一种新规范。

　　原始设备制造商增加再制造的动机仍有巨大的扩张空间。其中一个原因是再制造产品相对较低的价格,能够鼓励更多的客户购买它们,与原始设备制造商增加收入目标一致。未来新品的生产规模、新品成为旧件后的规模处理要求,在"碳中和"目标下的新变化,有可能给再制造产品带来全新的增长空间。

　　再制造通过重复使用子部件和避免原材料生产、能源和工艺消耗来降低成本,但与新产品的自动化大规模生产和完善的分销网络相比,再制造仍然是技术和劳动密集型过程,其供应链的不确定性比较大。成本优势和规模劣势在很大程度上取决于某些平衡。有了"碳中和"的助力,一系列相关政策的支持将有助于增加再制造的规模优势，如果要求某些存量(产品)必须进行再制造的政策出台，将使供应链的确定性大大增加。

　　将来，若新产品的生产数量最大限度地降低了，而需要重复使用的零件和部件数量和需求最大限度地提高了，那么再制造将迎来可以接受的稳定的毛坯供应和规模生产，进一步增加其优势。施乐案例可以说将产品设计、制造、再制造整合在一起，初步实现了零部件的闭环循环系统，值得我们深入思考和借鉴。

　　从事再制造，最终受益的是制造科技(再制造科技会转移到新品制造，成就更强大的制造——促进整体专利的显著增加)——实现设计与制造的升级。未来的制造将是一种充分融入再制造零部件、理念与设计的，实现了质的提高的，更加有竞争力的，可以开展多生命周期循环的制造，而再制造科技会成为制造科技中不可分割的一部分。

参 考 文 献

[1] United States International Trade Commission. Remanufactured Goods: An Overview of the U. S. and Global Industries, Markets, and Trade[M]. USITC Publication, 2012-10: 4-3.

[2] 刘训涛, 曹贺, 陈国晶. TRIZ 理论及应用[M]. 北京: 北京大学出版社, 2011.

[3] IFI. 2021 Global 250: The World's Largest Patent Holders[Z]. 2021. https://www.ificlaims. com/rankings-global-assets-2021. htm.

[4] Grassano N, Hernandez G H, Tuebke A, et al. The 2020 EU Industrial R&D Investment Scoreboard[R]. European Commission, 2020-01-01.

[5] 费尔南德·威兰. 再造如新[M]. 韩群, 史佩京, 韩红兵, 译. 郑州: 河南人民出版社, 2017.

[6] AUTOELECTRO. Business Model Description-Starter motors and alternators[Z]. 2016-05. https://www. remanufacturing. eu/studies/28f91f5f9489d900cdf4.pdf.

[7] Toyota Material Handling Sweden. Business Model Description-Forklift Ttrucks[Z]. 2016-05. https://www.remanufacturing. eu/studies/c81d0b10b2e16aff607d.pdf.

[8] ACES. Business Model Case Study Description－Compressors[Z]. 2016-05. https://www.remanufacturing.eu/studies/fa2286dc18c276527bb5.pdf.

[9] ARP suppliers. Business Model Case Study Description－Toner cartridges[Z]. 2016-05. https://www.remanufacturing. eu/studies/2ae67d0e001d27a01ca3.pdf.

[10] ATP Industries Group Ltd. Business Model Case Studyz－Automatic Dual Clutch Transmissions [Z]. 2016-05. https://www.remanufacturing. eu/studies/bd016c9500524b684ca1. pdf.

[11] 财富. 2021 年《财富》世界 500 强排行榜[EB/OL]. 2021-08-02. http://www.fortunechina. com/fortune500/c/2021-08/02/content_394571.htm.

[12] 日本爱信精机公司[EB/OL]. 2022-02-07. https://www.aisin. com/en/profile/outline/.

[13] 爱信 AW 株式会社[EB/OL]. 2022-02-07. https://www.aisin. com/en/profile/brand/.

[14] 新浪财经. 王传福: 技术派的力量[EB/OL]. 2007-12-04. http://finance. sina. com. cn/leadership/crz/20071204/00224245793. shtml.

[15] Nasr N. Remanufacturing in the Circular Economy-Operations, Engineering and Logistics[M]. Beverly M A: Scrivener Publishing, 2019: 119-120.

[16] Nasr N. Remanufacturing in the Circular Economy-Operations, Engineering and Logistics[M]. Beverly M A: Scrivener Publishing, 2019: 37.

[17] Aaron C, Simposon T A. Method of remanufacturing used cylinder liner, mask and used cylinder liner assembly: US9676068[P]. 2017-06-13.

[18] Communication from the commission to the European parliament, the council, the European economic and social committee and the committee of the region closing the loop. An EU action plan for the Circular Economy[Z]. 2015-02-12. https://eur-lex. europa. eu/legal-content/EN/TXT/?uri=CELEX: 52015DC0614.

[19] Report from the commission to the European parliament, the council, the European economic and social committee and the committee of the region on the implementation of the Circular Economy Action Plan[R]. European Commission, 2019-04-03.

[20] Communication from the commission to the European parliament, the concil, the European economic and social committee and the committee of the region—A new Circular Economy Action Plan For a cleaner and more competitive Europe[Z]. 2020-11-03. https://eur-lex.europa.eu/legal-content/EN/TXT/?qid=1583933814386&uri=COM:2020:98:FIN).

[21] European Commission. Delivering the European Green Deal-Transforming our economy and societies[Z]. 2019-12. https://ec.europa.eu/info/strategy/priorities-2019-2024/european-green-deal/delivering-european-green-deal_en.

[22] Mr. Chaffetz. Federal vehicle repair cost savings act of 2015[R]. 114th congress 1st Session -House of Representatives, 2015-09-24.

[23] Russell J D. Re-Defining Value-The Manufacturing Revolution: Remanufacturing, Refurbishment, Repair and Direct Reuse in the Circular Economy[R]. International Resource Panel, 2019-09-13.

[24] Prendeville S, Peck D, Balkenende R, et al. Map of Remanufacturing Product Design Landscape[R]. European Remanufacturing Network, 2016-01: 11-12.

[25] Nasr N. Remanufacturing in the Circular Economy[M]. Beverly, MA: Scrivener, 2019.

[26] Orange box. Case Study D—Ara Task Chair[Z]. 2016-01. https://www.remanufacturing.eu/studies/0577a998a9e175a1614a. pdf.

[27] Philips Healthcare. Case Study I—Diamond Select Allura Xper FD20/10 Interventional X-ray system[Z]. 2016-01. https://www.remanufacturing.eu/studies/fe7036c095524da69e15.pdf.

[28] UBD Cleantech AB Business Model Case Study Description of UBD-Diesel particle filters[Z]. 2016-05. https://www.remanufacturing.eu/studies/db89e88bfc8dea5de4af.pdf.

[29] Russell J D. Re-Defining Value-The Manufacturing Revolution: Remanufacturing, Refurbishment, Repair and Direct Reuse in the Circular Economy[R]. International Resource Panel, 2018-11: 95.

[30] Russell J D. Re-Defining Value-The Manufacturing Revolution: Remanufacturing, Refurbishment, Repair and Direct Reuse in the Circular Economy[R]. International Resource Panel, 2018-11: 96.

[31] 富士施乐. 富士施乐爱科被工信部评为机电产品再制造试点企业[EB/OL]. 2010-02-04. http://www.keyin.cn/news/xiehuiyuanxiao/201002/03-272812.shtml.

[32] Xerox Corporation. Method of remanufacturing a toner cartridge and remanufacturing toner cartridge. US8929768[P]. 2015-06-01.

第 10 章
再制造产业发展建议

10.1　决策者的着力点

决策者主要包括相关政府主管部门、标准化组织、行业协会、领域专家等。

10.1.1　从顶层设计层面全方位鼓励再制造

再制造产品、再制造产业的商业成功的主要影响因素可以表述为：核心技术支持+高质量、长寿命产品+量产能力+商业模式，本章基于主要内在逻辑来分析决策者对于发展再制造产业的着力点，见表 10-1。

表 10-1　再制造内在逻辑与决策者的顶层设计

序号	视角	顶层设计
1	物理学逻辑	鼓励企业开展产品长寿命设计，鼓励实现产品多生命周期的再制造
2	核心技术的控制力	鼓励技术研发和知识产权保护
3	经济学逻辑	激励产业发展，特别是鼓励中高附加值产品的再制造
4	规模效应(旧件)	为旧件大规模回收提供条件
	规模效应(生产)	为旧件规模再制造提供条件
5	市场效应	培育再制造产品需求市场
6	产业链生态效应	培育、完善再制造产业链、生态链
7	人才	为产业发展培养各个方面的人才
8	环境效益	支持、奖励再制造产业发展带来的环境效益

制造业的产业体系和分工，已经有几百年的历史积淀，非常成熟，而再制造产业相对于制造产业，是一个逆向过程，还远远没有达到应有的成熟。以物流为例，再制造是逆向物流，如果从立法层面就要求原始制造商将报废产品回收，甚至进行再制造，立法工作就可以管理报废产品的收集和再利用，将废物管理责任转移给生产者，确定允许的废物产生量，要求增加使用可回收材料，并限制有害

物质的使用和管理。最终，实现通过立法鼓励公司采用逆向物流、实施再制造。

支持与发展再制造努力的基础，其顶层设计需要兼顾经济、社会和环境等多个角度。经济方面，要确保有利，建立利益共同体来持续推动再制造产业，高附加值的高端产品更容易做到、做好，而低附加值的低端产品则需要政策支持和引导；社会价值方面，要能得到全社会人员的积极认可，这一点，也相对容易做到；环境上有益，这方面，低附加值、低端产品同样需要依靠国家的有力把控和推动。低附加值、低端产品的再制造具备良好的环境效益，并且能够提供相应的就业机会，因此，低端产品再制造也具有重要的综合价值。决策者需要从全系统、多维度来考虑再制造产业的良性发展。再制造产业在中国的未来发展，需要广泛开展全方位的、包括从低端到高端产品的再制造，才能更好地兼顾环境效益、就业、经济效益等综合效益。

10.1.2　从立法层面鼓励再制造

立法者在未来法规政策的顶层设计上要充分起到规范、指导、激励再制造产业发展的作用，比如：当某一产品接近报废、准备报废时，应对其优先考虑安排再制造而非回收；产品从最初的新产品设计环节就应充分考虑到后续的修复与再制造。将再制造设计理念与方法融入产品设计，对于设计师的要求非常高，即要求设计师需要具备多学科的思维。而做到这一点非常不容易，要有巨大的人力、智力以及财力长期投入。因此，立法者和政府管理部门要从政策制定环节就大力鼓励产品的再制造设计、再制造产品的生产和再制造产业的持续发展，具体可包括：

鼓励原始制造商采用再制造设计(建议给予减免税收的优惠)，鼓励将维修信息、技术信息提供给再制造商(同样需要给予减免税收的优惠)；

鼓励各类消费者购买再制造产品；

政府审查法律法规和税收政策，避免出现不利于发展再制造的内容，还要积极为再制造产业创造稳定的激励和奖励机制；

政府引入新的政策立法之前，要确保不给再制造带来新的障碍等[1]。

10.1.3　从跨学科决策层面鼓励再制造

2009 年 12 月 8 日，国务院总理温家宝在中国工程院徐匡迪院长和徐滨士院士上报的关于发展再制造的报告上批示："再制造产业非常重要。它不仅关系循环经济的发展，而且关系扩大内需和环境保护。再制造产业链条长，涉及政策、法规、标准、技术和组织，是一项比较复杂的系统工程。"再制造产业链涉及大量的跨学科、跨领域问题，需要多部门、多学科的专家以及行业相关者协同研究。围绕再制造产业的发展，政府多个相关部门面对多方利益相关者和产业相关者，需要做好跨学科、跨部门决策，做好涉及多部门利益与关系的协调，这一工作的难度和复杂程度极具挑战。

从产品层面看，越来越多的再制造产品为机电一体化产品，并且越来越多地融合了自动化、信息化和智能化技术。仅仅是机电一体化产品的设计、开发和实现就需要跨学科、多学科的方法、思维和技能，而对应的机电一体化产品的再制造，也同样需要跨学科、多学科的方法、思维和技能。

政府各个部门制定相关产业政策，不仅要从本部门视角、关注点和利益出发，还需要从多部门、多学科、产业链视角，从国家总体战略、"双碳"目标、循环经济、生态建设等全方位视角和国家高度出发，确保国家长久利益、多方面利益和综合利益的最大化。

在一个经济体中实现对再制造产业的产品种类和产品规模的发展需要整体、系统的方法，考虑到多种可能的障碍，以及这些障碍的相互作用，如果其中任何一个关键障碍不能得到有效解决，那么整个再制造产业都不能得到良好发展。

对于决策者来说，发展再制造产业需要充分考虑并着手解决以下四大障碍[2]：

(1) 监管和准入壁垒：指限制再制造产品或核心旧件进入的壁垒。可能包括将再制造成品或用于再制造生产的核心旧件带入国内经济的费用、关税或其他交易成本。

(2) 收集障碍：再制造生产取决于获取合格旧件的能力。如果旧件回收体系不足或效率低下，就无法满足再制造生产者的需求。过高的运输成本可能导致产品最终被丢弃。建立有效的逆向物流渠道是再制造企业成功的关键。实践表明，虽然原材料的回收可以在全球范围内进行，但由于旧件体积和类型因素的显著变化以及运输完整产品的物理复杂性，用于再制造的核心收集网络在地方或区域范围内可能发挥最佳作用，这就需要决策者有效开展国家或地区级别的合理规划。

(3) 技术障碍：当再制造生产商无法获得待再制造产品的配套制造技术、产品和工艺文件，技术与操作人员技能不足时，再制造生产商的能力将显著受限，难以释放再制造产品的潜在经济效益。

(4) 市场障碍：客户态度、认识、支付意愿和购买行为非常复杂，给再制造产品供应商带来了额外挑战。

决策者在具体决策方面，特别是跨学科、跨领域决策方面，在顶层设计过程中必须着力解决上述问题，而决策者具备企业、行业完全没有的优势，大有可为。

(1) 监管和准入：为再制造产品或核心旧件进入经济体提供政策保障。没有足够的核心旧件，就没有足够的再制造产品，要为再制造产品的生产提供足够的核心旧件。例如：国家允许核心旧件和再制造产品跨境流动的政策不一致，导致废旧零部件(再制造毛坯)和再制造产品跨境运输存在限制,这两类产品通常被归类为废物;再制造产品本身也可能受到仍然是废物或被"倾倒"的看法的影响。由于禁止或征收税款,这些因素会影响废旧零部件和再制造产品的进出口运输。因为供应和需求可能不在同一个国家,需要解决限制跨境运输货物的贸易壁垒,为再制造提供条件。

(2)收集:建立旧件回收中心,将多个来源的旧件在中央收集点集中。中央收集点要具备回收处理大批量的各种类型产品的能力,有足够规模的处理中心可以使技术人员的学习和实践更有成效。购买旧件的再制造商会更倾向于大宗交易,而大宗旧件集中在某地方会吸引潜在的竞购者,增加他们的支付意愿。可以考虑由政府主导、引导建立面向广大企业、全行业、各种类别产品旧件的统一回收体系和基础设施,大幅度降低旧件的收集和物流成本,提高获取足够合格旧件的能力,为再制造产业提供满足批量生产的旧件。如果旧件回收体系满足要求且有足够效率,将有力支撑后续的产品再制造。决策者可以开展合理规划,选择合适时机、合适地域建立大型旧件回收中心,并利用回收中心的地理位置布局建立相应的再制造生产中心。

(3)技术:依托旧件回收中心,可以考虑建立区域再制造产业集聚区,使之成为再制造技术、产品、人才和研究中心,再制造产业的活动水平与制造业密切相关,需要协调骨干再制造企业与制造企业密切合作。众所周知,基于再制造的服务模式可以提供远远超过简单回收利用的材料和能源价值,而回收利用在政策层面已经得到了国家的广泛支持。推动再制造企业与制造企业密切合作,才能提供满足再制造生产所需的技术、产品知识、工艺知识和多技能、高技能劳动力保障,释放再制造生产商的能力。

(4)市场:在确保再制造旧件来源、生产规范、产品质量的基础上,采取多种激励措施,为客户充分展示企业资质、能力,推荐高质量的再制造产品,引导客户(消费者)购买再制造产品。

再制造作为推动循环经济发展的贡献者,其作用已经被量化,需要将发展再制造、鼓励再制造的行动落实在废物处理和资源政策的框架和内容中,使目标和行动建立起密切的联系。

10.1.4　财政激励机制推动再制造产业发展

建立支持再制造的财政激励机制,制定生产者责任延伸制,鼓励或要求原始制造商在产品设计中采用再制造设计,鼓励原始制造商开展或委托开展其产品的再制造。

再制造面临的一个主要挑战是,所需的人工操作(拆卸、清洁、检查、测试)

和逆向物流会产生高昂的成本。考虑到再制造在提供就业、培养多技能人才和环境方面的收益,为再制造产业减税十分必要。

财政激励可重点关注以下几个方面:在税收上提供优惠;将政府对能源效率的补助扩大到再制造产品;扩大生产者责任,加强生产者的收回义务,增加回收和再制造;对生产者回收义务的要求,将迫使制造商更深入地考虑产品在使用寿命结束时会发生什么、如何获得核心旧件。一旦获得了核心旧件,制造商将需要充分考虑如何最好地提取价值。

10.2　产业人才培养的重点

10.2.1　技能密集型岗位

需要正确看待再制造产业的特性。欧美再制造产业发展已经进入成熟阶段,主要产品为中高端产品,表明其再制造产业对于劳动力具有的较高技能要求,再制造商具备独特的人力成本支出。对比分析制造和再制造:新产品制造在不同阶段,专业分工细致,专业技术人员往往只需要涉及专业分工的一小部分,或少数的零部件和工序。制造流程不同工序的分工与对于人员的技能要求比较单一、非常明确。制造环节通常是大批量生产,工序容易实现自动化,产品制造后,商业模式为通过大量销售获得高收入,而新品制造在获取原材料并将其制成产品方面需要付出很高的成本。

相比之下,再制造的收入不是来自数量,而是相对于较低的材料和产品制造成本,产品的可提取价值高。实际产品再制造过程中,除了材料成本之外,后续增加的零部件清洗、零部件拆解、分类、检测、表面修复、尺寸还原及零部件再制造过程中的疑难杂症处理,往往是单件性,这些环节大大增加了再制造的成本,还有对应的人力成本,并且对于技术人员和操作人员有较高的技能要求。可以说:再制造对于从业人员的工作要求、技能要求显著高于制造。再制造独特的流程、步骤,如拆卸、清洗、检查、诊断,这些重要的关键环节往往难以实现自动化,而这在新品制造过程中是不存在的,很多工作充满了不确定。

汽车零部件再制造面临诸多挑战,不仅来自于很高的劳动力成本、缺乏足够合格的再制造旧件,还面对着日益增加的再制造设计的复杂性。比如,车辆电气化和机电一体化技术发展迅猛,技术人员越来越难以有效、准确地开展成本评估、诊断、拆卸和维修等活动。在不断发展的排放法规的推动下,发动机技术每两到三年就会发生一次变化。因此,发动机设计正变得越来越复杂,并与电子设备集成,进一步增加了后续再制造操作的复杂性,再制造需要技术人员拥有能够持续升级的技能(不久的将来,可能只有原始制造商才最有能力去应对快速变化的技能要求,有效开展涉及多周期循环的再制造设计)。这对于再制造从业人员是持续的巨大挑战。

10.2.2　跨学科、多技能、复合型人才

我国目前的设备管理、维修专业人才比较缺乏。业内人士认为,现有的机械设备越来越复杂,自动化程度越来越高,而目前的高技术维修和再制造也不是以往的换换零件、修修补补等简单工序,而是需要融入机械工程、自动化控制、材料处理、信息技术等交叉学科,因此需要更高层次的多技能专业人才。

再制造的许多工序是劳动密集型的,尤其是很多低端产品再制造。与高度自动化的正向装配相比,拆卸和诊断过程绝大多数是手工方式。此种情况下,再制造过程中的许多决策依赖于工程经验,而工程经验需要长时间的训练、培养与积淀,需要工程师和技术人员拥有的技术技能大大超出制造模式,一旦开展比较复杂的中高端产品再制造,就会发现,很多再制造岗位实质上是跨学科多技能密集型岗位。再制造所需的技术人员、操作人员,其数量、技能要求和技能复合要求比制造更高,因而,从事中高端产品再制造的人工成本明显增加,甚至可能显著高于制造环节。对于从事再制造设计的技术人员来说,做好当前的再制造,可以将其所积淀的再制造设计相关理念、经验和技术转移到制造环节,从而显著提高新产品的设计与制造水平,这样将会有助于后续新的再制造和未来的循环制造,持续在更高水平推动产品的制造与再制造,成为符合循环经济发展要求的高水平原始设备制造商与再制造商。

以从事汽车发动机再制造的技术人员为例:再制造不是简单的制造环节的部分再现,不能把原有的制造经验直接照搬过来。从实际工作中的需求看,从事发动机再制造需要的技术人才,必须是复合型人才,既要深刻懂得发动机产品的应用,又要懂得发动机的研发设计;既要有扎根于制造与维修实践的实战经验,又要掌握对应的理论知识;既要掌握具体零部件的性能与特点,又要熟悉整机的性能与匹配性;既要了解新品制造方法,又要了解再制造零部件的特性与机械加工;既要熟知新品研发流程,又要能够创新性地将研发流程应用于再制造产品的特殊流程中。因此,再制造对于从业者的知识、技能要求充满了新的期待。目前,只有极少数公司在设计阶段考虑了产品的再制造。很多企业还没有享受到再制造设计的潜在好处。相反情况下,企业因不开展再制造设计可能会使独立再制造商受益,后者最终在售后市场上成为强大的竞争对手。一些原始设备制造商甚至故意设计产品,禁止或复杂化再制造,以打击第三方再制造。针对这些问题,需要国家顶层设计和政策支持,尤其是从财税政策上鼓励基于再制造设计的产品制造与

再制造。"双碳"目标下，从未来的发展趋势看，未来会有越来越多的公司通过再制造设计来提高产品的可再制造性。

10.2.3　跨学科人才培养方案

对再制造行业，跨学科多技能型人才(包括技术和操作人员)的缺乏成为再制造发展的一大障碍，而我们在人才培养环节，还没有一个可以培养合格人才的体系支撑，也缺乏合格的教师队伍。我国工业和学术的结合目前还存在很大不足，这是一个重大问题。同时，也是发展再制造产业的难得机会。德国在制造、再制造产业的人才培养方面走在世界前列，如果用一点来总结德国大学在产学研结合的优势，就是：几乎所有高等级的教授都有大企业研发部门甚至高管任职的经历，这对工业和学术的结合是最好的正面影响。

再制造在创造高技能工作方面有巨大的发展空间，而拥有高技能的人才也将能够创造更多的可能性和机会。为此，需要再制造领域的研究人员把再制造发展中的关键问题研究透彻，需要个人、企业、行业、国家一起行动，迎难而上，在解决问题过程中创造新机会。

传统制造业的专业、行业的培训课程都是按照产业、行业分工来设置课程体系，开展教学实践，其顶层设计源于产业、行业分工。而从事再制造，所需人才培养如果还按照传统的培训体系和思路，就会发现很多问题无法解决。原因是：传统制造业的人才培养，其技能要求是有限的、明确的、单一的。而开展再制造，其技能要求是多样的、全面的、复合的、综合的，需要具备应对多种不确定的能力。

以汽车发动机再制造技术人员培养为例，开展再制造培训，技术人员需要了解、掌握、训练的内容包括以下方面：发动机的研发设计，发动机产品的应用，发动机和机械制造的相关理论，发动机制造与维修实践，发动机零部件的性能、特点、检测，整机的性能与匹配，发动机零部件新品制造工艺，再制造零部件的特性、失效分析、再制造工艺、质量控制，新品研发流程，再制造设计，再制造产品的特殊流程，再制造发动机的商业模式等。结合技术人员的专业背景、岗位要求，在培训过程中，对于上述方面的理论、知识、技能，都需要予以考虑和开展教学。这一难度比发动机制造环节的人才培养要求要高很多。而不同的产品，其专业、行业不同，培养体系也对应需要有非常大的针对性变化。

为了更好地发展再制造产业，针对再制造产业的领导者、技术人员、操作人员，需要制定多层级的跨学科人才培养方案，提供融合多学科的理论和实践课程，这是一个全新课题，值得深入研究并开展实践探索，未来充满了未知和挑战。

为了更好地发展再制造产业，需要开发跨学科的培训课程、教材、实践课程，特别是提供针对不同产品的再制造设计，以满足针对性需求，帮助再制造从业者获得足够的知识和技能，为不断增长的再制造企业和希望进入再制造的企业提供人才支持。而企业和产品背景不同，培训的要求和难度也显著不同。考虑到开设课程的准备工作量和难度，对于教师有很高要求，有些课程需要长期建设。结合实际需求，有些课程可以以讲座形式开设，有些内容可以以研究课程的形式开展探索实践。

10.3　对研究人员的建议

再制造是对废旧产品实施高技术修复和改造的产业，它针对的是损坏或将报废的零部件，在性能失效分析、寿命评估等分析基础上，需要进行再制造设计，开展这项工作，会受到原有产品的结构(已定)、材料(已定)、技术原理或功能原理(已定)等诸多限制，在明确的限制条件下进行创新设计，相当于盒内创新，已经确定的框架会限制可以采取的有效行动。

再制造在现有的功能原理、零部件结构、材料约束下实施再制造设计，限制和约束大，其创新难度非常大，需要运用更多、更好的方法论来破解难题。

同时，与开展再制造一样，再制造研究面对的问题是典型的多学科融合问题，对于研究者，其知识背景、学科背景、技能背景必须与待解决的跨学科问题对应，即研究者必须是跨学科专家才能准确把握问题，深刻分析问题，有效解决问题。

10.4　对多方利益相关者的建议

再制造与多方利益相关者有关。再制造问题通常涉及多个机构、多个行业和多家企业，再制造问题解决方案可以让多个行业和多类型企业受益，因此有必要建立一个协调多方利益相关者的协作平台，来协调解决对应的复杂问题。在推动再制造产业持续发展的背景下，需要将再制造这一融合多学科的新问题明确为新的学科方向。还需要为研究机构提供多种形式的资金支持。围绕行业和企业发展的共性难题，需要协调多方力量共同参与、协同攻关。

参 考 文 献

[1] 费尔南德·威兰. 再造如新[M]. 韩群, 史佩京, 韩红兵, 译. 郑州: 河南人民出版社, 2017.
[2] Nasr N. Remanufacturing in the Circular Economy[M]. Beverly, MA: Scrivener, 2019: 18-19.

内 容 简 介

本书的核心议题是在"一国两制"的框架下，以改革体制机制、加强制度供给创新为突破口，为粤港澳大湾区科技创新与新兴产业发展提供人才和教育支撑。主要从人才汇聚和高等教育创新集群战略两大方面，对粤港澳大湾区打造人才和教育高地进行深层探索研究。包括粤港澳大湾区人才汇聚与高等教育发展状况、问题及原因分析，粤港澳大湾区人才汇聚与高等教育发展路径，粤港澳大湾区人才汇聚与高等教育创新集群发展的战略定位、发展目标，以及政策建议。

本书可供从事粤港澳大湾区人才汇聚与高等教育研究的学者和政策制定者，以及对粤港澳大湾区人才和教育问题感兴趣的人士阅读参考。

图书在版编目(CIP)数据

粤港澳大湾区人才汇聚与高等教育创新集群战略研究/唐本忠，柴茂昌，肖建华著. —北京：科学出版社，2023.3

"十四五"时期国家重点出版物出版专项规划项目 重大出版工程规划
中国工程院重大咨询项目成果文库

ISBN 978-7-03-073185-2

Ⅰ. ①粤…　Ⅱ. ①唐…　②柴…　③肖…　Ⅲ. ①人才–发展战略–研究–广东、香港、澳门 ②地方教育–高等教育–发展–研究–广东、香港、澳门
Ⅳ. ① C964.2　② G649.286.5

中国国家版本馆 CIP 数据核字（2023）第 014230 号

责任编辑：王丹妮／责任校对：贾娜娜
责任印制：张　伟／封面设计：有道设计

科学出版社 出版
北京东黄城根北街 16 号
邮政编码：100717
http://www.sciencep.com

北京中科印刷有限公司 印刷
科学出版社发行　各地新华书店经销
*

2023 年 3 月第 一 版　开本：720 × 1000　1/16
2023 年 3 月第一次印刷　印张：8 1/4
字数：170 000

定价：102.00 元

（如有印装质量问题，我社负责调换）

"十四五"时期国家重点出版物出版专项规划项目·重大出版工程规划

中国工程院重大咨询项目成果文库

中国工程院—国家开发银行联合项目：粤港澳大湾区科技创新
与新兴产业发展战略研究

粤港澳大湾区人才汇聚与高等教育
创新集群战略研究

唐本忠　柴茂昌　肖建华　著

科　学　出　版　社

北　京